D0553074

COLLECTION POÉSIE

CHARLES BAUDELAIRE

Le Spleen de Paris

Petits Poèmes en prose

Édition présentée, établie et annotée
par Robert Kopp

Professeur à l'Université de Bâle

Introduction par Georges Blin

Professeur honoraire au Collège de France

GALLIMARD

Le texte de Georges Blin a paru dans la revue Fontaine *en février 1946 sous le titre «Introduction aux* Petits Poèmes en prose» *avant d'être repris dans* Le Sadisme de Baudelaire *(Corti, 1948).*

INTRODUCTION

I

Autant que le permettent les lois de la création littéraire, les *Petits Poèmes en prose* marquent un commencement absolu. Ils soutiennent tout un système généalogique dont on dessine les branches maîtresses quand on cite le premier livre des *Divagations*, les *Illuminations* et les *Moralités légendaires* : le foisonnement ultérieur est infini[1]. Il semble que Baude-

1. *Connaissance de l'Est* et *Les Nourritures terrestres* figurent assez bien les rameaux divergents du deuxième degré. Fargue, Max Jacob, Saint-John Perse, P. J. Jouve (dans les *Récits*) et les surréalistes dans certains textes d'une absurdité tout onirique ont retrouvé la venue de la première sève et ils ont élaboré ce genre pour leur compte, de façon à étendre les limites héritées de la poésie. La postérité mineure, assurée par Louÿs, le Villiers de *Vox populi*, le Gourmont des *Proses moroses* et Saint-Pol-Roux, conduit de nos jours aux *Fugues* de Miomandre ou à certaines œuvres d'Ilarie Voronca. Wilde, Rilke et Milosz fournissent les jalons principaux de la descendance étrangère. Récemment, Marcel Béalu (dans son recueil de proses intitulé : *Mémoires de l'ombre*, Gallimard, 1944, et dans *Cinq supplices*, *Confluences*, n° 31, avril-mai 1944) a retrouvé par moments l'accent du dernier Baudelaire : mêmes travestissements de cauchemar, mêmes décors volontiers urbains et fantastiques, même coloration réaliste de confidentiels faits divers, même symbolisme inquiétant, même prédilection pour les histoires sans histoire et pour les improbabilités cruelles, même technique et même vocabulaire souvent. On peut encore citer, parmi tant d'autres œuvres qui ont su acclimater l'humour et le merveilleux surréalistes dans le genre à la fois libre et strict du poème en prose, les petits livres alertes de Lise Deharme (cf. surtout *Le Pot de mousse*, Fontaine, 1946).

laire ait eu lui-même conscience d'avoir ouvert par cette extrême expérience une route que l'on dût, après lui, nécessairement emprunter. Du moins, entendait-il qu'on lui rapportât le mérite de l'avoir frayée. Il mandait à Arsène Houssaye, dans un billet de 1861 : «Je me pique qu'il y a là *quelque chose de nouveau*, comme sensation ou comme expression» — et dans sa dédicace au même, il se défendait, tout en jouant le dépit, d'avoir simplement imité la technique d'Aloysius Bertrand[1]. Enfin, dans sa Correspondance, il mettait l'accent sur le caractère de «singularité» radicale[2], pour ne pas dire : «répulsive[3]», des «bagatelles laborieuses», dont il sentait qu'en matière de poésie elles constitueraient son dernier mot.

Or, sur le point de définir quelle était au juste la part de son invention, il paraissait ne se prévaloir aux yeux du directeur de *La Presse* que de l'usage qu'il avait fait de certaine «prose poétique». De quoi la critique littéraire a pris acte pour produire, suivant une méthode connue, la liste de tous les précédents auxquels ont devrait, de proche en proche, reporter le bénéfice de la découverte ou du mode d'emploi. Peu s'en faut qu'on ne remonte ainsi jusqu'aux Évangiles ou à saint François. On remarque du moins que la formule de titre n'est, elle-même, pas neuve, puisque, dans la Lettre à Perrault, Boi-

1. Dans une lettre à Houssaye, qui double le texte de préface, Baudelaire se donne comme semblablement humilié par son inaptitude à pasticher *Gaspard de la Nuit*, et il ajoute, d'une façon très intentionnelle : «Je me suis résigné à être moi-même» (Noël 1861).

2. Il écrivait en 1862 : «Ce sera un livre singulier» ; le 20 mars 1863 à Hetzel : «... je puis vous garantir un livre *singulier et facile à vendre*», et, en 1865, il présentait encore son recueil comme un «ouvrage singulier, plus singulier... que *Les Fleurs du Mal*».

3. Baudelaire sentait que, sur cinquante poèmes, vingt devaient paraître «inintelligibles ou répulsifs» au public d'un grand journal. Le scandaleux refus d'insérer qu'il essuya, par exemple, du «pion» Le Barbier, s'explique en partie par le caractère inhabituel des pièces présentées.

leau, songeant sans doute à *L'Astrée* ou au *Télémaque*, nommait « poèmes en prose » les romans, ces substituts d'épopée[1]. Et, dans le siècle de la plus grande sécheresse qui fut aussi celui des plus intempérantes larmes, l'appétit poétique, déçu par les produits de versification, n'avait-il pas tendu — en droit même — à s'assouvir dans le va-et-vient lyrique d'une prose « cadencée » comme voulait d'Alembert ou simplement « mesurée », sans rime, mais « réglée » ? À ce compte, « L'Invocation aux Muses » dans *L'Esprit des Lois*, les lettres de Julie, *Les Rêveries*, les ouvrages de Saint-Martin — ce Fénelon déjà claudélien — et jusqu'aux *Chansons madécasses* du chevalier de Parny ou aux traductions de Le Tourneur, fournissaient des échantillons scolairement utilisables de prose mélodique. Plus près de Baudelaire, le Lamartine délicatement atone et ingénu de *Raphaël* ou des *Commentaires*, le Guérin gidien du *Centaure*[2], le Nerval neigeux et fragile d'*Aurélia* atteignaient sans besoin du vers à de suprêmes harmonies d'inconsistance et, par le choix d'une forme gratuite, laiteuse et transgressible, dépouillaient poétiquement le monde de son épaisseur et de son objectivité. Mais il s'agissait là plutôt de devanciers que de modèles. Cernant plus étroitement les abords du recueil baudelairien, les chercheurs de « sources » ont alors mis en avant *Le Livre du promeneur*, de Lefèvre-Deumier, et tant les *Rythmes oubliés* que l'*Amaïdée* de Barbey. Mais il est visible que, pour la genèse du

1. Dans ses *Réflexions critiques sur la poésie et sur la peinture*, l'abbé Du Bos citait pareillement *La Princesse de Clèves* et le *Télémaque* comme réussites achevées de « poésie en prose ». On se reportera pour toute cette partie historique à l'article riche et vivant de Marie-Jeanne Durry : « Autour du Poème en prose » (*Mercure de France*, 1er novembre 1937).

2. Toute la ferveur enseignée à Nathanaël ne chante-t-elle pas déjà dans ces inflexions du *Centaure* : « Mélampe, ma vieillesse regrette les fleuves... » — « Ô Mélampe ! les dieux errants ont posé leur lyre sur les pierres, mais aucun... aucun ne l'y a oubliée... »

poème en prose, Baudelaire n'a pas utilisé le second; quant au premier, qu'eût-il pu prêter que quelques titres fort communs[1]? On invoque aussi l'exemple d'Alphonse Rabbe, dont la névrose s'était déjà coulée dans la prose lyrique de l'*Album d'un pessimiste*. Mais, s'il est vrai que l'*Enfer d'un maudit* n'est pas sans présenter quelque parenté d'inspiration avec le recueil de Baudelaire[2], il y a loin de la rhétorique nihiliste et très intempestivement romantique de Rabbe au symbolisme fiévreux et rare des *Petits Poèmes en prose*. Pour «maudit» qu'il soit reconnu, Rabbe reste plus près de Senancour que de Rimbaud. C'est plus valablement qu'on se réfère à la lettre du 15 janvier 1866 où Baudelaire annonce lui-même à Sainte-Beuve ses proses «comme un nouveau Joseph Delorme accrochant sa pensée rhapsodique à chaque accident de sa flânerie». Que ce billet de présentation ait été ou non dicté par l'intérêt, le rapport de filiation ne s'y trouve-t-il point reconnu? On ne niera point que, par l'emploi des mots «indéfinis, inexpliqués, flottants, qui laissent deviner la pensée sous leur ampleur», Sainte-Beuve, aussi bien dans *Volupté* que dans son recueil de 1829, n'ait, fort en avance sur son temps, élaboré «cette matière subtile à laquelle il ne manque qu'un rayon pour éclore en poésie», mais, très bourgeois, le *Joseph Delorme*, dont on exceptera les *Pensées* critiques, avait gardé le moule banal de l'alexandrin, et quant au grand roman confidentiel, il ne pouvait, du fait de sa calligraphie langoureuse et de son onctueuse lenteur, passer pour avoir préparé la voie

1. Vers décembre 1861, Baudelaire projetait d'intituler son recueil: *Le Promeneur solitaire*. Mais sans doute se souvenait-il là plus de Rousseau que de Lefèvre-Deumier, avec lequel il n'a, par ailleurs, de commun que quelques vagues rubriques comme *L'Horloge, Le Port, Le Miroir*...
2. Les morceaux qui rendent le son le plus baudelairien sont: *Après la mort, Le Remède au chagrin, Mon âme* et *La Pipe*.

aux textes cruels et coupants du dernier Baudelaire. Reste cet Aloysius Bertrand qui, dans une lettre à David d'Angers, revendiquait, plus de vingt ans avant la publication des premières pièces correspondantes de Baudelaire, le mérite d'avoir créé « un nouveau genre de prose[1] », cet Aloysius Bertrand dont le *Gaspard de la Nuit* avait fourni à Baudelaire, comme la dédicace à Houssaye le confirme avec une insistante coquetterie, sinon franchement un modèle, du moins un prétexte ou un « point de départ[2] ». Au reste, Prarond nous assure que le jeune Baudelaire avait été très frappé par la lecture du recueil de Bertrand, jusqu'à durablement « en garder la marque ». Nous ne contesterons pas que l'inédit publié par J. Marsan et intitulé *Les Petits Savoyards*[3] n'eût pu prendre place en 1869 dans le tome IV des *Œuvres complètes* aux côtés des *Veuves* ou du *Joujou du pauvre*, ni que, dans *Gaspard* même, un texte comme *Harlem* ne contienne certains motifs qui reparaîtront à peine transposés par le rêve et l'exotisme dans *L'Invitation au voyage*, ni que la pièce *À M. David, statuaire*, n'utilise, par priorité, certain ton sarcastique et un peu irritant que Baudelaire devait réserver aux parties « morales » de son livre. Mais c'est à cela que se limitent les ressemblances. Baudelaire applique, en effet, à la vie « moderne » et « abstraite » un procédé que le petit romantique avait réservé à la vie « ancienne » et « pittoresque ». L'auteur des *Fantaisies*, qui unit le coloris concentré d'un Heredia[4]

1. C'est à l'auteur des *Fantaisies* que, dans un article sensible et bien documenté (*Le Temps*, 25 août 1942), Edmond Jaloux rapporte par priorité sur Baudelaire l'invention du poème en prose.
2. La formule se trouve dans la lettre à Houssaye déjà citée.
3. *Mercure de France*, 1er mars 1925 ; dans ses « Notes sur Aloysius Bertrand », J. Marsan donne une première version retrouvée du poème *Octobre* de *Gaspard de la Nuit*.
4. « Ce fantasque Aloysius Bertrand, écrit Huysmans dans *À Rebours*, qui a transféré les procédés du Léonard dans la prose et peint, avec ses

au mouvement cavalier des ballades hugoliennes, possède un tour d'imagination tout archéologique : ses pastiches minutieux de vieilles estampes évoquent, dans le décor et les costumes de W. Scott, Charles le Téméraire ou Marion Delorme : comme nous sommes loin du *Peintre de la vie moderne* ! Ce sont Constantin Guys, Méryon et Manet — non Callot ou Téniers — qui eussent pu illustrer les *Poèmes en prose* de Baudelaire[1]. À cet égard, la critique de Max Jacob porte pleinement, qui, dans son *Art poétique,* tenait pour non avenu le précédent d'Aloysius Bertrand, du fait que, chez ce dernier, l'érudition descriptive et le réalisme anecdotique contrariaient l'essor nécessairement naïf de la poésie. De plus, l'auteur de *Gaspard de la Nuit,* qui a prétendu nous offrir un recueil de « ballades en prose », a conservé des habitudes métriques dont Baudelaire s'est débarrassé : la plupart de ces « bambochades » historiques sont découpées en strophes — cinq ou six — de trois lignes, et tendent, vers la chute, à l'élargissement oratoire du sonnet parnassien. La très belle chute du morceau gothique intitulé *Le Maçon*[2] rappelle certains gonflements rythmiques de Chateaubriand ; d'autres annoncent les turlupinades de Paul Fort — mais aucune ne fait présager l'harmonie rompue et, dans la courbe d'une aigre retombée, le jeu pudique des dissonances qui, chez Baudelaire, marque le plus souvent la fin de l'apologue. Mais, dira-t-on, s'il est peu douteux

---

oxydes métalliques, des petits tableaux dont les vives couleurs chatoient, ainsi que celles des émaux lucides. »

1. On ne s'étonnera donc point que nous jugions les illustrations de Marcel Gromaire (Éditions des Quatre-Chemins, 1926) et de J.-L. Boussingault (éd. Jeanne Walter, 1932) mal accordées à la couleur propre des *Petits Poèmes*.

2. « Et le soir, quand la nef harmonieuse de la cathédrale s'endormit, couchée les bras en croix, il aperçut, de l'échelle, à l'horizon, un village incendié par des gens de guerre, qui flamboyait comme une comète dans l'azur. »

que, pour avoir maintenu certaines formes fixes de versification, Bertrand ne peut être salué comme le devancier de Baudelaire, Arsène Houssaye, celui-là même auquel notre auteur a dédié son livre, n'avait-il pas déjà tenté de constituer, suivant sa propre formule, des poèmes « sans rime, sans vers et sans prose poétique » et qui fussent pourtant suffisamment « lyriques » ? En fait, on ne saurait feuilleter le pitoyable recueil des *Poésies complètes*, qu'en 1850 avait publié le polygraphe de *La Presse*, sans récuser aussitôt toute hypothèse expresse d'imitation. Fraternitaire plat et didactique, Houssaye n'a, semble-t-il, écrit *La Chanson du vitrier* que pour que Baudelaire la réfutât dans cette janséniste réhabilitation du sadisme que constitue le IXe Poème en prose. Au point même que, dans la version définitive de la dédicace, le paragraphe qui concerne l'ancien directeur de *L'Artiste* doive être pris vraisemblablement dans un sens ironique[1]. Loin de baigner dans la poésie, la prose d'Arsène Houssaye atteint à ce degré de prosaïsme où elle échappe même à la littérature. Et d'ailleurs tout ce débat sur les sources et les origines se trouve ouvert à contresens, du fait que l'on s'entête à considérer toute prose susceptible d'être scandée comme offrant une suite organique de « poèmes en prose ». Depuis le moment où la poésie a commencé à s'infiltrer dans le discours suivant les règles d'un « épanchement » que Paul Claudel a justifié[2] et que Jules Romains, puis Alfred Colling[3] ont présenté comme définitivement accompli, les notions de poème en prose et de prose poé-

1. « Vous-même..., écrivait Baudelaire, n'avez-vous pas tenté de traduire en une *chanson* le cri strident du *Vitrier*, et d'exprimer dans une prose lyrique toutes les désolantes suggestions que ce cri envoie jusqu'aux mansardes, à travers les plus hautes brumes de la rue ? »
2. Dans *Positions et propositions*.
3. Respectivement dans la préface de *L'Homme blanc* (1937) et dans le cahier sur *La Jeune Poésie et ses harmoniques* (1942).

tique se sont obscurcies jusqu'à paraître réductibles l'une à l'autre. Or, pas plus Bossuet, quand il fait usage cicéronien de clausules, que Rousseau, lorsqu'il surimprime à l'élocution de nouvelles musiques du cœur, ou Chateaubriand, quand il transfigure l'enchaînement verbal par la constante surenchère de la métrique et de l'orchestration, ne peuvent être raisonnablement regardés comme les promoteurs du « poème en prose » : celui-ci, dans l'absence ordinaire de toute « musique », possède sa technique propre et ses lois.

II

De même que le lyrisme peut être défini soit structurellement par l'usage de certains mètres et de certaines strophes, soit intrinsèquement, par l'exploitation de certains thèmes ou par l'expression de certains sentiments, de même — et de façon plus générale — la poésie peut être rapportée, soit extérieurement à certains retours de sons et d'articulations qui, s'ils sont soutenus par l'inspiration, conviennent, comme dit Alain[1], à notre « forme » et à notre « santé », soit à la production, par tous les moyens, et le plus souvent par la destruction des architectures verbales consacrées, d'un certain état de grâce qui ne prétend à rien et se suffit à lui-même. On voit par là que la poésie peut être liée, soit à la présence, soit à l'absence de la finalité dans les mots et qu'elle échappe au temps soit par la répétition (du rythme et de la rime) qui replace nos malheurs de plain-pied avec l'éternel, soit inversement par le rejet de toute versification dont les dis-

1. Dans *Vingt Leçons sur les beaux-arts* (1931).

positions régulières permettraient de mesurer comme au métronome la durée de l'*enthousiasme* créateur. Ainsi la poésie peut être considérée soit comme gouvernant et modérant les passions par le mors et le joug d'un cadre fixe, soit comme les déchaînant par la perversion d'un langage dégagé de tout devoir, c'est-à-dire de tout devoir d'expression[1], et rendu à sa propre autonomie de hasard. Il faudra bien qu'une dialectique totale de la poésie[2] réconcilie un jour sur un plan supérieur — au niveau duquel la contrainte paraîtra délivrer et l'anarchie : engager — ces deux types rigoureusement opposés de définition. Sans quoi Eluard et Valéry n'auraient plus rien de commun, même le nom de poètes. Quoi qu'il en soit, si l'on applique à notre sujet ces deux critères divergents, on aperçoit que le premier récuse *a priori* toute possibilité de « poème en prose ». Si, en effet, la poésie tient à la permanence victorieuse d'une forme qui confirme notre forme organique en ce que, d'abord rythme, elle capte le rythme de notre souffle et de notre pouls, en ce cas la prose ne

1. Entendons-nous : s'il est vrai que, comme dans ces peintures où la couleur déborde la ligne qui devrait l'enfermer, la poésie s'interdit de mettre les choses et les mots dans un rapport de correspondance directe, encore faut-il, pour qu'il subsiste de l'évidence, que les vocables qu'elle assemble ne soient pas totalement vidés de leur sens. La poésie disparaît également quand les termes qu'elle additionne sont pris dans un rapport d'utilité objective, et lorsqu'ils ne se réfèrent plus à rien. *La terre est bleue comme une orange*, proclame Eluard. Ce n'est pas *vrai*. Mais ce n'est poétique que si *terre*, *bleue* et *orange* conservent leur contenu conceptuel, ou du moins leur valeur d'usage. La poésie ne saurait être ni absolument transparente ni absolument opaque. Elle naît, comme tout produit de dérèglement, d'un compromis d'exactitude et d'inadéquation.

2. Peut-être la trouvera-t-on chez Jean Paulhan, dans sa *Clef de la poésie* (1941) ou chez Valéry lui-même, dans l'admirable essai intitulé : *Poésie et Pensée abstraite* : est prose ce qui ne survit pas à la compréhension et se dissout dans la clarté quand l'office d'expression est rempli. Est poésie le langage qui se fait respecter pour lui-même et en qui la fin n'annule, ne dévore point le moyen (*Variété V*). Mais ce qui réduit la portée de cette définition, c'est que Valéry ramène ensuite la poésie à un mouvement pendulaire du *son* vers le *sens* et du *sens* vers le *son*.

pourra prétendre qu'à certains effets de *prose poétique*, c'est-à-dire à certaines répartitions de toniques, à certains équilibres et à certains systèmes susceptibles à la fois de maintenir l'unité d'un relief uniforme et la multiplicité d'éléments «périodiques» isolés par des coupes. Mais dans une position inverse, si on définit la poésie non par l'accord d'un sens avec un dessin, mais par une certaine attitude idéaliste ou subversive, par la gratuité de certaines suggestions et la pureté de certaines visions, par un certain charme natif et l'ironie de certains dépaysements, on ne la compromettra plus nécessairement avec le vers, pas plus qu'avec les schémas artificiels de la prose métrique — et même on aura recours de préférence au poème en prose comme à un cas-limite où l'émotion, comptable devant elle seule, ne peut être rapportée à des envoûtements de la répétition. Ainsi la prose poétique se sert de poésie (définie tout formellement) pour ennoblir un développement dont le fond même est prosaïque — au lieu que le poème en prose prend pour matière de la prose brute, c'est-à-dire un langage non assujetti à la mesure, afin de réaliser, dans la recherche de l'arbitraire, un certain dépouillement irrationnel. Les procès d'écriture ne peuvent être dans les deux cas qu'opposés, car la poésie, incantatoire et mnémotechnique, que l'auteur de prose poétique utilise à des fins banales d'expression, fait office de prose — alors que la prose directe[1] que le poète en prose modèle tend à dépasser les finalités usuelles de l'expression et à promouvoir le lecteur jusqu'à la transcendance du rêve. Le premier reste fidèle aux lois du discours qu'il rend simplement plus efficace par la greffe de mots, de cadences et d'images prélevés à vif sur des vers réguliers, le

1. *Prose* est étymologiquement *prorsa oratio* : façon *droite* de dire.

second conserve le langage le plus nu, mais sur ce carreau parfaitement translucide, il projette une buée, celle du songe et de la fièvre, qui brouille l'ordre et les contours des objets. La prose poétique dissout dans la phrase ou plaque sur le raisonnement des ornements de poésie; le poème en prose dévêt plutôt la prose simple jusqu'à ce point où elle perd son sens et où rien ne se fait que par la rencontre cocasse et rafraîchissante des éléments flottants de la nomenclature.

Qu'on prenne garde: cette prose s'oppose tout autant à l'éloquence qu'à la poésie régulière. Comme le rappelle Albert Chérel[1], dire, c'est étymologiquement prouver, montrer, démontrer. Or, rien n'est si antipoétique qu'un discours ordonné dans le sens de la persuasion. Le poème en prose n'admet pas qu'on le tire en avant par le jeu de polarités conclusives, ni qu'on le fixe progressivement au moyen de crampons logiques. Alain insiste sur ce point dans son *Système des beaux-arts*: «L'équilibre de la phrase veut que le mouvement y soit rompu sans cesse... On voit que la prose n'entraîne pas, mais au contraire retient et ramène... Elle refuse d'attirer et de prendre... Les Anciens l'appelaient style délié exprimant bien par là que le lecteur de prose est laissé libre et va son train, s'arrête quand il veut, remonte quand il veut.» C'est cette allure lente et dégagée qui sépare si fortement la *prose* à la fois du vers et du discours[2]. Narratif sur le mode confidentiel, le poète en prose se garde donc de tous écarts «oratoires»; il utilise ce langage analytique, abstrait même, qui tient sa force et son étrangeté de son

1. Dans son excellent ouvrage sur *La Prose poétique française* (L'Artisan du Livre, 1940). *Dico* (*deico*, de la racine de *deiknumi*) signifie en propre «*montrer* par la parole».

2. Livre X: «De la prose». Mêmes idées dans *Propos de littérature* (1934).

effacement : on ne raconte pas un rêve dans le style de la tribune ou dans une rhétorique de « bouts-rimés ». Mieux vaut encore ici la puérilité que la ruse. On devine que la poésie qui prend appui sur ce fond d'inutilité n'est pas la poésie dont les poètes ont l'exclusivité, mais la « poésie pourrie » dont parle Cocteau, celle qui pense « les choses comme si elles étaient autres qu'elles-mêmes[1] », celle, comme dit Maritain[2], qui « force toutes les serrures », vous attend au coin des rues, se signale, tout impromptue, par un choc, une angoisse, une envie de rire, transporte le plein jour à minuit ou la minuit en plein jour, arrête le cœur, suspend le temps et fait brusquement basculer l'univers sur l'axe oblique d'une de ses fêlures. C'est cette poésie qu'on peut recevoir de plein fouet à la vue des cartons découpés, « peintures idiotes (de Rimbaud), dessus de portes, décors, toiles de saltimbanques, enseignes »

(Tu lis les prospectus les catalogues les affiches qui chantent tout haut
Voilà la poésie ce matin)

aussi bien qu'en contemplant des chefs-d'œuvre. C'est cette poésie que Baudelaire a évoquée dans sa notice sur Banville comme un état où tout coule de source et où le monde se propose à l'homme suivant les catégories insolites de la facilité.

Mais le mariage de cette prose fidèle à ses lois et de cette poésie qui les transcende toutes ne suffit pas à constituer le petit poème en prose. Celui-ci se définit par l'affirmation, dans d'étroites limites, d'une certaine unité de couleur. Il n'est pas construit,

1. Suivant le mot de Jean Paulhan (« Querelle de l'image », *Confluences*, nº 31, avril-mai 1944, p. 371).
2. *Frontières de la poésie* (« Le Roseau d'or », XIV, Plon, 1927, p. 20).

mais complet. Edmond Jaloux le présente fort bien[1] comme « un morceau de prose suffisamment bref, uni et serré », qui tient entièrement à l'art avec lequel l'écrivain extrait de la vie ou du songe un fragment perdu, qu'il isole, auquel il rend tout son éclat, dont il fait une sorte de secret, n'ayant d'autre objet et d'autre ressource que « cette existence absolue ». On voit par là que la traduction littérale d'un poème régulier composé dans une langue étrangère fournit un excellent échantillon de poème en prose, car, de la poésie formelle, rien ne subsiste, du fait de la version qui a déplacé les accents, cependant qu'ont été sauvés le halo protecteur, l'inflexion et surtout la tonalité dominante, le lien sentimental qui mesure cet entre-deux-néants qu'est le texte. Bien que réductible à un libre agencement de « mesures pour rien », le petit poème en prose n'a donc rien de l'*extrait*, ni de la symphonie inachevée. Il forme un tout, se suffit à lui-même : il découpe un carré parfait de silence dans le vacarme universel ou profère une phrase autonome sur notre fond de réticence. Il est donc nécessaire que, sans rien perdre de sa transparence, il s'efforce à la densité. Le Des Esseintes de Huysmans l'avait bien compris, qui, faisant du poème en prose le dernier mot et le sommet de la littérature (le « suc concret » et « l'huile essentielle » de l'art), en rattachait le pouvoir de ravissement à des effets de condensation : « Maniée par un alchimiste de génie », cette forme devait « renfermer, dans son petit volume, à l'état d'*of meat*, la puissance du roman dont elle supprimait les longueurs analytiques et les superfétations descriptives. Bien souvent, Des Esseintes avait médité sur cet inquiétant problème, écrire un roman concentré en quelques phrases... Alors les mots choisis seraient tellement impermu-

1. Dans son article, déjà cité : « Le Centenaire du poème en prose. »

tables qu'ils suppléeraient à tous les autres ; l'adjectif posé d'une si ingénieuse et d'une si définitive façon qu'il ne pourrait être légalement dépossédé de sa place, ouvrirait de telles perspectives que le lecteur pourrait rêver, pendant des semaines entières, sur son sens, tout à la fois précis et multiple, constaterait le présent, reconstruirait le passé, devinerait l'avenir d'âmes des personnages, révélés par les lueurs de cette épithète unique. » Cette « succulence développée et réduite en une goutte » — l'auteur d'*À Rebours* affirme qu'elle existait déjà chez Baudelaire[1]. Nous allons tâcher de l'établir.

III

Ce à quoi notre auteur avait prétendu dans ses *Petits Poèmes*, c'était, suivant ses propres termes, à l'élaboration d'une prose « sans rythme et sans rime », qui fût « assez souple et assez heurtée pour s'adapter aux mouvements lyriques de l'âme, aux ondulations de la rêverie, aux soubresauts de la conscience ». Seule une étude de détail révélerait si Baudelaire a pu tenir sa gageure, c'est-à-dire s'il a réussi à fixer cette forme « à la fois pénétrante et légère[2] » qu'il considérait comme le langage intimiste de la fantaisie. On devra de toute façon reconnaître que, pour les délices mêmes du lecteur, il ne s'est pas toujours privé de certains effets de prose poétique. Et, sans

1. *À Rebours*, chap XIV.
2. La formule se trouve dans la lettre, déjà citée, à Sainte-Beuve. — Baudelaire ne se dissimulait plus les périls, dénoncés plus tard par Valéry, d'une *latitude* totale en matière de poésie : la fantaisie, écrivait-il déjà dans le *Salon de 1859*, apparaît d'autant plus dangereuse que « plus facile et plus ouverte », et il ajoutait : « dangereuse comme la poésie en prose... ».

doute, ne découvre-t-on point d'alexandrins, ni de refrains dans ces textes à chutes sèches et à progressions rompues, que l'impair déséquilibre déjà comme à plaisir. Mais l'énumération lyrique des *Bienfaits de la lune*, avec ses larges reprises de houle[1], l'évocation rimbaldienne des extrêmes nuits de la terre qui précède la retombée de *Any where out of the world*[2] et, dans un comble de la ferveur, l'assimilation de l'aimée à ses « correspondances » dans *L'Invitation au voyage* (XVIII)[3], décrivent un mouvement, lié à certaines éloquences du cœur, qu'exploite surtout la poésie constituée. Nous avons, en outre, montré[4] que tout au long du « doublet » intitulé *Un hémisphère dans une chevelure*, Baudelaire n'avait pas craint, grâce à certaines symétries de composition et, sinon par des rimes avouées, du moins par des jeux très concertés d'assonances et d'allitérations, d'instituer une concurrence directe avec la strophe et le vers. Ceux-ci vont jusqu'à se dessiner victorieusement, dans *Le Crépuscule du soir*, sous une prose qu'il ne serait point malaisé de disposer métriquement :

Ô nuit ! ô rafraîchissantes ténèbres !
Vous êtes pour moi le signal d'une fête intérieure,
Vous êtes la délivrance d'une angoisse !

1. « Et tu seras aimée de mes amants, courtisée par mes courtisans. Tu seras la reine des hommes aux yeux verts dont j'ai serré aussi la gorge dans mes caresses nocturnes ; de ceux-là qui aiment la mer, la mer immense, tumultueuse et verte, l'eau informe et multiforme, le lieu où ils ne sont pas, la femme qu'ils ne connaissent pas, les fleurs sinistres qui ressemblent aux encensoirs d'une religion inconnue », etc.

2. « ... Fuyons vers les pays qui sont les analogies de la Mort... Installons-nous au pôle. Là le soleil ne frise qu'obliquement la terre... Là, nous pourrons prendre de longs bains de ténèbres, cependant que, pour nous divertir, les aurores boréales nous enverront de temps en temps leurs gerbes roses, comme des reflets d'un feu d'artifice de l'Enfer ! »

3. « Ces trésors..., c'est toi. C'est encore toi, ces grands fleuves et ces canaux tranquilles... »

4. Dans l'édition critique des *Fleurs du Mal*, que nous avons établie en collaboration avec Jacques Crépet (José Corti, 1942), p. 335-337.

Dans la solitude des plaines,
Dans les labyrinthes pierreux d'une capitale,
Scintillement des étoiles,
Explosion des lanternes,
Vous êtes le feu d'artifice de la déesse Liberté!

Il en va de même, dans *Les Projets,* pour cette extase diffuse dont les points de suspension rythment, comme autant de points d'orgue, les progrès de l'étalement:

Au-delà de la varangue,
Le tapage des oiseaux ivres de lumière,
Et le jacassement des petites négresses.....,
Et, la nuit,
Pour servir d'accompagnement à mes songes,
Le chant plaintif des arbres à musique,
Des mélancoliques filaos!

On conviendra pourtant de la rareté de semblables effets de modulation. Et l'orchestration n'apparaît que lorsque le poète ne domine plus son propre trouble. «Les mélodies que l'on entend sont douces, mais celles qu'on n'entend pas sont plus douces encore», écrivait Daniel-Rops[1], à la suite de Keats. Plutôt que de reconstituer des chansons dont il faudrait épeler tous les mots, ou de recourir à des instruments dont la matérialité rend toujours le concert tyrannique, Baudelaire s'efforce de noter cette arrière-musique, ce chant silencieux, ce chœur allusif des lointains que nul n'est jamais sûr d'avoir bien entendu.

1. Dont l'étude très pénétrante: «Baudelaire poète en prose», publiée dans la *Grande Revue* (en octobre 1931), a été réimprimée en préface aux *Petits Poëmes en prose,* édités par les Belles Lettres (1934).

Ceux qui n'ont point d'oreille pour des tonalités si fragiles nient que notre poète ait cherché dans son petit livre de proses à dire le plus par le moins, et ils ont considéré ce volume comme le « cahier d'esquisses », le brouillon des *Fleurs du Mal*. On n'a que trop souvent à la suite de Catulle Mendès[1], de Leconte de Lisle ou de Pierre Louÿs[2], soutenu l'injurieuse hypothèse d'après laquelle Baudelaire aurait d'abord écrit en prose ses poèmes des *Fleurs*, quitte à réunir par la suite, dans *Le Spleen de Paris*, les morceaux auxquels, sur la fin de sa vie, il ne fut pas parvenu à donner un tour versifié. Mais notre auteur s'était déjà prémuni contre ce reproche : il faisait remarquer dans sa lettre à Houssaye que la plus importante difficulté des poèmes en prose tenait à ce qu'on ne dût point « avoir l'air de montrer le plan d'une chose à mettre en vers ». Et, sans doute, deux textes présentent-ils l'aspect incriminé : le morceau du *Salon de 1859*, qui fournit le premier crayon de la XXe *Fleur du Mal* et, surtout, le fragment tiré de l'essai *Du vin et du hachisch*, qui annonce ou reproduit[3] très exactement *L'Âme du vin* : la page de prose commence par un alexandrin (« Il me semble parfois que j'entends dire au vin »), les mots-rimes y supportent les accents toniques, et les paragraphes correspondent sensiblement aux quatrains de la *Fleur du Mal*. Mais il s'agit là de morceaux extérieurs au recueil des *Petits Poèmes* et, s'il y a lieu d'établir des parallèles de ce genre, il sera plus instructif de confronter de prose à prose le poème intitulé *Le Joujou du pauvre* avec la page écrite neuf ans

1. Dans un article du *Boulevard*, paru en 1862.
2. À en croire Jules Mouquet (*Le Manuscrit autographe*, 1931).
3. Henry Dérieux a soutenu pour des raisons de critique intrinsèque que la prose a dû précéder les vers (*Mercure de France*, 1er décembre 1917). Nous avons fait valoir la thèse opposée (dans notre édition, déjà citée, des *Fleurs du Mal*, p. 483-484).

auparavant dans la *Morale du joujou*, qui en constitue le point de départ. On constate que Baudelaire, transformant en « poème en prose » ce fragment cursif des *Curiosités esthétiques*, ne travaille nullement à rendre le second état du texte plus musical ; il se contente de conférer davantage d'unité et d'autonomie, par certains arrangements de détail, à un morceau que le récit d'introduction ne soutiendra plus ; il atténue le réalisme, ravive le féerique, modifie la ponctuation et la disposition typographique, mais nulle part n'a l'air de conserver la prose par impuissance à saisir des rythmes réguliers. Son but est autre tout simplement. Des deux pièces projetées sous les titres d'*Oreste et Pylade* et *Les Deux Ivrognes*, qui eussent été également détachées de l'essai liminaire aux *Paradis artificiels*, nous n'avons pas de raison de croire qu'elles eussent pris un tour plus métrique. Et quant aux poèmes du cycle « onéirocritique », dont nous ne possédons que, d'une part, la nomenclature et, d'autre part, certains états de prose brute, tout nous invite à supposer que Baudelaire en jugeait la poésie réductible à leur contenu fantastique et non à des compromis de cadences qu'une seconde version leur eût, à l'image du vers, artistement imprimées. Par ailleurs une étude chronologique un peu attentive permet d'infirmer la thèse selon laquelle, dans les cas de « concordance » avouée, la prose ne figurerait qu'un premier état de la pièce versifiée. Les données dont nous disposons à cet égard demeurent toujours approximatives[1], mais on peut établir que, si *L'Horloge* et *Les Projets* du recueil en prose ont effectivement précédé *L'Horloge* et *Bien loin d'ici* des *Fleurs du Mal* et si, dans trois autres cas où le doute est permis, la prose

1. Car nous ne connaissons que les dates de publication, non de composition.

semble simplement contemporaine des vers[1], néanmoins sur tous les autres points de rapprochement, c'est la pièce métrique qui fournit la première version[2]. C'est ainsi que *Le Crépuscule du soir* des *Tableaux parisiens* a été composé trois ans au moins avant son « doublet » et l'*Invitation* qu'a mise en musique Duparc plus de deux ans avant sa réplique en prose. Sur ce dernier exemple, la comparaison qu'a tentée Dérieux paraîtra pleine d'enseignement. Baudelaire a voulu montrer dans la seconde des deux *Invitations* que, sur un thème déjà traité, la prose ne faisait pas pléonasme, si du moins elle restait consciente de ses moyens. Or, dans la pièce qui nous occupe, elle ne redoute pas une certaine gaucherie, comporte plus de précisions objectives que le vers, admet un vocabulaire également plus abstrait et plus didactique, se prête mieux à l'exposé et à la discussion ; les citations y abondent, et si elle dégage une irrécusable poésie, c'est par certaines notations nervaliennes comme dans l'apostrophe : « Fleur incomparable, tulipe retrouvée, allégorique dahlia... », ou par sa simplicité moelleuse et son « fondu », par la saturation de qualificatifs qu'elle permet, par

1. *Un hémisphère dans une chevelure*, qui date de l'été 1857, répond conjointement à *Parfum exotique*, qui figure dans la première édition, et à *La Chevelure*, qui a été publiée pour la première fois en mai 1859. — De la même façon, *À une heure du matin* (1862) se situe entre *La Fin de la journée* (1861) et *L'Examen de minuit* (1863).

2. C'est ainsi que, si l'on reprend le tableau complet des correspondances (même partielles ou multiples) qu'a établi Jacques Crépet dans son édition des *Petits Poèmes en prose* (Conard, 1926), l'on constate la postériorité des *Veuves* sur *Les Petites Vieilles*, du *Vieux Saltimbanque* sur *La Muse vénale*, de *La Chambre double* sur *L'Horloge* (de *Spleen et idéal*), de *La Belle Dorothée* sur *À une Malabaraise* et *À une dame créole*, des *Vocations* sur *Bohémiens en voyage*, de *Déjà !* sur *L'Homme et la mer*, de *Any where out of the world* sur *Le Voyage*, du *Désir de peindre* sur *À une passante*, et des *Bienfaits* sur les *Tristesses de la lune*. De plus, si l'on se range à l'avis de J. Crépet, les deux poèmes en prose intitulés *La Femme sauvage* et *Les Tentations* durent d'abord être écrits en vers.

la stagnation, la lenteur et l'intensité de ses modes d'expression[1].

Les mêmes caractéristiques se retrouvent dans tous les *Poèmes en prose*: on n'y distingue plus ce cerne net qui, dans certaines *Fleurs du Mal*, soutenait la couleur, suivant une technique fixée plus tard par Van Gogh. C'est un monde assez inétendu que celui de ces proses, sans discontinuité ni saillant. Par un choix scrupuleux des verbes, la *Fleur du Mal* saisissait les gestes et les mouvements dans leur relief intellectuel[2]. Mais le *Poème en prose* ne tend pas à de telles stylisations: privé de la tension d'un rythme à règle étroite, il noie plutôt les éléments du récit dans une pâte grise et claire, d'une banalité complète[3] et d'une ardeur vivace. Et sans doute procède-t-il parfois à des inventaires matériels d'une très grande exactitude, mais comme il se refuse à simplifier les énumérations dans un sens expressif, il ôte du même coup aux détails toute impérative autonomie de suggestion. C'est pareillement que des formules redevables à l'imprévu d'une vigueur chargée d'humour[4] perdent dans la généralité du contexte toute une part de leur mordant. Elles sont d'ailleurs résorbées plutôt que soulignées par le bariolage léger de l'ensemble et la juxtaposition curieuse des tons. Dans ces pièces le vocabulaire le plus familier voisine, en effet, avec la terminologie la plus noble ou la plus traditionnellement philosophique: des «carrosses» passent dans la boue de ces réalistes Noëls.

1. «Un vrai pays de Cocagne, où tout est beau, riche, tranquille, honnête; où le luxe a plaisir à se mirer dans l'ordre; où la vie est grasse et douce à respirer...» — «Sur des panneaux luisants, ou sur des cuirs dorés et d'une richesse sombre, vivent discrètement des peintures béates, calmes et profondes...»

2. R. Vivier l'a bien montré dans *L'Originalité de Baudelaire* (1926).

3. On notera l'emploi délibéré des adjectifs les plus plats: *joli, charmant, superbe, magnifique...*

4. «Si l'œil d'un magnétiseur faisait mûrir les raisins...»

Et sur l'éclat recherché d'un mot rare, l'hiatus jette la fraîcheur d'un parler d'enfant[1]. Ailleurs c'est l'enjouement, l'aparté complice du chroniqueur mondain qui vient relâcher, quand la réflexion le contracte, le tissu de la narration. Claudel était donc fondé à définir, si l'on en croit Rivière, la prose de Baudelaire comme un singulier mélange «du style racinien et du style journalistique de son temps[2]». Si constante est même cette variété que, comme dans certains textes d'avant-garde, telle page des *Petits Poèmes* paraît avoir été composée, pour chaque mot d'une même phrase, dans des caractères d'imprimerie différents. On ne doit point pourtant imaginer que ces pièces offrent le clinquant d'arlequinades mal jointes. Vues dans un mouvement uniforme et d'une suffisante hauteur, les couleurs les plus vives engendrent le blanc le plus négatif. C'est ainsi que, malgré leur infinie bigarrure et la vigueur de leurs métaphores, les poèmes en prose dégagent en définitive l'homogénéité très solide des teintes neutres. Comme l'a remarqué Daniel-Rops, ils s'apparentent par là beaucoup moins aux *Fleurs du Mal* qu'aux grands recueils critiques: *Curiosités esthétiques*, *Art romantique* ou *Paradis arti-*

1. On ne trouve point dans *Les Fleurs du Mal* de vocables aussi insolites que *varangue, gravois, carlin, filaos*, etc. Et comment nier que, dans ce début du *Désespoir de la vieille*, les hiatus n'aient été accumulés pour accentuer l'impression de puérilité: «La petite vieille ratatinée se sentit toute réjou*ie en* voyant ce jol*i en*fant..., ce jol*i ê*tre, si fragile...»?

2. Voir l'étude de Jacques Rivière publiée dans la *NRF*, 1er décembre 1910, et reprise dans *Études (1909-1924)*, Gallimard, 1999, «Les Cahiers de la NRF», p. 457, n. 4. Les *Petits Poèmes en prose* peuvent passer à certains égards pour une œuvre de journaliste. Baudelaire, qui a débuté dans les Lettres en qualité d'«échotier» de petites feuilles (cf. *Les Mystères galans*), possède le tour qu'il faut pour raconter une anecdote ou un fait divers. Son recueil se présente un peu comme une collection de chroniques écrites au jour le jour et à bâtons rompus sur la couleur de Paris et la vie du temps.

ficiels, modèles également sévères de prose analytique et d'élocution gouvernée.

IV

Baudelaire, par ailleurs si féru d'unité, paraît s'être plu à placer ce recueil sous le signe de la discontinuité la plus libre. La Dédicace à Houssaye développe complaisamment l'image du serpent qu'on peut débiter par tranches ou par « tronçons » : « Enlevez une vertèbre, et les deux morceaux de cette tortueuse fantaisie se rejoindront sans peine. Hachez-la en nombreux fragments, et vous verrez que chacun peut exister à part. » Dans la lettre de présentation à Sainte-Beuve, le poète insistait également sur l'aspect *rhapsodique*[1] de ce nouveau *Joseph Delorme*. Et Banville, saluant la livraison de *La Presse*, remarquait dès 1862 que, dans ces « courts chefs-d'œuvre », la pensée se trouvait « dégagée de toute intrigue » et de « toute construction matérielle ». Est-ce à dire qu'oublieux du *Poetic Principle*, Baudelaire ait lâché la bride au hasard ? Il ne semble pas : lui-même donnait ce recueil pour plus « volontaire » que *Les Fleurs du Mal*. Du moins ne put-il l'ordonner aussi rigoureusement que son volume de vers et l'on conviendra qu'il n'est point aisé d'y découvrir quelque principe de classement. Les thèmes n'y paraissent point groupés méthodiquement. Daniel-Rops imagine que le poète part d'une contemplation de Paris, s'en évade par la construction de Rêves et nous laisse, à la retombée, sur des

1. « ... Le mot *rhapsodique*, qui définit si bien un train de pensées suggéré et commandé par le monde extérieur et le hasard des circonstances... », précise utilement Baudelaire dans *Les Paradis artificiels*.

visions de désespoir. Mais rien n'atteste que ce soit là le véritable parcours. Le livre n'est pas davantage subdivisé en rubriques. Rien n'eût été plus facile pourtant que de reproduire la structure même des *Fleurs*. *Spleen et idéal*, préfacé par un chapitre de théorie esthétique (III, VII, XIV, XXVII et XXXII), eût impliqué un cycle de l'Amour — relevé par endroits d'une note exotique, et un cycle du Spleen, relatif au Temps et au « divertissement », que la page écrite *À une heure du matin* eût pu conclure symétriquement aux pièces de *L'Héautontimorouménos* dans les *Fleurs*. On n'eût pas eu de mal à répartir les morceaux subsistants de façon à retrouver les ensembles du *Vin*, des *Fleurs du Mal* et de *La Mort*[1]. Quant aux *Tableaux parisiens* auxquels eussent ressorti près de vingt poèmes, ils pouvaient, suivant la donnée même tu titre, constituer l'axe ou le noyau du recueil. Mais pareille disposition ne fût pas allée sans un trop grand nombre de fausses fenêtres. Le classement par genres littéraires (fables, « moralités légendaires », narrations, contes ou poèmes proprement dits) n'eût pas comporté moins d'arbitraire. Et d'ailleurs la scolastique n'en pouvait rester à ce degré de généralité. Il fallait distinguer, parmi les contes par exemple : les demi-nouvelles (XLII), les contes de fées (XX), les récits hoffmannesques (XXVII et XXIX), les « Histoires extraordinaires » (XXX et XLVII), les relations de faits divers (XXVIII) et les extraits de « Cahiers intimes » (XV). Mais il semble justement que, par une application inverse, le poète n'ait recherché dans la succession de ces textes que la plus grande variété possible. De l'apologue à l'article de journal, en passant par l'ode ou le portrait ou la prière, tous les *Petits Poèmes en prose* ne pré-

1. Les proses numérotées XXXIII, XLVII et XLV eussent fourni respectivement le centre de chacune de ces trois parties.

sentent d'autre point commun que d'être écrits en *digression* délibérée et de fournir matière à des considérations gnomiques. Telle est cette diversité qu'à l'intérieur d'une même pièce l'on assiste à de brusques changements de ton. Le *Confiteor* passe de la contemplation descriptive à un exposé de principes. *Le Joueur généreux* commence comme un conte d'Hoffmann et se termine sur une simple plaisanterie. *L'Horloge* débute à la façon d'un écho («Curiosités») de périodique, exalte l'Aimée sur le mode indirect de la confession et finit en madrigal désinvolte ou en épître badine. L'intention du poète apparaît donc en clair : il n'aspire qu'à suivre avec toute la souplesse possible, par le progrès de métamorphoses musicalement consommées, les «ondulations de la rêverie et les soubresauts de la conscience[1] ».

On se tromperait néanmoins en inférant de tant d'éclectisme et de tant de caprices que ce livre n'est pas directement fondé en doctrine et qu'il abandonne ou trahit les postulats majeurs de la philosophie baudelairienne. Il contient en premier une éthique. Il dresse l'alternative du divertissement (XXXIII) ou d'une indifférence supérieurement désespérée (VI), fournit les éléments d'une «physiologie de l'Ennui», accuse l'imperméabilité, voire la culpabilité constitutionnelle de la femme (XI), dénonce la tyrannie de la face humaine (X) et pose les problèmes les plus concrets de la solitude (XII, XXIII, XXXV), fait paraître les paradoxes de la nostalgie (XVIII), désavoue l'idée de Progrès (XXIX), et, fidèle à la tradition janséniste ou maistrienne, illustre notre dépravation *naturelle* : il nous oblige à réfléchir sur certains cas ingénus de sadisme (XLVII) et, par une théorie de l'inconscient conçu comme

1. Cf. la Dédicace à Houssaye.

démoniaque, rend compte du « courage de luxe » qui nous porte à des actes gratuits (IX). Il accepte la coûteuse « logique de l'Absurde » (XX) et, par le seul tableau d'une journée d'homme, projette le jour le plus cru sur nos infidélités à nous-même. Il révèle qu'au plus haut point de l'extase objective je ne sais si les choses « pensent par moi » ou si « je pense par elles » (III). Il met l'accent sur l'aspect atemporel de la contemplation (V) et nous apprend à lire l'heure — « heure immobile », heure totale — sur le cadran vide et sans fond de deux prunelles féminines (XVI). Dans le même recueil, Baudelaire nous livre quelques conclusions importantes de son esthétique dernière. Il représente l'artiste comme à la fois inférieur et supérieur aux objets qu'il se donne : vaincu d'avance par ses modèles (III), mais susceptible de les « réformer » (XVIII) dans un sens plus « significatif » — victime, il l'est puisqu'il les prend pour idéal, mais triomphant aussi et discrétionnaire, puisqu'il en fait sa matière. Un autre privilège sur lequel Baudelaire insiste, c'est le pouvoir de mimétisme qui permet au créateur d'être « à sa guise » « lui-même et autrui » (XII). Le texte qui sur ces problèmes fournit les plus précieuses données, c'est sans conteste *Le Thyrse* : l'auteur y postule curieusement la valeur femelle de l'expression relativement à l'intention qui la détermine. Il fait pourtant la part égale dans l'œuvre constituée à ce qui vient de la volonté (c'est-à-dire tient de la structure) et à ce qui, plus matériel, procède uniquement de la fantaisie. Une exégèse suffisamment attentive remarquerait qu'il se refuse par là à subordonner, comme le voudrait la tradition, les moyens de l'art à sa fin[1]. Quoi qu'il en soit, quand il

1. « Quel est... le mortel imprudent qui osera décider si les fleurs et les pampres ont été faits pour le bâton, ou si le bâton n'est que le prétexte pour montrer la beauté des pampres et des fleurs » (XXXII) ?

écrivit cette page, le poète dut avoir conscience qu'il nous léguait une métaphore particulièrement applicable à son recueil dans son entier. La ligne droite n'y supporte-t-elle pas harmonieusement l'arabesque ? Et si ces textes de haut loisir doivent au moraliste de posséder une armature ou quelque sens demi-caché, n'est-ce point leur revêtement, leur couleur d'espace et de temps qui, de prime abord, nous arrête et, par la suite, nous retient comme un appel d'anachronisme et de désuète fraîcheur ?

Le Spleen de Paris[1], écrivait Baudelaire en 1866, à Troubat, « c'est encore *Les Fleurs du Mal,* mais avec beaucoup plus de liberté, et de détail, et de raillerie ». Nous dirons que c'est l'ouvrage le plus directement inspiré par les vues de notre poète sur la *modernité* dans les arts. Ce « volume romantique à images[2] », qui constitue proprement le « doublet » des *Tableaux parisiens,* fournit la preuve que, dans les années qui suivirent la première édition des *Fleurs,* la Ville accapara progressivement l'inspiration de Baudelaire. C'est de 1859-1860 que datent les pages sur Guys qui définissent si originalement, bien que ce soit dans une direction stendhalienne, les devoirs du *moderniste.* C'est l'édition de 1861 des *Fleurs du Mal* qui, comptant un supplément de huit pièces urbaines, groupe pour la première fois en un cycle les morceaux nés du contact de Paris. Et si l'on distingue parmi les proses elles-mêmes, c'est la livraison de *La Presse,* en 1862, qui comporte le plus grand nombre de textes directement rattachés à l'épopée de la capitale. Ces « bagatelles laborieuses », Baudelaire n'eût pu les écrire, comme il

1. Que vers 1861 Baudelaire avait projeté d'intituler non moins significativement *Le Rôdeur parisien.*
2. La formule est du poète lui-même.

l'avoue à Sainte-Beuve, sans « l'aiguillon » d'« une excitation bizarre qui a besoin de spectacles, de foules, de musique, de réverbères ». Il n'est pas jusqu'à l'idéal même du poème en prose qui, d'après notre auteur, ne doive être rapporté à « la fréquentation des villes énormes ». La seule Muse qu'il invoque, c'est « la vivante » ou, comme il glose : « la citadine » (L). L'*Épilogue* panoramique, qui conclut le recueil, en détermine donc bien l'unité dans une perspective globale de ferveur et de haine : « Je t'aime, ô capitale infâme... » Et, s'il est vrai que la pureté de l'évocation s'y trouve parfois contrariée par des récurrences exotiques ou de brusques échappées en plein air[1], c'est *Le Spleen de Paris*, mieux que les œuvres de Guys, de Méryon[2] ou de Manet, qui nous rend la couleur vivante d'une rue du Second Empire. Nous y reconnaissons le gaz, les lanternes, la boue neigeuse de Noël, les jouets compliqués, les lorettes, les chiens à la mode (gredins ou carlins), le « beau monsieur ganté, verni, cruellement cravaté » — qui est Baudelaire lui-même — et qui sautille sur le macadam, les fiacres attardés (*À une heure du matin*), le vitrier qui jette son cri, le peuple « vêtu de blouses et d'indienne », le café aux « murs aveuglants de blancheur », tapissé de miroirs, étincelant de l'or de ses « baguettes » et « corniches », et dont les devantures sont encombrées d'amphores à bavaroise ou de Ganymèdes de stuc présentant aux amateurs « l'obélisque bicolore » de leurs « glaces panachées ». C'est, ailleurs, le fumoir, le tripot, le cabinet de lecture, et surtout la fête foraine, dominée par l'odeur de fri-

1. Cf. les pièces III, VII, XV, XIX, XXXIV, XLI, etc.

2. Précisons que Baudelaire avait primitivement conçu ses « méditations poétiques en prose » sous la forme de morceaux brefs qui devaient accompagner les planches de Méryon ; c'est l'artiste, désireux de voir ses gravures commentées avec une application plus pédante, qui repoussa l'idée de « rêveries philosophiques d'un flâneur parisien » pour texte de son album (cf. deux lettres à Poulet-Malassis de 1860).

ture, cet «encens» pour les humbles, et les cuivres des concerts publics, et les débauches de foule — prostitution et solitude — qui conduisent le narrateur sur la trace des veuves pauvres. Et, si l'on quitte la rue, c'est la chambre de l'Ennui : fenêtres donnant sur les toits, vitres sales où la pluie a laissé de mornes sillons, cheminée «souillée de crachats», l'almanach qui fait l'addition de toutes les journées gaspillées, les meubles «sots» et «écornés», les manuscrits inachevés, la bouteille de laudanum, et, s'attachant à tout cela, l'odeur froide et moisie de la fumée de tabac. Dans ses *Poèmes en prose*, Baudelaire n'a pas craint de souligner sa peinture par quelques touches réalistes (notes caricaturales dans les morceaux symboliques[1]), mais, le plus souvent, commandées par le simple souci de la précision intensive. Qui oublierait, par exemple, l'inventaire de réduit où vit le saltimbanque (dans *Les Bons Chiens*) ? «Un lit, en bois peint, sans rideaux, des couvertures traînantes et souillées de punaises, deux chaises de paille, un poêle de fonte, un ou deux instruments de musique détraqués», et, pour finir, deux chiens dressés surveillant avec attention «*l'œuvre sans nom* qui mitonne sur le poêle allumé, et au centre de laquelle une longue cuiller se dresse, plantée» comme un «mât aérien». G. Bourdin pouvait donc, dès 1864, soutenir que les *Poèmes en prose* contiennent ce qui est exclu des *Fleurs du Mal* : «tous les détails matériels» et «toutes les minuties de la vie prosaïque».

Ce réalisme ne va pas sans parti pris de cruauté. Les *Petits Poèmes en prose* contiennent des pages très dures. Dans une lettre à sa mère datée de 1865,

1. Dans *Les Tentations*, par exemple, Baudelaire écrit du second Satan que «(sa) lourde bedaine *surplombait* (ses) cuisses».

le poète annonçait que son recueil associerait « l'effrayant avec le bouffon[1], et même la tendresse avec la haine ». Il avouait à Sainte-Beuve, qu'au gré de sa flânerie, ce nouveau *Joseph Delorme* saurait tirer, « de chaque objet, une morale désagréable ». Et il écrivait à Marcelin, d'un « paquet » de ces proses, que c'étaient « des horreurs et des monstruosités », à faire « avorter » des « lectrices enceintes ». De là le titre collectif provisoirement attaché vers 1866 à ces essais « répulsifs » : « Petits Poèmes lycanthropes ». *La Corde, La Femme sauvage* et le dernier des *Portraits de maîtresses* sont, dans le fait, bâtis sur des données odieuses. On n'en dira pas moins de *Mademoiselle Bistouri*. Même *Chacun sa chimère* comporte un cadre goyesque[2]. La haine du poète atteint autant le mauvais plaisant (IV) ou l'aimée (XLIII) que l'honnête vitrier ou, sous couvert de mystification, le mendiant qui fait son métier (XLIX). Un récit, dès l'abord serein, comme *Le Gâteau*, ne manque pas de se fermer sur la description complaisante d'un corps à corps répugnant[3]. Il y a davantage dans tous ces textes qu'un souvenir de Pétrus Borel. Nous sommes aussi près de Mirbeau que des dandys « petits-romantiques ». Cette méchanceté porte d'autant mieux que l'ironie en glace le dehors. Baudelaire se donne l'air d'avoir fait là œuvre « amusante », d'y avoir même travaillé avec « une bonne humeur constante[4] ». Cette apparente légèreté, cet excédent d'impertinence tendent à raf-

1. Le personnage du bouffon n'apparaît-il pas dans *Le Fou et la Vénus, Le Vieux Saltimbanque* et *Une mort héroïque* ?

2. Cf. l'étude de Jean Prévost : « Ce que Baudelaire doit à Goya » (*Formes et Couleurs*, 1943, n° 5, repris dans J. Prévost, *Baudelaire* [...], Mercure de France, 1953).

3. « Le premier, exaspéré, empoigna le second par les cheveux ; celui-ci lui saisit l'oreille avec les dents, et en cracha un petit morceau sanglant... »

4. Cf. les lettres, déjà citées, à Houssaye et à Sainte-Beuve.

finer sur le déplaisant. Du persiflage au sarcasme[1], du trait de raillerie au paradoxe narquois, Baudelaire prétend épuiser dans ses proses tout le sadisme de l'humour.

V

D'une façon générale, ce réalisme et cette malice sont corrigés dans les *Petits Poèmes en prose* par un double recours : au Rêve et à la Charité. Daniel-Rops propose ici de distinguer deux formes de Rêve : celui qui crée simplement le halo, l'*aura*, le milieu poétique, et celui, plus idéaliste, plus ambitieux, plus construit, qui contredit le réel. Le premier se distingue assez peu de la rêverie : il excursionne[2] parmi les nuages et, sous son aspect le plus achevé, donne accès à l'extase, comme dans *Le Confiteor* ou *La Chambre double*. C'est un bain stagnant de paresse, un monologue « somnambulique », un crépuscule en serre-chaude, « un rêve de volupté pendant une éclipse ». Comme pour le patient qui s'est introduit dans des *Paradis artificiels*, les choses y débordent d'anthropomorphique tendresse. Le Moi consent à s'enfermer dans des méditations implicites : « Ici, tout a la suffisante clarté et la délicieuse obscurité de l'harmonie » (V). Cette délectation sans contours sera qualifiée de « romantique » si l'on se souvient que, d'après le *Salon de 1846*, « qui dit romantisme dit art moderne, — c'est-à-dire intimité, spiritualité, couleur, aspiration vers l'infini... ». La couleur d'une songerie ne saurait être bien éclatante.

1. La forme elle-même est cinglante, par exemple lorsque le poète ridiculise « la charité de certaines pucelles sexagénaires, dont le cœur inoccupé s'est donné aux bêtes » (L).
2. Cf. *L'Étranger* et *La Soupe et les nuages*.

L'impressionnisme de Sainte-Beuve porte donc, semble-t-il, à faux, quand le critique des *Lundis* assimile nos *Petits Poèmes* à des « émaux[1] ». Les textes qui nous occupent ne présentent rien de bien éclatant. Exception faite pour les morceaux exotiques, on y trouve surtout des verts pâles, ou des roses légers quand il s'agit d'intérieurs, ou les gris pénétrants de l'automne sur une mer sans relief, ou l'or affaibli de rayons qui traversent l'arrière-été... — toutes teintes un peu brumeuses comme celles que rencontre le regard vague et absent. Pris dans son second sens, le Rêve est le lieu commun du désir, le havre de nos optatifs insensés ou, mieux, si l'on retient la leçon de *Laquelle est la vraie?*, le piège, la « fosse » où l'idéal reste pris. À cet égard, comme *Les Fleurs du Mal*, les *Petits Poèmes en prose* constatent surtout nos faillites. Ils consacrent l'échec de tout procès d'évasion, la tyrannie du terre-à-terre, le dépit chronique de l'artiste et de l'amant. Ces bilans n'ont rien que de très banal et contre toute logique n'aboutissent qu'à raviver la nostalgie des chimères. On en retiendra seulement que, dans la mesure où il a mis sa foi « dans les rêves comme dans les seules réalités », Baudelaire a dû nécessairement tempérer ce que ses récits devaient comporter de désagréablement réaliste. Ce qui remédie tout autant à la cruauté du recueil, c'est l'introduction repentante de thèmes qu'on aurait pu réputer spécifiquement non baudelairiens. Dans les fragments des *Journaux intimes* qui datent à peu près des mêmes années s'esquisse par moments un semblable désaveu du dandysme. Baudelaire, qui s'était fait gloire de se murer sur ses différences, ne craint pas ici d'accuser « l'égoïste, fermé comme un coffre,

1. En 1865, dans un article sur Monselet: Baudelaire « peint sur émail ».

et le paresseux, interné comme un mollusque» (XII). Oublieux de ses anathèmes à l'égard des «fraternitaires», il prend dans les *Petits Poèmes en prose* le parti des Misérables et des Parias. Il se montre sensible à cette «absence d'harmonie» qui rend le deuil du pauvre plus qu'un autre «navrant» (XIII). Il plaint le malheureux qui se voit «contraint de lésiner sur sa douleur». Nul désespoir ne le touche plus que celui qui s'affuble de «haillons comiques». Un mouvement de charité socialiste le porte au-devant de «tout ce qui est faible, ruiné, contristé, orphelin». C'est ainsi qu'il réhabilite l'enfant. Et sans doute, dans *Les Veuves*, ravale-t-il ce petit monstre plus bas que le chien et le chat. Mais, dans *Le Désespoir de la vieille*, comme dans *Le Gâteau*, dans *Le Joujou du pauvre* comme dans *La Corde* ou *Les Vocations*, il paraît éprouver de la sympathie, une sympathie hugolienne, pour les jeunes héros de ses contes. Cette générosité s'étend jusqu'aux animaux: à l'âne que bafoue le mauvais *Plaisant* et surtout aux *Bons Chiens*, aux «chiens crottés» «que chacun écarte, comme pestiférés et pouilleux». Si peu janséniste paraît même la dominante du livre, que le poète, reniant ses docteurs préférés, et cédant à la tentation d'un optimisme païen, ne redoute plus, par moments, de communier avec la nature[1]. Assez infidèle, aussi bien, à son *non serviam*, pour envier la joie du missionnaire ou du «pasteur de peuples» (XII).

1. «Bref, je me sentais, grâce à l'enthousiasmante beauté dont j'étais environné, en parfaite paix avec moi-même et avec l'univers; je crois même que, dans ma parfaite béatitude et dans mon total oubli de tout le mal terrestre, j'en étais venu à ne plus trouver si ridicules les journaux qui prétendent que l'homme est né bon» (*Le Gâteau*, XV). Il est vrai que la conclusion du poème replonge le narrateur dans des considérations pessimistes.

VI

Ces analyses feront peut-être paraître la complexité, pour ne pas dire les contradictions, qui se font jour sur tous les plans de ce bref recueil. Elles expliquent qu'on soit empêché quand il s'agit de le juger d'une façon générale. Les lignes de force qu'on y découvre s'y trouvent constamment traversées par des jeux de finalité inverse. Du reste, ce livre, dont la première édition fut posthume, ne se présente pas sous l'aspect définitif et arrêté que l'on connaît aux *Fleurs du Mal*. Et, sans doute, Baudelaire nous donne-t-il la confection de ces « babioles » comme « le résultat d'une grande concentration ». Il insiste dans sa lettre à Sainte-Beuve sur le caractère « volontaire » de ces proses. Il proteste, dans un billet à un directeur de revue, que, comme tout ce qu'il lui est arrivé de livrer à un imprimeur, le lot de poèmes qu'il veut publier se trouve « parfaitement fini » et assumé. Et Banville, qui le croit sur parole, qualifie les *Petits Poèmes en prose* de « courts chefs-d'œuvre artistement achevés ». Mais à y bien regarder, et quand on étudie les répertoires de « Poèmes à faire », on constate que c'est là une œuvre qui n'a pas atteint — au moins en extension — son plein épanouissement[1]. C'est un travail de malade et qui se place sur les frontières de la stérilité. Les *Petits Poèmes en prose* portent l'empreinte du malheur. Restés dix ans en chantier, ils n'ont été rassemblés en recueil qu'après la mort de l'auteur et lui ont valu, lors des publications en revue, de tels affronts qu'il faillit bien les garder dans ses cartons.

1. « La vérité est que je ne suis pas content du livre, écrivait Baudelaire à Hetzel, que je le remanie et que *je le repétris* » (lettre du 20 mars 1863).

Il était lui-même physiquement abattu et, par moments, ces poèmes font pressentir la paralysie. Bon nombre d'entre eux furent écrits après la date fatidique du 23 janvier 1862 où, «singulier avertissement», Baudelaire, que ne quittait plus le vertige, sentit passer sur lui «*le vent de l'aile de l'imbécillité*». Deux mois de «léthargie» ont parfois séparé deux morceaux voisins. Certains durent être composés «dans cet état vaporeux» qui portait le poète à «douter de ses facultés». Il se plaignait à sa mère de ses difficultés à concevoir et à s'exprimer. Et l'on peut croire que le travail auquel l'obligea la mise en forme de ces «poèmes à faire» acheva d'épuiser sa Muse. Car la maladie ne conduisait pas Baudelaire vers la folie créatrice d'un Nerval ou d'un Hölderlin, mais vers le néant et la réticence, vers ce lamentable «Cré Nom», dit à Nadar, qui fut son dernier mot. Ces considérations, loin d'en réduire la portée, ne font que conférer plus de prix à des textes dont nous avons, par ailleurs, mesuré la richesse et l'originalité. Toute poésie de quelque grandeur finit par déboucher sur le silence ou sur le non-sens. Rimbaud part pour l'Abyssinie, Mallarmé tente le *Coup de dés*, Baudelaire sombre dans l'aphasie. Mais, pour nous, qui n'accédons pas à ces solutions totales et négatives que le désespoir leur a procurées, nous ne nous lassons pas d'interroger leurs *Ultima verba*, que gagne déjà l'ombre. Ainsi des *Petits Poèmes en prose* que les *Journaux intimes* viennent si pathétiquement commenter et qui figurent évidemment la dernière grande œuvre de Baudelaire[1]. Qui préten-

1. Si l'on omet *Pauvre Belgique* dont l'intérêt n'est pas négligeable, mais fort limité. Au contraire, Baudelaire convenait qu'il attachait «peut-être une importance exagérée» à ces poèmes en prose qui lui avaient tant coûté (lettre à Arsène Houssaye de 1861). «J'attribue une grande importance au *Spleen de Paris*», écrivait-il encore à l'éditeur Hetzel le 20 mars 1863.

dra déterminer ce que, sur les confins de ce renoncement, l'ironie et le jeu peuvent signifier n'aura qu'à revenir sur le cas de Fancioulle[1], cet «étrange bouffon, qui bouffonnait... la mort».

Georges Blin

1. Dans *Une mort héroïque*, le vingt-septième morceau du recueil.

LE SPLEEN DE PARIS : « POUR SERVIR DE PENDANT » AUX *FLEURS DU MAL*

> Sois toujours poète, même en prose. Grand style (rien de plus beau que le lieu commun).
>
> BAUDELAIRE,
> *Journaux intimes*[1]

Si Les Fleurs du Mal *sont bien un des livres clés de la poésie moderne, dans lequel Baudelaire a fait reculer à l'extrême les limites de la poésie traditionnelle,* Le Spleen de Paris *représente une tentative radicalement nouvelle dans un domaine qui, jusqu'alors, n'appartenait pas à la poésie. Depuis des temps immémoriaux, la poésie, le langage des dieux, se distingue de la prose, le langage des hommes, par des critères formels. La poésie est inséparable du vers, que l'œil identifie dans la page, que l'oreille reconnaît à ses sonorités et à son rythme. Cette distinction entre vers et prose est une des plus anciennes qui soit en littérature*[2]*. Elle est au cœur de toutes les poétiques normatives, d'Aristote et d'Horace à Scaliger et à Boileau. Toutefois, les règles dites « classiques » — qui permet-*

1. Baudelaire, *Œuvres complètes*, Gallimard, « Bibliothèque de la Pléiade », 1976, t. I, p. 670. Désormais cité *O. C.*, suivi du tome et de la page.
2. Voir Gérard Genette, « Langage poétique, poétique du langage », dans *Figures II*, Seuil, 1969.

taient à M. Jourdain de faire de la prose sans le savoir — avaient été mises en cause dès la Querelle des anciens et des modernes et, de façon radicale, par la révolution romantique. L'accélération foudroyante de cette évolution, qui affecte également le domaine des lettres et des arts, était l'une des nombreuses conséquences de la Révolution française. Tocqueville, un des premiers, l'avait diagnostiquée dès les années 1830 : son analyse de la société du Nouveau Monde l'avait rendu particulièrement sensible à « l'américanisation » à laquelle était promis le Vieux Continent et que dénonçait Chateaubriand à peu près à la même époque, et Baudelaire après eux[1]. *Esquissant dans son étude* De la Démocratie en Amérique *la « Physionomie littéraire des siècles démocratiques », Tocqueville commence par noter que dans une société aristocratique « un petit nombre d'hommes, toujours les mêmes, s'occupent en même temps des mêmes objets » : « Ils s'entendent aisément et arrêtent en commun certaines règles principales qui doivent diriger chacun d'eux. Si l'objet qui attire l'attention de ces hommes est la littérature, les travaux de l'esprit seront bientôt soumis par eux à quelques lois précises dont il ne sera plus permis de s'écarter*[2]. *» Dans une société démocratique, en revanche, cette homogénéité n'existe plus : « Les rangs y sont mêlés et confondus ; les connaissances comme le pouvoir y sont divisés à l'infini, et, si j'ose le dire, éparpillés de tous côtés. Voici une foule confuse dont les besoins intellectuels sont à satisfaire. Ces nouveaux amateurs des plaisirs de l'esprit n'ont point tous reçu la même éducation ; ils ne possèdent pas les*

1. Voir la célèbre page « Le monde va finir » dans *Fusées, infra*, p. 335, sans doute l'ébauche d'un poème en prose. On notera que Baudelaire emploie, lui aussi, le verbe « américaniser » dans le sens de « dictature des valeurs économiques » et « nivellement par le bas ».
2. *De la Démocratie en Amérique*, II, 1re partie, chap. XIII, Gallimard, « Bibliothèque de la Pléiade », 1992, t. II, p. 568.

mêmes lumières, ils ne ressemblent point à leurs pères, et à chaque instant, ils diffèrent d'eux-mêmes ; car ils changent sans cesse de place, de sentiments, et de fortune. L'esprit de chacun d'eux n'est donc point lié à celui de tous les autres par des traditions et des habitudes communes, et ils n'ont jamais eu ni le pouvoir, ni la volonté, ni le temps de s'entendre entre eux. [...] Chez ces nations, les lettres ne sauraient donc que difficilement être soumises à des règles étroites, et il est comme impossible qu'elles le soient jamais à des règles permanentes[1].»

Ces règles — pour ce qui est de la poésie —, Lamartine, Hugo, Musset et bien d'autres les avaient certes assouplies ; mais ils ne les avaient pas abolies. Les Parnassiens, et parmi eux Gautier — le dédicataire des Fleurs du Mal *— et Banville — «un parfait* classique» *aux yeux de Baudelaire[2] — travaillaient même à leur rétablissement, une fois passée la tourmente romantique. «Que l'Ode / Garde sa vieille loi», s'écrie Banville dans la pièce intitulée «À Théophile Gautier» et qui figure dans les* Odelettes *(1856). Mais il sait que le vieil édifice est menacé et que les genres traditionnels ne peuvent être sauvés que par cet emploi distancé, voire cette ironie dont Heine avait donné l'exemple. L'ode devient ainsi «odelette» ou «ode funambulesque». Banville est parfaitement conscient de cette évolution: «Les genres littéraires arrivés à leur apogée ne sauraient mieux s'affirmer que par leur propre parodie[3].» Il n'empêche que ses pastiches et ses parodies respectent le vers et sa différence fondamentale d'avec la prose. Dans son* Petit Traité de poésie française, *publié en 1872 et réimprimé plu-*

1. *Ibid.*, p. 570.
2. Conclusion de la notice sur Banville dans les *Réflexions sur quelques-uns de mes contemporains, O. C.*, II, 169.
3. Avertissement à la deuxième édition des *Odes funambulesques* (1859).

sieurs fois avant la fin du siècle, Banville passe en revue, pour la dernière fois peut-être avant la disparition définitive des poétiques normatives, les anciens genres et les règles qui les régissent : rondeau, idylle, élégie, satire, épître, fable, chanson, épigramme et bien d'autres. Il sait qu'ils appartiennent désormais au passé. « Dans l'âge des chemins de fer, de la photographie, du télégraphe électrique et du câble sous-marin, les amusements littéraires sont finis. Il n'y a que le langage vulgaire ou scientifique et l'Ode[1]. » Quant à une éventuelle poésie en prose, elle est inconcevable pour Banville : « Peut-il y avoir des poèmes en prose ? Non, il ne peut y en avoir, malgré le *Télémaque* de Fénelon, les admirables *Poèmes en prose* de Baudelaire et le *Gaspard de la Nuit* de Louis Bertrand ; car il est impossible d'imaginer une prose, si parfaite qu'elle soit, à laquelle on ne puisse, avec un effort surhumain, rien ajouter ou rien retrancher ; elle est donc toujours à faire, et par conséquent n'est jamais la chose faite, le ποίημα[2]. »

Cette affirmation est d'autant plus surprenante que c'est Banville lui-même qui, dix ans plus tôt, avait salué, le premier, la publication de vingt *Petits Poèmes en prose* dans le journal *La Presse* comme un véritable « événement littéraire ». Le même Banville qui, en collaboration avec Charles Asselineau, avait réuni, dans le cadre des *Œuvres complètes*, les cinquante poèmes en prose que Baudelaire avait donnés à différents périodiques durant les dix dernières années de sa vie. Le poète avait projeté d'en écrire une centaine car, dans son esprit, *Le Spleen de Paris* devait constituer le « pendant » des *Fleurs du Mal*, la première édition du recueil, en 1857, étant également composée de cent poèmes. Un « pendant » destiné à

1. *Petit Traité de la poésie française*, E. Fasquelle, 1899, p. 154.
2. *Ibid.*

faire éclater définitivement les frontières de la poésie que *Les Fleurs du Mal* n'avaient fait que reculer.

Dans l'histoire de la poésie, le recueil de vers occupe une place qui est comparable à celle qu'occupe Delacroix dans l'histoire de la peinture, du moins aux yeux de Baudelaire. « Delacroix est la dernière expression du progrès dans l'art. Héritier de la grande tradition, c'est-à-dire de l'ampleur, de la noblesse et de la pompe dans la composition, et digne successeur des vieux maîtres, il a de plus qu'eux la maîtrise de la douleur, la passion, le geste ! C'est vraiment là ce qui fait l'importance de sa grandeur[1]. » Mais Delacroix est un peintre d'histoire, il représente la grande peinture, et celle-ci appartient au passé. « La grande tradition s'est perdue » et « la nouvelle n'est pas faite[2] », écrit le jeune critique d'art qui, dans ses premiers *Salons* déjà, de 1845 et de 1846, est à la recherche d'un peintre qui représenterait enfin la vie moderne. Celle-ci, malgré sa grisaille, n'est-elle pas aussi féconde en sujets poétiques que la vie ancienne, si haute en couleurs ?

À la même époque, Baudelaire commence aussi à explorer les possibles voies d'une nouvelle poésie. Une poésie en prose qui ne serait pas simplement une prose poétique à la manière de Fénelon, de Marmontel ou de Chateaubriand, mais la poésie d'un monde devenu irrémédiablement prosaïque. Un monde pour lequel ce que l'on appelait naguère « beauté » n'est plus qu'un souvenir. Cette hantise poursuit Baudelaire tout au long de sa carrière ; il l'exprime encore dans un des derniers poèmes en prose *Le Miroir*, ou dans cette note à peu près contemporaine de *Pauvre Belgique* :

1. *Salon de 1846, O. C.*, II, 441.
2. *Ibid.*, p. 493.

Un jeune écrivain a eu récemment une conception ingénieuse, mais non absolument juste. Le monde va finir. L'humanité est décrépite. Un Barnum de l'avenir montre aux hommes dégradés de son temps une belle femme des anciens âges artificiellement conservée. «Eh! quoi! disent-ils, l'humanité a pu être aussi belle que cela?» Je dis que cela n'est pas vrai. L'homme dégradé s'admirerait et appellerait la beauté laideur[1].

Pour en arriver là, Baudelaire est allé de désillusions en désenchantements. Car, après tout, «jusque vers un point assez avancé des temps modernes, l'art, poésie et musique surtout, n'a eu pour but que d'enchanter l'esprit en lui présentant des tableaux de béatitude, faisant contraste avec l'horrible vie de contention et de lutte dans laquelle nous sommes plongés[2]». Et Baudelaire a bien connu un des derniers poètes qui n'exprimaient que «ce qui est beau, joyeux, noble, grand, rythmique»: son ami Théodore de Banville. «Dans ses œuvres, vous n'entendrez pas les dissonances, les discordances des musiques du sabbat, non plus que les glapissements de l'ironie, cette vengeance du vaincu.» En revanche, ces dissonances, on les entend dans l'œuvre de Baudelaire qui, dans un premier temps, «de la laideur et de la sottise» essaie de «faire naître un nouveau genre d'enchantements». Mais peut-être la poésie traditionnelle, même retravaillée de fond en comble, n'arrive-t-elle plus à exprimer «ces marécages de sang», «ces abîmes de boue», que nous offre le spectacle de la vie moderne. Ils appellent une nouvelle poésie — en prose.

Certes, Les Fleurs du Mal *peuvent passer pour*

1. *O. C.*, II, 831; le «jeune écrivain» est Mallarmé, le texte auquel Baudelaire fait allusion *Le Phénomène futur*.
2. *O. C.*, II, 168.

l'œuvre de toute une vie. Baudelaire a composé ses premiers poèmes à vingt ans; et de son exil à Bruxelles, il envoie encore de Nouvelles Fleurs du Mal *à Catulle Mendès. Elles paraissent dans* Le Parnasse contemporain *au moment où il est déjà frappé d'aphasie. Ce livre, le poète y tient particulièrement. Le 18 février 1866, il confie à Ancelle: «Faut-il vous dire, à vous qui ne l'avez pas plus deviné que les autres, que dans ce livre* atroce, *j'ai mis tout mon* cœur, *toute ma* tendresse, *toute ma* religion *(travestie), toute ma* haine? *Il est vrai que j'écrirai le contraire, que je jurerai mes grands Dieux que c'est un livre* d'art pur, *de* singerie, *de* jonglerie*; et je mentirai comme un arracheur de dents*[1]*.»*

Toutefois, bien avant la première édition des Fleurs du Mal, *en 1857, Baudelaire est conscient d'épuiser une tradition poétique remontant à Dante et Pétrarque et dont Hugo était l'un des derniers grands représentants. Aussi cherche-t-il autre chose, une poésie différente, radicalement nouvelle. Se serait-il d'ailleurs remis aux* Fleurs *sans le procès et la mutilation qu'avait subis le recueil par la condamnation de six poèmes pour outrage à la morale publique et aux bonnes mœurs? Rien n'est moins sûr. Les poèmes nouveaux, qui forment l'essentiel des* Tableaux parisiens, *section n'apparaissant que dans la deuxième édition de 1861, lui ont sans doute fait prendre une conscience plus nette encore des limites de la poésie versifiée. Envoyant fin mai 1859 à Jean Morel, le directeur de la* Revue française, *une première version des* Sept Vieillards, *Baudelaire précise: «C'est le premier numéro d'une nouvelle série que je veux tenter, et je crains bien d'avoir simplement réussi à dépasser les limites assignées à la Poésie.» Mais, comme le*

1. Les lettres de Baudelaire sont toujours citées d'après la *Correspondance* de la «Bibliothèque de la Pléiade», Gallimard, 1973, 2 volumes.

dira Rimbaud dans sa « lettre du voyant » *: « Les inventions d'inconnu réclament des formes nouvelles », jugeant d'ailleurs « mesquine » la forme des* Fleurs du Mal. *Ces « formes nouvelles », Baudelaire s'y est essayé dans* Le Spleen de Paris, *mais sans pouvoir aller jusqu'au bout. Le caractère inachevé et la publication posthume du recueil expliquent sans doute, pour une part, la relative désaffection de la critique qui, pendant près d'un siècle, a privilégié presque exclusivement* Les Fleurs du Mal, *avant de se jeter, à la fin des années 1960, sur les écrits sur l'art. Il est temps que* Le Spleen de Paris, *dont la postérité est plus nombreuse encore que celle des* Fleurs du Mal, *trouve enfin sa place, qui est celle d'un digne « pendant » au recueil en vers*[1].

Si le projet d'un volume *de poèmes en prose apparaît pour la première fois dans une lettre à Poulet-Malassis d'avril 1857 (deux mois avant la mise en vente des* Fleurs du Mal*), les premières ébauches de poèmes en prose se trouvent dans une nouvelle que Baudelaire a écrite dans sa jeunesse,* La Fanfarlo *(1847), ainsi que dans l'essai* Du vin et du hachisch *(1851). Samuel Cramer* — alter ego *de Baudelaire et auteur d'un volume de poésies intitulé* Les Orfraies — *évoque, au cours d'une promenade avec la dame de son cœur, Mme de Cosmelly, le vert paradis de leurs amours enfantines. Et le narrateur ajoute : « Au lieu d'admirer les fleurs, Samuel Cramer, à qui la phrase et la période étaient venues, commença à mettre en prose et à déclamer quelques mauvaises stances composées dans sa première manière*[2]. » *Suit la transcription en prose d'un poème datant des années 1843-1844,*

1. Voir pour la postérité du *Spleen de Paris* l'introduction de Georges Blin ainsi que la grande étude de Suzanne Bernard, *Le Poème en prose de Baudelaire à nos jours*, Nizet, 1959.
2. *La Fanfarlo, O. C.*, I, 560.

« J'aime le souvenir de ces époques nues... », qui entrera plus tard dans Les Fleurs du Mal *et qui oppose les « monstruosités » de la beauté moderne aux « natives grandeurs » de la beauté antique. Ce premier exercice de transposition est suivi de deux autres : « Il aimait à la voir, avec ses jupes blanches... » et* Un jour de pluie[1] *sont traduits dans une prose volontairement heurtée et qui évite soigneusement les rythmes trop réguliers, les homophonies et les assonances.*

Ces exemples ne sont pas isolés. Ils montrent — il importe de le souligner — que les vers sont antérieurs à la prose, contrairement à ce qu'affirment certains critiques mal informés ou malveillants. Antérieurs encore, L'Âme du vin *et* Le Vin des chiffonniers, *poèmes remontant également aux années 1843-1844, à leur transcription en prose dans* Du vin et du hachisch, *une réécriture qui intervient au moment où Baudelaire publie, pour la première fois, un ensemble de onze poèmes en vers,* Les Limbes, *dans le même* Messager de l'Assemblée[2]. *Ainsi, avant même de composer et de publier des poèmes en prose proprement dits, Baudelaire s'est essayé à des transpositions en prose, disloquant volontairement le rythme de ses vers et détruisant l'harmonie de ses rimes par l'introduction de savantes dissonances.*

Ce n'est qu'en 1855 que Baudelaire s'est aventuré dans le domaine du poème en prose en tant que nouveau genre littéraire. Fernand Desnoyers lui ayant demandé une contribution au volume d'hommage offert à Claude-François Denecourt (1788-1875), Fontainebleau, *le poète lui fit parvenir deux poèmes en*

1. Le premier texte n'est pas entré dans *Les Fleurs du Mal* ; il figure parmi les *Juvenilia* publiés par Émile Deschanel, voir Baudelaire, *O. C.*, I, 200 ; le second fait partie du recueil *Vers*, publié par Ernest Prarond en 1843 et auquel Baudelaire a sans doute collaboré, mais sans y attacher son nom. Voir *O. C.*, I, 1254-1255.

2. *Du vin et du hachisch* paraît dans les numéros des 7, 8, 11 et 12 mars, *Les Limbes* dans celui du 9 avril 1851.

vers, Le Crépuscule du soir *et* Le Crépuscule du matin, *déjà publiés dans* La Semaine théâtrale *en 1852. Il y ajouta deux poèmes en prose inédits,* Le Crépuscule du soir *et* La Solitude, *l'ensemble étant précédé d'une lettre d'envoi où Baudelaire tient à se démarquer des autres contributeurs à ce volume et à exprimer son horreur viscérale de la nature*[1]. *En effet, sa présence — aux côtés de Béranger, Hugo, Lamartine, Musset, Nerval et George Sand, mais aussi d'amis comme Gautier, Champfleury, Pierre Dupont et Charles Monselet — dans un recueil dédié au promoteur des randonnées dans la forêt de Fontainebleau est assez paradoxale*[2]. *Comme l'est la publication, à la suite des poèmes en vers, des deux premiers poèmes en prose qui, en réalité, n'en forment qu'un et transposent les vers du* Crépuscule du soir. *Il semble donc bien que ce soit à partir de ces « doublets » que Baudelaire a élaboré ce genre inédit qu'est le poème en prose*[3], *son principal souci étant d'ailleurs d'« éviter d'avoir l'air de montrer le plan d'une chose à mettre en vers*[4] *».*

*L'*Hommage à Denecourt *a été enregistré dans la* Bibliographie de la France *le 2 juin 1855. La veille, la* Revue des Deux Mondes *avait publié dix-huit poèmes en vers sous le titre, suggéré par Hippolyte Babou et apparaissant pour la première fois,* Les Fleurs du Mal. *Le lendemain,* Le Pays *fit paraître la troisième partie du compte rendu consacré aux beaux-arts à l'Exposition universelle et plus particulièrement à Delacroix. Le 8 juillet,* Le Portefeuille

1. Voir *infra*, p. 306 ; 1855 est la date de publication du volume ; la lettre a peut-être été envoyée dès la fin de 1853 ou au début de 1854.
2. Voir Jean Borie, *Une forêt pour les dimanches. Les Romantiques à Fontainebleau*, Grasset, 2003, notamment le troisième chapitre « 1855 : l'*Hommage à Denecourt* ou le Congrès à Fontainebleau ».
3. Voir Gertrud Streit, *Die Doppelmotive in Baudelaires* Fleurs du Mal *und* Petits Poèmes en prose, Zurich, Heitz, 1930.
4. À Arsène Houssaye, Noël 1861.

inséra De l'essence du rire. *Ces publications presque simultanées montrent bien que poésie en vers, poésie en prose et articles de critique vont de pair dans la création baudelairienne, sans parler de l'activité de traducteur. Le 3 août, Baudelaire signe avec Michel Lévy frères pour les* Histoires extraordinaires *et les* Nouvelles histoires extraordinaires *qui, depuis huit ans, avaient commencé à paraître dans différents périodiques. Chacun des volumes sera précédé d'une étude sur Edgar Poe, dans laquelle le conteur américain apparaît comme le double de son traducteur : un soleil agonisant, éclairant d'une « splendeur triste », un monde exclusivement épris de « perfectionnements matériels » et déversant « à torrents son mépris et son dégoût sur la démocratie, le progrès et la* civilisation[1] ».

Les Fleurs du Mal *paraissent le 25 juin 1857. C'est deux mois avant cette date, au moment de corriger les épreuves, que Baudelaire parle à Poulet-Malassis d'un volume de poèmes en prose,* Poèmes nocturnes, *dont il avait vainement proposé quelques éléments à la* Revue des Deux Mondes *avant de les donner au* Présent. *Ils y parurent le 24 août 1857, quatre jours après la condamnation de six poèmes par la justice du Second Empire, suivis de la mention — restée sans effet — « la suite prochainement[2] ».*

La presse littéraire n'accorda pas une grande attention à cette poésie d'un nouveau genre. Seul Le Figaro *— alors un bihebdomadaire satirique et qui s'était déjà déchaîné contre* Les Fleurs du Mal *au point d'attirer l'attention de la justice sur le recueil — inséra, dans son numéro du 10 novembre 1857, une note malveillante, signée par le même J. Habans :*

1. *O. C.*, II, 320 et 321.
2. Voir la chronologie des publications, *infra*, p. 272.

M. Baudelaire publie dans le *Présent* une série de découvertes tout aussi surprenantes. Dans les yeux de son chat, «orgueil de son cœur et le *parfum de son esprit*», il a découvert... l'*Éternité*.

Et c'est déjà fort joli.

Mais c'est bien peu de chose, en vérité, en comparaison de ce qu'il trouve dans une chevelure de femme. Il y a bien de l'*infini*; mais que de choses avec cela!

«Tes cheveux contiennent tout un rêve plein de voilures et de mâtures; ils contiennent de grandes mers dont les moussons me portent vers de charmants climats où l'espace est plus vaste et plus profond, où l'atmosphère est parfumée par les fruits, par les feuilles et *par la peau humaine*.»

Si vous voulez savoir quelle est la nature de ce parfum, la voici:

«Dans l'ardent foyer de ta chevelure, je respire l'odeur de *tabac*, mêlé à l'*opium* et au *sucre*; dans la nuit de ta chevelure, je vois resplendir l'infini de l'azur tropical; sur les rivages duvetés de ta chevelure, je m'enivre des odeurs combinées du *goudron*, du *musc* et de l'*huile de coco*.»

C'est affaire à la société hygiénique de voir le profit qu'elle pourra tirer de ces indications.

Un mois plus tard, le même Figaro, *cette fois sous la plume de Gustave Bourdin, l'autre pourfendeur de Baudelaire, se déchaîna à nouveau contre le poète et son prétendu fétichisme de la chevelure:*

Le mobilier de B... se compose: 1° d'une table écornée; 2° d'un lit de fer; 3° d'un vieux divan; 4° d'un pot à eau sans anse; 5° de trois bibelots.

— Quand on pense, disait-il l'autre matin, qu'il y en a là pour dix mille francs!

— Dix mille francs! le lit, trente-cinq francs; la

table, dix; le divan, cinquante; total: quatre-vingt-quinze francs.

— Et ceci! s'écria B... en montrant au-dessus de la table de la cheminée, un petit cadre remplaçant à la fois la glace rêvée et la pendule évanouie.

— Oh! c'est juste!

— C'était une mèche de cheveux... et la natte à laquelle on l'avait coupée n'avait été achetée que vingt francs.

Baudelaire aura été une des bêtes noires du Figaro. *Les échos de Duranty, d'Aurélien Scholl, de Delvau, de Monselet contribuèrent beaucoup à l'établissement de la légende du «prince des charognes», légende alimentée non seulement par des textes, mais aussi par les caricatures de Nadar, de Giraud et de bien d'autres. Baudelaire a beau protester: «Il m'est pénible de passer pour le Prince des Charognes», écrit-il à Nadar le 14 mai 1859. «Tu n'as sans doute pas lu une foule de choses de moi, qui ne sont que musc et que roses*[1]. *» Le journal ne se ravisera que des années plus tard, en insérant, en novembre et décembre 1863,* Le Peintre de la vie moderne *et, en février 1864, six poèmes en prose, précédés d'un chapeau fort bienveillant signé par... Gustave Bourdin.*

Pendant les trois années qui suivirent — de 1857 à 1860 — et qui comptent parmi les plus fécondes de la carrière de Baudelaire, les poèmes en prose occupent moins de place dans les témoignages qui nous sont parvenus que d'autres projets: Les Paradis artificiels, *dont la première partie, consacrée au hachisch, paraît dans la* Revue contemporaine, *le 30 septembre 1858, le* Salon de 1859, *écrit en grande partie à Honfleur où*

1. Pour la légende, voir *Baudelaire devant ses contemporains*, textes recueillis et publiés par W. T. Bandy et Claude Pichois, Monaco, Éditions du Rocher, 1957.

le poète s'est installé à plusieurs reprises pendant les six premiers mois de cette année, essayant vainement de fuir la capitale et de se constituer en ermite à l'image de Flaubert, Le Peintre de la vie moderne, *écrit sans doute en 1859-1860, les nouvelles* Fleurs du Mal *qui constitueront essentiellement la section des* Tableaux parisiens, *les notices pour l'anthologie des poètes contemporains éditée par Eugène Crépet et qui formeront les* Réflexions sur quelques-uns de mes contemporains, *les traductions d'*Arthur Gordon Pym *et d'*Eureka, *sans parler des nombreux projets qui n'aboutiront pas et dont nous ne connaissons que des notes plus ou moins développées tels* L'Art philosophique *ou* Mon cœur mis à nu.

La correspondance, pourtant bien fournie pour cette période, ne contient que de rares allusions au nouveau recueil. «Les poèmes nocturnes *sont commencés», écrit Baudelaire à Calonne, directeur de la* Revue contemporaine, *le 10 novembre 1858, presque incidemment, dans une lettre où il est surtout question des* Paradis artificiels, *des nouvelles* Fleurs du Mal *et de* L'Art philosophique. *Le 20 février suivant, il mande à Asselineau: «Dans les premiers jours de mars, je vais aller à Paris avec un paquet monstrueux pour Morel: le* Corbeau, *avec le fameux commentaire, la* Méthode de composition, *qui vous fait tant horreur; un article sur la peinture espagnole (les dernières emplettes; mais, quoiqu'il ait déjà imprimé quelque chose là-dessus, c'est acceptable) et quelques* poèmes nocturnes.» *Même imprécision quant aux poèmes en prose, dont le titre restera le même jusqu'en février 1861, dans une lettre au directeur de la* Revue française, *le 1er avril 1859: «Pendant mon absence (à la fin de laquelle je vous rapporterai* deux feuilles, *soit* Eureka, *soit les* poèmes nocturnes*) vous demanderez pour moi une carte pour visiter le Salon à des heures commodes.» Ce ne sont pourtant pas les*

Poèmes nocturnes *qui paraîtront dans la* Revue française, *mais* Sisina, Le Voyage *et* L'Albatros *(10 avril),* La Genèse d'un poème *(20 avril),* La Chevelure *(20 mai) et le* Salon de 1859 *(juin et juillet). Morel avait-il refusé les* Poèmes nocturnes*? Vu le crédit réel dont Baudelaire jouissait alors auprès de la revue, c'est peu probable. Sans doute ces textes n'étaient-ils pas prêts.*

Au début de février 1861 paraît la deuxième édition des Fleurs du Mal, *augmentée de trente-cinq poèmes nouveaux et tirée à 1 500 exemplaires. Le nom de Baudelaire poète, critique, traducteur s'est imposé dans les milieux littéraires. Il lui arrive de vouloir le faire connaître à un public plus large ; il rêve de revanche, de respectabilité, pense qu'il va être décoré de la Légion d'honneur, se présente à l'Académie française et se voit même directeur d'un théâtre subventionné. Les lettres à sa mère regorgent de ces projets fantaisistes, mais aussi de demandes d'argent, car sa situation financière reste précaire. Il doit notamment une forte somme à Calonne, avec qui il vient de se brouiller. Comme à son habitude, il propose de rembourser en manuscrits et promet de livrer une étude sur Constantin Guys, une autre sur les peintres philosophes, une troisième sur le dandysme dans les lettres, enfin, des «* poèmes nocturnes *(essai de poésie lyrique en prose, dans le genre de* Gaspard de la Nuit*) » et des vers. Seul du premier de ces textes, il ose dire qu'il est «prêt», sans avouer, bien entendu, qu'il l'a déjà vendu à Grandguillot pour* Le Constitutionnel. *Les deux suivants sont évalués à « 2 feuilles » chacun ; quant aux «* poèmes nocturnes *», Baudelaire les estime de « longueur indéfinie*[1] *». Comme Calonne refuse tout accommodement, le poète, pour se dégager de la* Revue contemporaine *— où il est « las d'une dictature litté-*

1. À Armand du Mesnil, 9 février 1861.

raire absurde» —, demande une indemnité au ministère d'État et promet «d'émigrer immédiatement à la Revue européenne[1]*». Toutefois, celle-ci, pas plus que la* Revue contemporaine, *ne publiera de poèmes en prose. Baudelaire y donnera son étude sur le* Tannhäuser *de Richard Wagner, ainsi que quelques poèmes en vers.*

Ce n'est que le 1er novembre 1861 que paraîtront, dans la Revue fantaisiste, *neuf morceaux sous le titre collectif:* Poèmes en prose. *Le premier numéro de ce bimensuel dirigé par le jeune Catulle Mendès avait paru le 15 février précédent. Dès le mois de mai, Baudelaire compte parmi les principaux collaborateurs de la revue. Il y donne notamment toute une série de* Réflexions sur quelques-uns de mes contemporains *qu'Eugène Crépet lui avait commandées pour son anthologie en quatre volumes des* Poètes français, *dans laquelle Baudelaire voisine avec les plus grands noms de la poésie française passée et présente. Et dès le mois de mai 1861, les* Poèmes en prose *sont annoncés «pour paraître dans les prochaines livraisons», annonce répétée systématiquement jusqu'au moment de la publication, suivie de l'avis formel: «La suite à la prochaine livraison.» Or dans le numéro du 15 novembre — le dernier à paraître de la* Revue fantaisiste —, *ce n'est pas cette suite qu'on trouve mais la traduction par Baudelaire d'un conte de Poe,* Éléonora[2].

Seuls trois des neuf poèmes en prose étaient inédits: Les Foules, Les Veuves, Le Vieux Saltimbanque. *Sans*

1. À Louis Bellaguet, 22 février 1861.
2. Voir l'étude fort éclairante de Jean-Louis Cabanès, «La Fantaisie dans la *Revue fantaisiste*: éthos, tonalités, genres», dans *La Fantaisie post-romantique*, textes réunis et présentés par Jean-Louis Cabanès et Jean-Pierre Saïdah, Toulouse, Presses universitaires du Mirail, 2003, p. 111-144. Notons que la traduction d'*Éléonora* n'était pas inédite puisque Baudelaire l'avait déjà publiée dans la *Revue française* le 10 mars 1859.

doute venaient-ils d'être composés. Par rapport aux textes antérieurs, on constate un changement d'orientation : l'inspiration est plus nettement parisienne. Certes, Paris était déjà présent dans les tout premiers poèmes en prose, Le Crépuscule du soir *et* La Solitude. *C'est moins évident pour* Les Projets, L'Horloge, La Chevelure *ou* L'Invitation au voyage. *Si, en 1861, le thème de la grande ville reparaît avec cette insistance, c'est qu'entre-temps, Baudelaire a composé les grands poèmes qui constituent l'essentiel des* Tableaux parisiens *dont* Les Petites Vieilles *auxquelles répondent* Les Veuves, *et qu'il a rédigé une bonne partie du* Peintre de la vie moderne, *qui trouve un prolongement et comme une conclusion poétique dans* Les Foules. *La grande période de la poésie parisienne de Baudelaire s'étend de 1859 à 1862*[1]. *Elle culmine dans la publication de vingt* Petits Poèmes en prose *dans* La Presse *en août et septembre 1862, précédés de la dédicace à Arsène Houssaye, dans laquelle Baudelaire définit son ambition de saisir, par une prose souple et heurtée, l'atmosphère et la vie des grandes villes. Cette série de trois feuilletons — un quatrième avait été composé (au sens typographique du terme) mais non publié — contient la moitié des poèmes en prose qui nous sont parvenus : la plupart d'entre eux se rattachent directement à la capitale.*

Ce lien eût sans doute été renforcé encore si Baudelaire avait pu mettre à exécution le projet de composer des textes pour l'album de Méryon, Vues de Paris[2]. *Il*

1. Voir Pierre Citron, *La Poésie de Paris dans la littérature française de Rousseau à Baudelaire*, Minuit, 1961, 2 vol., notamment le chapitre XXVI, « La Poésie du Paris de Baudelaire », ainsi que Karlheinz Stierle, *La Capitale des signes. Paris et son discours*, Maison des sciences de l'homme, 2001.

2. Charles Meryon ou Méryon (1821-1868), officier de marine français d'origine anglaise, est un des meilleurs aquafortistes de son temps ; Baudelaire est, avec Gautier, un des rares critiques à apprécier son talent.

avait fait la connaissance du graveur en 1859. Dans le Salon *de cette année-là, il saluait en lui l'égal des « vieux et excellents aquafortistes » :*

J'ai rarement vu représentée avec plus de poésie la solennité naturelle d'une ville immense. Les majestés de la pierre accumulée, les clochers *montrant du doigt le ciel,* les obélisques de l'industrie vomissant contre le firmament leurs coalitions de fumée, les prodigieux échafaudages des monuments en réparation, appliquant sur le corps solide de l'architecture leur architecture à jour d'une beauté si paradoxale, le ciel tumultueux, chargé de colère et de rancune, la profondeur des perspectives augmentée par la pensée de tous les drames qui y sont contenus, aucun des éléments complexes dont se compose le douloureux et glorieux décor de la civilisation n'était oublié[1].

Cette appréciation du talent de Méryon — que Baudelaire reprendra presque textuellement en 1862 dans Peintres et aquafortistes *— est suivie de quelques vers empruntés aux* Voix intérieures *de Victor Hugo. Ils permettent de deviner ce qu'aurait pu être le réalisme fantastique des méditations baudelairiennes inscrites en regard des* Vues de Paris. *Les transformations du Paris d'Haussmann, déjà évoquées dans* Le Cygne, *poème dédié à Victor Hugo, le grouillement des foules anonymes dans une ville devenue tentaculaire, auraient fourni des thèmes à sa rêverie[2]. Malheureusement, les exigences de Méryon ne correspondaient pas aux idées de Baudelaire. Le 16 février*

1. *O. C.*, II, 666.
2. Sur l'affinité de Baudelaire et Méryon, voir Pierre Jean Jouve, *Le Quartier de Méryon*, dans *Tombeau de Baudelaire*, Seuil, 1958, ainsi que le catalogue, préfacé par Yves Bonnefoy, de l'exposition *Baudelaire/Paris*, Bibliothèque historique de la Ville de Paris, 1993.

1860, il fait part à Poulet-Malassis de leur mésentente :

Oh ! ça, c'est intolérable. Delâtre me prie de faire un texte pour l'album. Bon ! voilà une occasion d'écrire des rêveries de dix lignes, de vingt ou trente lignes, sur de belles gravures, les rêveries philosophiques d'un flâneur parisien. Mais M. Méryon intervient, qui n'entend pas les choses ainsi : Il faut dire : à droite, on voit ceci ; à gauche, on voit cela. Il faut chercher des notes dans les vieux bouquins. Il faut dire : ici il y avait primitivement douze fenêtres, réduites à dix par l'artiste, et enfin il faut aller à l'Hôtel de Ville s'enquérir de l'époque exacte des démolitions. M. Méryon parle, les yeux au plafond, et sans écouter aucune observation.

Baudelaire collectionnait les gravures de Méryon dont il était, avec Théophile Gautier et Paul Mantz, un des rares admirateurs. Il offrit même un exemplaire des Vues de Paris *à sa mère : « La première fois que je vis cela, je jugeai que cet homme avait du génie. Il sort de Charenton et il n'est pas guéri. Je lui ai promis de rédiger un texte pour ses gravures. Or, si tu peux comprendre tout ce qu'il y a d'insupportable dans la conversation et la discussion avec un fou, tu penseras comme moi que je paye mes albums fort cher*[1]*. » Aussi, ce projet de « rêveries philosophiques d'un flâneur parisien » n'eut-il pas de suite. Quant aux poèmes en prose — on s'en étonnera peut-être — aucun ne semble directement inspiré par les gravures de Méryon, comme l'avaient été certaines* Fleurs du Mal *par des œuvres de Christophe, de Mortimer, de Goltzius ou de Goya*[2].

1. Lettre du 4 mars 1860.
2. Voir Jean Prévost, « L'inspiration plastique dans *Les Fleurs du Mal* » dans *Baudelaire. Essai sur l'inspiration et la création poétiques,* Mercure de France, 1953.

Néanmoins, c'est bien la série des textes publiés dans La Presse *en août et septembre 1862 qui contient le plus grand nombre de morceaux parisiens. Parmi les titres auxquels Baudelaire pense dès la fin de 1861, on relève* La Lueur et la Fumée, Le Promeneur solitaire *et* Le Rôdeur parisien, *ce dernier rappelant les expressions que le poète avait employées en parlant de ses éventuels commentaires des* Vues de Paris. *«Au minimum quarante poèmes, au maximum, cinquante», écrit Baudelaire à Houssaye vers le 20 décembre 1861, et d'énumérer les titres des douze poèmes déjà faits:* L'Étranger; Le Désespoir de la vieille; Le Confiteor de l'artiste; La Femme sauvage; Éros, Plutus et la Gloire; La Belle Dorothée; Souper avec Satan; Un joueur généreux; La Chambre double; La Fin du monde; Le Nouveau Mithridate; Du haut des Buttes Chaumont. *Y avait-il vraiment douze nouveaux poèmes de «faits»?* Souper avec Satan *et* Un joueur généreux *désignent vraisemblablement le même texte. Quant aux trois derniers morceaux cités, ils n'ont jamais vu le jour, encore que* La Fin du monde *se confond sans doute avec le feuillet de* Fusées, *«Le monde va finir»*[1].

Quelques jours plus tard, dans une lettre datée de «Noël 1861», Baudelaire annonce au même Arsène Houssaye l'envoi d'un ensemble de poèmes en prose, à placer pour moitié dans L'Artiste, *où il avait fait ses débuts près de vingt ans plus tôt, et pour moitié dans* La Presse. *Il s'agit — précise-t-il — d'«une longue tentative» dans un genre nouveau auquel il pense depuis «plusieurs années» et dont le point de départ lui avait été fourni par* Gaspard de la Nuit *d'Aloysius Bertrand. «Mais j'ai bien vite senti que je ne pouvais pas persévérer dans ce pastiche et que l'œuvre était inimitable. Je me suis résigné à être moi-*

1. Voir *infra*, p. 335.

même. » Voilà déjà l'ébauche de la future dédicace à Arsène Houssaye avec la référence ironique à un lointain modèle romantique, publiée vingt ans auparavant et que tout le monde avait oublié. À l'exception de Sainte-Beuve, sans doute, qui avait fourni la préface et dont le Joseph Delorme, recueil de poèmes en vers et en prose, venait d'être réédité par Poulet-Malassis. Ces textes, où l'éditeur Hetzel devait trouver « la matière d'un volume romantique à images », et que Baudelaire voulait dédier à Houssaye, avançaient pourtant moins vite que prévu. Il n'est pas impossible que l'accident cérébral subi par le poète au début de 1862 explique pour partie l'accumulation des retards : « J'ai cultivé mon hystérie avec jouissance et terreur. Maintenant, j'ai toujours le vertige, et aujourd'hui 23 janvier 1862, j'ai subi un singulier avertissement, j'ai senti passer sur moi le vent de l'aile de l'imbécillité[1]. » Nous ne savons pas quelle a été la gravité de cet accident, ni si les facultés intellectuelles de Baudelaire ont été atteintes. Toujours est-il qu'il se remet aussitôt au travail, avec autant d'acharnement que de réelle difficulté. Le 3 février 1862, il écrit à Sainte-Beuve, dans une lettre qui a surtout trait à sa candidature à l'Académie française : « Vous ignorez que le mois de janvier a été pour moi un mois de chagrins, de névralgies, accompagnées d'une blessure. [...] Je vous ai envoyé un petit paquet de sonnets. Je vous enverrai prochainement plusieurs paquets de Rêvasseries en prose, sans compter un énorme travail sur les Peintres de mœurs (crayon, aquarelle, lithographie, gravure)[2]. » La « vieille blessure » dont il est plus

1. *Journaux intimes*, dans *O. C.*, I, 668.

2. Il s'agit des poèmes parus dans *Le Boulevard* du 12 janvier 1862 (*La Prière d'un païen, Le Rebelle, Recueillement, Le Couvercle, L'Avertisseur, Épigraphe pour un livre condamné, Le Coucher du soleil romantique*). L'essai sur les *Peintres de mœurs* n'a jamais été écrit ; seules nous sont parvenues des notes que Baudelaire a prises en marge de *La Femme au XVIIIe siècle* des frères Goncourt paru au début de 1862.

d'une fois question dans sa correspondance renvoie évidemment à la syphilis contractée aux alentours de sa vingtième année.

Les « Rêvasseries *en prose* » *l'occupent encore huit semaines plus tard. Le 29 mars 1862, il mande à sa mère qui avait exhorté son fils à la rejoindre à Honfleur:* « *Les* Poèmes en prose *passeront aussi à* La Presse. *1 000 francs! mais, hélas!* ce n'est pas FINI. *Les* Dandies littéraires *passeront à* La Presse. Peut-être *aussi les* Peintres philosophes. *Il faut rester à Paris pour finir tout cela. Et puis pour conclure. Je crois qu'Hetzel m'achètera la réimpression, en volume, des* Poèmes en prose. » *Ainsi, Baudelaire a donc besoin de Paris pour faire avancer son travail, un travail lent et difficile qui aura du mal à s'imposer face à l'abondante production d'un Victor Hugo, par exemple.* « *Hugo va publier ses* Misérables, *roman en dix vol.* », *écrit-il dans la même lettre à sa mère.* « *Raison de plus pour que mes pauvres volumes,* Eureka, Poèmes en prose *et* Réflexions sur mes contemporains *ne soient pas vus.* »

Quand le manuscrit des Poèmes en prose *fut-il enfin remis à Arsène Houssaye? Au courant de l'été 1862, probablement, mais avec un tel retard, que Houssaye n'était plus très pressé pour le publier. Par chance, Hetzel était plus impatient. Le 18 août 1862, il intervint auprès du directeur littéraire de* La Presse*:*

Mon cher Houssaye,

Lis pour de bon. — Je voudrais t'écrire ceci en lettre de Feu — tu as le commencement des Poèmes en prose de Baudelaire, et pour que je puisse le publier, il faut que cela ait paru dans le journal.

Baudelaire est notre vieil ami — ce qui n'est rien; car nous avons beaucoup d'amis — mais c'est assurément le prosateur le plus original, et le poète le plus personnel de ce temps — il n'y a pas de journal qui puisse faire attendre cet étrange classique des choses qui ne sont pas classiques — publie donc *vite* — mais *vite* — et mets-moi à même de le faire. Les vrais singuliers sont si rares[1] !

Le même jour, Baudelaire adresse à Houssaye cette supplique :

Si vous ne venez pas à mon secours aujourd'hui, je vais me trouver *aujourd'hui même sans logement*, et dans une situation telle que je n'aurai plus le repos nécessaire pour travailler un peu. J'espérais toujours que *La Presse* commencerait mon *Variétés*[2] et continuerait tout doucement de semaine en semaine ou de quinzaine en quinzaine. C'est, je vous assure, avec un profond regret que je m'adresse à votre bourse. Mais à qui m'adresser en ce moment ? Personne n'est à Paris. — Ce sera, si vous voulez, une avance dont vous vous rembourserez, ou un *prêt* ; car si je suppose l'ouvrage fini, je connais quelqu'un qui me fera l'avance de la totalité.

La somme dont j'ai besoin est trop forte pour que j'aie en aucune façon le droit de vous la demander ; mais 250 francs qui représentent sans doute deux grands articles *Variétés*, que vous avez, me permettraient peut-être de faire patienter mon homme pendant quelques jours.

Permettez-moi, je vous en prie, d'insister vivement, comme sur une chose grave, et de ne pas

1. Lettre publiée par F. Vandérem dans le *Bulletin du Bibliophile*, 1er mars 1923, p. 161.

2. Par « *Variétés* », Baudelaire désigne le rez-de-chaussée de *La Presse*, place habituelle des « feuilletons ». Quant à Abel-François Villemain (1790-1870), secrétaire perpétuel de l'Académie française, Baudelaire comptait se venger du mauvais accueil que lui avait réservé ce « cuistre » et ce « sot solennel » lors de sa candidature malheureuse à la succession de Lacordaire.

parler reconnaissance. C'est la mode de ceux qui oublient.

Tout à vous.

Ch. Baudelaire

Il n'est pas étonnant que je vous tourmente pour essayer un ouvrage de moi à *La Presse*. J'ai bien d'autres choses en *tête* que les *Poèmes*, et le *Villemain*. Tout pourrait se morceler. J'ai trouvé deux titres nouveaux :

Fusées et Suggestions.

Soixante-six Suggestions.

Les deux nouveaux titres, Baudelaire les avait empruntés à Edgar Poe qui, dès 1845, avait publié deux suites : Fifty suggestions *et* A chapter of suggestions. *Son traducteur y avait largement puisé pour ses préfaces aux* Histoires extraordinaires *et aux* Nouvelles Histoires extraordinaires. *« Fusées » est la traduction de « sky-rocketing », terme employé par Poe dans ses* Marginalia*; Baudelaire l'avait retenu pour un recueil de réflexions et d'aphorismes qui, certes, ne se confondent pas avec les* Poèmes en prose, *mais dont les feuillets qui nous sont conservés contiennent les ébauches de trois d'entre eux :* Le Galant tireur, Perte d'auréole *et* La Fin du monde[1].

Houssaye se décida donc à publier les 26 et 27 août 1862, deux feuilletons de Petits Poèmes en prose, *réunissant les quatorze premières pièces du futur recueil. Dès le 31 août, Banville salua dans* Le Boulevard *cette publication comme un « véritable événement littéraire ». Rendant compte de la « semaine dramatique et littéraire », il salua d'abord* Isis *de Villiers de l'Isle-Adam, les reprises de* Psyché *à la Comé-*

1. Voir *infra*, p. 324, 326, 335. *Mon cœur mis à nu* a fait l'objet d'une édition en fac-similé, Genève, Droz, 2001.

die-Française et des Saltimbanques *au Théâtre du Palais-Royal, avant de signaler les* Poèmes en prose *de Baudelaire :*

Un véritable événement littéraire a eu lieu ; je veux parler de la publication des *poèmes en prose* de Charles Baudelaire dans le feuilleton de *La Presse*. Ces courts chefs-d'œuvre, artistement achevés, où, dégagés de toute intrigue, et, pour ainsi dire, de toute construction matérielle, la pensée libre, agile, apparaît dans sa nudité éclatante, n'ont eu qu'à se montrer pour faire tomber en poussière la foule des colosses prétentieux et vides. Les faiseurs avouaient l'infirmité de leurs moyens, la misère de leurs combinaisons, la vétusté de leurs ficelles ; mais, disaient-ils, le moyen d'intéresser sans cela ! *Le Vieux Saltimbanque* et *Le Mauvais Vitrier* ont répondu à cette objection enfantine : une fois encore, un homme est venu qui a prouvé le mouvement en marchant d'un pas victorieux. Et, ne vous y trompez pas, dans le choix de la prose appliquée à ces compositions, il y a aussi une démonstration importante. Voici trente ans, que dis-je ? Voici mille ans qu'on nous répète avec pitié : « Que seriez-vous sans le vers, sans le rythme, sans la rime, sans ces enchantements tout matériels, qui, tout d'abord, vous assurent la complicité de nos sens, bercent l'âme dans une ivresse musicale, et dissimulent sous les richesses de leurs broderies mélodiques l'indigente simplicité de vos pensées ? » Eh bien ! les poèmes en prose de Charles Baudelaire répondent à cela encore ; ôtez au poète le vers et la lyre, mais laissez-lui une plume ; ôtez-lui cette plume et laissez-lui la voix ; ôtez-lui la voix et laissez-lui le geste ; ôtez-lui le geste, attachez ses bras, mais laissez-lui la faculté de s'exprimer par un clin d'œil, il sera toujours le poète, le créateur, et s'il ne lui est plus permis que de respirer, sa respiration créera quelque chose. Ô fous bizarres de vous imaginer que c'est à un certain balancement de syllabes, à une suspension de sens, au retour régulier de certains sons qu'a été donné le privilège inouï d'enfanter des êtres ! Quand les dieux emplissent l'éther de comètes, de constellations, d'étoiles et secouent sur lui une poussière d'astres, ce n'est pas à l'aide de leurs mains qu'ils suspendent dans l'immensité bleue ces lumières chantantes, mais par un simple acte de leur pensée génératrice.

Cet éloge est d'autant plus remarquable que, dix ans plus tard, le même Banville contestera au poème en prose en tant que genre littéraire jusqu'au droit d'existence[1]*. Mais malgré ces encouragements, la suite des* Poèmes en prose *fut à nouveau retardée. C'est que seul le premier des deux feuilletons était intégralement composé de textes inédits. Dans le deuxième, Baudelaire avait repris trois morceaux publiés l'année précédente dans la* Revue fantaisiste. *Et il comptait bien incorporer dans un troisième et un quatrième feuilleton d'autres poèmes parus dans différents périodiques, avant de vendre le volume à Hetzel. Le 13 septembre 1862, il écrit à Poulet-Malassis :*

Maintenant, mon cher, quand vous aurez un peu de répit, voyez Hetzel, dites-lui à quel prix Lécrivain céderait le restant des deux vol. et traitez pour moi (pour vous en réalité) au moins pour ces deux volumes ou même pour trois, car les *Poèmes en prose* marchent[2].

1. Voir *supra*, p. 46.
2. Les deux volumes sont *Les Fleurs du Mal* de 1861 et *Les Paradis artificiels* qui auraient dû permettre à Poulet-Malassis de récupérer une partie des avances consenties à Baudelaire.

Quelques jours plus tard, cependant, Baudelaire a toutes les raisons de craindre que les Poèmes en prose *ne «marchent» pas. Le 22 septembre, il se plaint à sa mère :*

Il y a plusieurs mois que je veux t'écrire. Je te dois de nombreuses explications. Pourquoi je ne suis pas parti, ce que je deviens, quand je partirai, etc. Mais les journées sont pleines d'accidents si divers, et si courtes ; quelques pages écrites, des courses, et puis la fin du jour arrive. De plus il me faut une certaine béatitude pour t'écrire. Or, la colère est mon état ordinaire. Ainsi aujourd'hui je t'écris des bureaux de *La Presse* (où je me croyais enfin installé, et depuis onze mois j'étais sans abri) et voilà que j'endure ici des tortures, *de véritables tortures*, et il se pourrait bien que je renonçasse à publier la suite des *Poèmes en prose*, qui faisaient quinze feuilletons.

Et cependant *l'argent* !

Une lettre à Houssaye, de la même période, permet d'imaginer de quelles «tortures» il s'agit :

J'apportais les deux feuilletons remaniés pour la troisième fois, et j'en ai trouvé de nouveaux par vous. Moi, un peu embarrassé, M. Catrin un peu de mauvaise humeur. Les vôtres contrariant les miens, par exemple Nyssia au lieu de Féline ; car j'avais essayé de rendre beaucoup de choses plus claires.

J'ai proposé à M. Catrin de supprimer toutes les pièces sujettes à nouveaux remaniements, puisqu'il a deux fois plus de matière qu'il n'en faut, et que tout est bien corrigé.

Il m'a objecté que peut-être vous ne consentiriez pas à supprimer. J'ignore si ce billet vous parviendra à temps. En tout cas, il serait peut-être temps d'approuver cet arrangement demain matin.

Dans ce cas, les pièces à supprimer seraient, je crois, la première
Les Tentations
L'Horloge
et *Un hémisphère dans une chevelure.*

En effet, substituer, dans le poème L'Horloge, *le nom de Nyssia à celui de «la belle Féline» était ne rien comprendre au texte de Baudelaire. C'eût été y introduire une note d'hellénisme et une allusion possible à une légende antique qui avait inspiré un conte à Théophile Gautier,* Le Roi Candaule, *et à James Pradier une statue néoclassique, exposée au Salon de 1848. Il est vrai que* L'Horloge *avait déjà paru dans* Le Présent *et dans la* Revue fantaisiste*; mais Baudelaire n'avait cessé de retravailler ses textes. Houssaye, en revanche, entendait non seulement intervenir dans la prose de Baudelaire, pensant sans doute la mettre au goût du jour, il devait également estimer que le poète ne lui fournissait pas assez de matière inédite. Aussi le quatrième feuilleton, composé de trois poèmes nouveaux (*Les Tentations, La Belle Dorothée, Les Yeux des Pauvres*) et de trois pièces déjà parues (*Le Crépuscule du soir, La Solitude, Les Projets*), est-il resté à l'état d'épreuves et la mention «la suite prochainement» n'a pas été honorée. Baudelaire eut beau se justifier, Houssaye maintint la suppression. «Je voulais donner au lecteur une idée complète de l'ouvrage dans son ampleur», lui écrit le poète le 8 octobre 1862, «ouvrage conçu depuis longtemps, et avant d'entremêler quelques morceaux anciens, j'ai consulté deux ou trois de mes amis, qui m'ont dit que mes scrupules seraient puérils, quand même je ne remanierais pas, surtout avec une aussi grande quantité de morceaux nouveaux, et les morceaux anciens, si rares, n'ayant reçu qu'une publicité aussi restreinte.» Par ailleurs, Baudelaire comptait livrer sous peu «la* totalité *du* *manuscrit», dans l'espoir d'une rapide reprise de ses textes en volume, d'autant qu'«une foule de gens» semble avoir pris «goût à la chose».*

Or, à l'exception de Banville, les lecteurs enthousiastes ont dû se contenter de compliments oraux. Ceux qui se sont exprimés dans la presse n'ont fait part que de leur incompréhension. Ainsi Pierre Véron, folliculaire omniprésent, alimentant de ses articles L'Illustration, Le Petit Journal, L'Opinion nationale, Le Nain Jaune *et bien d'autres périodiques. Dans* Le Journal amusant *du 11 octobre 1862, il attaque les* Petits Poèmes en prose*:*

Il m'est arrivé cette semaine un accident.

Grave!

J'ai lu un feuilleton de M. Ch. Baudelaire, au rez-de-chaussée de *La Presse*.

Mes jours ont été douze heures en danger, cependant le médecin répond de moi, et, sauf quelques souvenirs affreux qui s'obstinent à me poursuivre, la chose n'aura pas de suites...

Surtout, au prochain numéro!

Mais les gens qui lisent de cela à intervalles rapprochés!

Les malheureux, comme ils doivent souffrir!

Je demande une loi protectrice pour les mauvais traitements envers les abonnés.

Si vous doutez de la sincérité de mon impression, je suis au surplus tout prêt à la justifier avec pièces à l'appui.

Non, rien qu'une, — pour ménager votre raison.

À la fin d'un de ces paragraphes soi-disant poétiques, M. Baudelaire (Ch.) s'écrie en parlant à la beauté:

— Quand je mordille tes cheveux, *il me semble que je mange des souvenirs!* (sic).

Gloire à jamais à ce marivaudage forcené!

Vivent les mangeurs de souvenirs !

Moi, je fais des vœux ardents pour que cet euphémisme se popularise.

J'entends d'ici M. Baudelaire (Ch.) dire au restaurant :

— Garçon ! priez donc le chef de ne pas laisser tomber tous les soirs des souvenirs dans la soupe !...

Tout comme J. Habans dans Le Figaro, *Véron s'en prend au thème de la chevelure qui, tel que l'a traité Baudelaire, semble avoir choqué plus d'un lecteur du Second Empire.*

À travers les quatre feuilletons de La Presse, *Baudelaire espérait donner une idée suffisante de son nouveau livre. Le 13 décembre 1862, il écrit à Poulet-Malassis :*

Hetzel m'a fait une fort belle proposition pour *deux* ouvrages se faisant pendant réciproquement. Il voulait les *lancer* avec soin, mais c'était pour une édition seulement ; mais cela ne remplissait pas mon but.

Il essaie donc d'intéresser d'autres éditeurs à son volume : Dentu, Michel Lévy. En vain. Il propose aussi des textes à plusieurs journaux et revues, ainsi à Mario Uchard, pour Le Nord. *Sans plus de succès.*

Néanmoins, le 13 janvier 1863, Baudelaire cède à Hetzel pour 1 200 francs les Poèmes en prose *et* Les Fleurs du Mal, *malgré les engagements contractés antérieurement envers Poulet-Malassis*[1]. *L'éditeur s'engage également à publier, aux mêmes conditions, un volume de nouvelles et un autre intitulé* Mon cœur

1. Baudelaire avait cédé à Poulet-Malassis par contrat du 24 mai 1861, confirmé par l'avenant du 1er juillet 1862, l'exclusivité de ses « ouvrages à paraître ».

mis à nu. *Mais lorsque Hetzel réclame les manuscrits de ces ouvrages, le poète est dans l'incapacité de les lui fournir. Il dit attribuer «une grande importance» au* Spleen de Paris, *avant d'avouer: «La vérité est que je ne suis pas content du livre, que je le remanie et que* je le repétris[1]. » *En juin de la même année, Baudelaire n'est pas plus avancé. Il espère pourtant vaincre sa «léthargie», son «oisiveté», son «impuissance littéraire»; mais les créanciers le persécutent et l'empêchent souvent de travailler, surtout depuis que Poulet-Malassis a fait faillite: «*Le Spleen de Paris *est inachevé, et n'a pas été livré à temps. Il ne faut, pour le finir, qu'une quinzaine de jours de travail, mais de travail vigoureux. J'ai eu le tort de laisser tomber l'activité qui m'avait soutenu. Mais je suis très content de toute la partie qui est faite. Ce sera un livre singulier[2].» Dès le surlendemain, il doit en rabattre: «Je viens de recevoir des épreuves du* Spleen de Paris*; mon Dieu! que ce sera donc long à finir[3]!» Il s'agissait sans doute des* Tentations *et de* La Belle Dorothée *qui allaient paraître dans la* Revue nationale et étrangère, *le 10 juin 1863, mais sous quels travestissements! Le «dos creux et la gorge pointue» de Dorothée avaient dû céder la place à d'anodines «formes de son corps»; quant à sa petite sœur qui, dans le texte de Baudelaire, avait «bien onze ans» et qui était «déjà mûre», elle n'avait plus le droit que d'être simplement «belle[4]». Baudelaire ne manque pas de reprocher à Charpentier, responsable de ces mutilations, les «extraordinaires changements introduits après le* bon à tirer» *et d'ajouter: «Cela, Monsieur, est la raison pour laquelle j'ai fui tant de journaux et de revues.»*

1. À Hetzel, 20 mars 1863.
2. À sa mère, 3 juin 1863.
3. À sa mère, 5 juin 1863.
4. Voir les variantes, *infra*, p. 312.

Le directeur de la Revue nationale et étrangère *ne semble pas s'être offusqué de ces remontrances puisque, le 10 octobre et le 10 décembre 1863, il publiera encore quelques poèmes en prose. Entre-temps, Baudelaire s'était adressé à un autre périodique,* Le Boulevard, *journal hebdomadaire fondé par un de ses amis, le dessinateur et photographe Étienne Carjat, et dont le numéro spécimen du 1er décembre 1861 avait offert aux lecteurs la trop célèbre lithographie de Durandeau,* Les Nuits de Monsieur Baudelaire[1]. *Ce qui n'empêcha pas le poète de collaborer assez régulièrement à ce petit journal satirique. «Je puis bien, sans honte, mettre des sonnets dans* Le Boulevard, *puisqu'un poète tel que Banville veut bien m'y tenir compagnie», écrit-il fin janvier 1862 à Vigny, qui reprochait au candidat à l'Académie de jeter au hasard son nom et son talent. Baudelaire ne confiait au* Boulevard *pas seulement des vers, mais aussi des articles de critique littéraire et artistique. Deux poèmes en prose,* Laquelle est la vraie? *et* Les Bienfaits de la lune, *furent insérés dans le numéro du 14 juin 1863, le dernier à paraître...*

Malgré ces difficultés, Baudelaire espère toujours tenir les engagements pris envers Hetzel. Volant «au-devant de tout reproche», il lui écrit le 8 octobre 1863:

Ma seule manière de vous faire des excuses sera de vous livrer quelque chose d'excellent. *Les Fleurs du Mal* sont complètement prêtes, et les morceaux inédits sont classés à leur place.

Dans *Le Spleen de Paris,* il y aura cent morceaux — il en manque encore trente. Je me suis mis étourdiment tant de besognes variées sur les bras et j'ai

1. Voir R. Kopp, *Baudelaire. Le soleil noir de la modernité*, Gallimard, 2004, coll. «Découvertes», p. 132.

tant d'ennuis à Paris que j'ai pris le parti d'aller faire vos trente morceaux à Honfleur. Je partirai le 16, j'irai vous dire adieu. Le 30 je reviendrai ; vous pourrez imprimer en novembre, et comme je pars le 1er pour Bruxelles où je vais donner une quinzaine de lectures publiques, je vous prierai de me donner une foule de conseils pour me conduire dans une ville où je ne connais personne.

Cependant, le poète ne partit ni pour Honfleur, ni — du moins pas encore — pour Bruxelles. Il avait toutefois demandé au maréchal Vaillant, ministre de la Maison de l'Empereur et des Beaux-Arts, et à Victor Duruy, ministre de l'Instruction publique, l'octroi d'une subvention pour aller étudier les galeries particulières en Belgique. Depuis septembre, Poulet-Malassis s'y était réfugié pour échapper à de nouvelles persécutions. Il gagnera sa vie par la publication de livres rares et libertins, ainsi que de pamphlets contre l'Empire. Quant aux poèmes en prose achevés, Baudelaire en exagère sans doute le nombre puisque dix-huit mois plus tard il avouera à Sainte-Beuve n'en être qu'à soixante.

Plus il s'obstine, plus il noircit le trait. À Victor Hugo, le 17 décembre 1863 :

Je me propose de vous envoyer prochainement *Les Fleurs du Mal* (encore augmentées) avec *Le Spleen de Paris,* destiné à leur servir de pendant. J'ai essayé d'enfermer là-dedans toute l'amertume et toute la mauvaise humeur dont je suis plein.

Sans doute les mots d'« amertume » et de « mauvaise humeur » doivent-ils être pris dans un sens plus large que celui que leur donne la langue contemporaine. Ces termes pourraient bien recouvrir toute une gamme de réactions qui, de la mise en accusation de la bêtise *contemporaine (*Un plaisant, Le Chien et le flacon, Le Miroir*), en passant par les paradoxes d'*Assommons les pauvres ! *et l'agression du* Mauvais Vitrier, *s'étend jusqu'au sadisme raffiné de* La Femme sauvage ; *réactions par lesquelles le poète exprime son désaccord, non seulement avec la condition qui lui est faite dans la société de son temps, mais avec la condition humaine tout court.*

L'année 1863 marque la fin d'un certain romantisme : Delacroix disparaît le 13 août, Vigny le 17 septembre. Elle aura aussi été la dernière à voir paraître des textes importants de Baudelaire, à commencer par Le Peintre de la vie moderne. *Mais cette étude était plus ou moins prête depuis trois ans, tout comme l'article nécrologique sur Delacroix, emprunté pour une large part au* Salon de 1859. *Quant aux tendances neuves qui se font jour au Salon des Refusés, par exemple, où Manet expose* Le Déjeuner sur l'herbe, *le poète ne les enregistre plus. C'est qu'il est à bout de souffle. Installé dans deux petites chambres de l'hôtel de Dieppe, 22 rue d'Amsterdam, il ne cesse de courir les rédactions, dans l'espoir de placer un bout de copie. Il y arrive de plus en plus difficilement comme le prouve cette lettre qu'Édouard Le Barbier adressa à Taine, le 19 janvier 1864, à propos du* Joueur généreux *et des* Vocations *proposés à la* Revue libérale*; elle est révélatrice de l'autocensure que s'imposent les revues sous le Second Empire :*

Baudelaire est un brave homme dont je fais grand cas ; mais il frappe comme un sourd. J'ai cru qu'il m'étranglerait parce que je lui parlais de supprimer 20 lignes sur 20 pages, sans rien changer au reste du texte.

1° *Je me suis mis à prier par un reste d'habitude* IMBÉCILE ne peut pas s'imprimer dans une Revue qui débute et que le parquet surveille.

2° Un enfant de dix ans qui raconte une nuit passée *avec sa bonne*, qui remarque que ses bras et ses tétons sont plus gros que ceux des autres femmes, que ses cheveux sentent bon, etc., etc., ce n'est pas un enfant de dix ans. C'est M. Baudelaire qui monte le bourrichon du bourgeois.

3° Enfin *les femmes qui sentent bon* et *l'autre odeur encore* de Salammbô sont des moyens sadiques que M. Flaubert (mon excellent ami) et M. Baudelaire (mon excellent ennemi) peuvent employer dans leurs ouvrages, mais une Revue doit y mettre plus de façons.

Baudelaire n'a été ni loyal ni poli. Il m'a parlé de *pionnerie*, parce que j'ai l'honneur d'appartenir à l'École normale et m'a refusé brutalement des *coupures indispensables*.

Après m'avoir permis de choisir les poèmes qui me conviendraient, il m'a renvoyé, avec une lettre d'injures, les quatre poèmes que j'avais fait composer (4 sur 9).

Tout cela est d'une *vanité insensée*.

M. Baudelaire prétend que je me suis recommandé auprès de lui de mon ami H. Taine et de M. de Sainte-Beuve. J'ai dit simplement à M. Baudelaire que tu nous faisais l'honneur de nous confier quelques-uns de tes travaux et que M. de Sainte-Beuve nous avait promis son secours, d'ici à quelques mois.

M. Baudelaire veut imposer toutes ses phrases ; à quoi bon ? Puisqu'il fera imprimer ses œuvres[1].

Revenu de sa colère, Baudelaire s'en alla frapper à d'autres portes. Le 7 février 1864, Le Figaro *accepte d'insérer sous le titre* Le Spleen de Paris *quatre*

1. Robert de Bonnières, *Mémoires d'hier et d'aujourd'hui*, Ollendorf, 1888, p. 287-288.

poèmes, dont trois inédits: La Corde, Le Crépuscule du soir, Le Joueur généreux *et* Enivrez-vous, *précédés d'une note signée par Gustave Bourdin, l'ancien détracteur de Baudelaire:*

Le *Spleen de Paris* est le titre adopté par M. C. Baudelaire pour un livre qu'il prépare, et dont il veut faire un digne pendant aux *Fleurs du Mal*. Tout ce qui se trouve naturellement exclu de l'œuvre rythmée et rimée, ou plus difficile à y exprimer, tous les détails matériels, et, en un mot, toutes les minuties de la vie prosaïque, trouvent leur place dans l'œuvre en prose, où l'idéal et le trivial se fondent dans un amalgame inséparable. D'ailleurs, l'âme sombre et malade que l'auteur a dû supposer pour écrire *Les Fleurs du Mal* est, à peu de chose près, la même qui compose *Le Spleen de Paris*. Dans l'ouvrage en prose, comme dans l'œuvre en vers, toutes les suggestions de la rue, de la circonstance et du ciel parisiens, tous les soubresauts de la conscience, toutes les langueurs de la rêverie, la philosophie, le songe, et même l'anecdote peuvent prendre leur rang à tour de rôle. Il s'agit seulement de trouver une prose qui s'adapte aux différents états de l'âme du flâneur morose. Nos lecteurs jugeront si M. Charles Baudelaire y a réussi.

Certaines gens croient que Londres seul a le privilège aristocratique du spleen, et que Paris, le joyeux Paris, n'a jamais connu cette noire maladie. Il y a peut-être bien, comme le prétend l'auteur, une sorte de spleen parisien; et il affirme que le nombre est grand de ceux qui l'ont connu et le reconnaîtront.

Les termes utilisés dans ce texte sont si proches de la dédicace à Arsène Houssaye et de certaines lettres de Baudelaire qu'il est difficile de ne pas penser que c'est le poète lui-même qui a fourni ce chapeau. Le

14 février, Le Figaro *donne deux autres pièces, elles aussi inédites,* Les Vocations *et* Un cheval de race. *Mais la nouvelle suite, promise aux lecteurs, ne parut point. Pourquoi ? « C'est tout simplement parce que mes poèmes ennuyaient tout le monde (m'a dit le directeur du journal)*[1]*. » Suivent d'infructueuses démarches auprès de la* Revue nouvelle, *de la* Revue contemporaine, *et lorsque enfin* La Vie parisienne *publie deux textes en juillet et en août 1864, Baudelaire avait déjà quitté la capitale depuis deux mois. Il était parti pour Bruxelles le 24 avril, afin de fuir ses créanciers et dans l'espoir de vendre ses œuvres complètes à Lacroix et Verboeckhoven. Il comptait aussi faire quelques conférences sur Delacroix, sur Gautier, sur* Les Paradis artificiels *au Cercle artistique et littéraire qui avait connu son heure de gloire au lendemain du coup d'État, Bruxelles abritant de nombreux exilés français. Différents voyages — à Namur, à Anvers, à Malines, à Bruges — devaient fournir à Baudelaire la matière nécessaire à une étude sur le baroque belge. Aucun de ces projets n'aboutit. Quant au* Spleen de Paris, *il ne désespère pourtant pas de le terminer :*

Ah ! quelle joie quand ce sera fini ! Je suis si affaibli, si dégoûté de tout et de moi-même, que quelquefois je me figure que je ne saurai jamais achever ce livre interrompu depuis si longtemps, et dont j'ai cependant tant caressé l'idée[2].

Le 1er novembre 1864, Arsène Houssaye publie dans L'Artiste *un poème nouveau,* La Fausse Monnaie, *encadré de deux anciens, et le 25 décembre de la même année la* Nouvelle Revue de Paris, *reprise par*

1. À sa mère, 3 mars 1864.
2. À sa mère, 8 août 1864.

un des plus anciens amis de Baudelaire, Henry de La Madelène, donne six poèmes dont deux inédits. Aussitôt l'espoir renaît, malgré l'épuisement et la hantise de la mort.

J'ai l'esprit plein d'idées funèbres. Comme il est difficile de faire son devoir *tous les jours* sans interruption aucune ! Comme il est difficile, non pas de penser un livre, mais de l'écrire sans lassitude, — enfin d'avoir du courage tous les jours ! [...] Aurai-je le temps (en supposant que j'en aie le courage) de réparer tout ce que j'ai à réparer ? Si j'étais sûr au moins d'avoir cinq ou six ans devant moi ! Mais qui peut être sûr de cela ? C'est là pour moi maintenant une idée fixe, l'idée de la mort, non pas accompagnée de terreurs niaises — j'ai tant souffert déjà et j'ai été si puni que je crois que beaucoup de choses peuvent m'être pardonnées, — mais cependant haïssable parce qu'elle mettrait tous mes projets à néant, et parce que je n'ai pas exécuté encore le tiers de ce que j'ai à faire dans ce monde[1].

Demandant une avance à Louis Marcelin, directeur de La Vie parisienne, *il lui promet de le dédommager par « un paquet de* Poèmes en prose », *dont il a bien « une trentaine » sur sa table : « Mais ce sont des horreurs et des monstruosités qui feraient avorter vos lectrices enceintes[2]. » Cependant, Baudelaire travaille de plus en plus difficilement. À sa mère, le 11 février 1865 : « Je ne sais combien de fois tu m'as parlé de* ma facilité. *C'est un terme très usité qui n'est guère applicable qu'aux esprits superficiels. Facilité à concevoir ? ou facilité à exprimer ? Je n'ai jamais eu ni l'une ni l'autre, et il doit sauter aux yeux que le peu que j'ai*

1. À sa mère, 1er janvier 1865.
2. Lettre du 15 février 1865.

fait est le résultat d'un travail très douloureux.» Aveu que Baudelaire renouvellera le mois suivant:

Oui, je continue les *Poèmes en prose*. D'ailleurs, il le faut bien, puisqu'il y a un engagement depuis deux ans, et que *Les Fleurs du Mal* ne reparaîtront qu'après les *Poèmes en prose*. Mais je vais lentement, très lentement. L'atmosphère de ce pays est alourdissante, et puis, tu as pu deviner, par la lecture des quarante ou cinquante qui ont paru, que la confection de ces petites babioles est le résultat d'une grande concentration d'esprit. Cependant, j'espère que je réussirai à produire un ouvrage singulier, plus singulier, plus volontaire du moins, que *Les Fleurs du Mal*, où j'associerai l'effrayant avec le bouffon, et même la tendresse avec la haine[1].

Baudelaire est parfaitement conscient de l'originalité de sa tentative. En effet, le mélange systématique des tons, les effets de bariolage, étaient incompatibles avec la poésie versifiée dont il avait pourtant fait reculer les limites autant que possible. Le Spleen de Paris *représente bien, comme le dit Georges Blin, «un commencement absolu*[2]*».*

Mais le séjour belge tourne au désastre. Aux difficultés matérielles s'ajoutent une série de mésaventures dont la correspondance et les notes rageuses de Pauvre Belgique *se font l'écho. Baudelaire n'a plus la force de pousser plus loin. Le 4 mai 1865, il écrit à sa mère:*

Je suis tombé dans un vrai marasme. Je n'ai plus le courage de travailler au livre sur la *Belgique*, ni aux *Poèmes en prose*. Quand je vois mettre sur une

1. À sa mère, 9 mars 1865.
2. Voir *supra*, p. 7.

voiture les malles d'un voyageur, je me dis : « Voilà encore un homme heureux ! Il peut s'en aller ! » Les deux ou trois Belges que j'ai trouvés longtemps agréables *comparativement* me sont devenus *insupportables*.

Le même jour, il remercie Sainte-Beuve d'avoir « décoché un encouragement » à ses poèmes en prose. En réalité, il s'agissait d'une simple allusion contenue dans un Lundi *consacré à Charles Monselet, paru dans* Le Constitutionnel *du 24 avril :*

Faire *cent* bagatelles laborieuses qui exigent une bonne humeur constante (bonne humeur nécessaire même pour traiter des sujets tristes), une excitation bizarre qui a besoin de spectacles, de foules, de musique, de réverbères même, voilà ce que j'ai voulu faire ! Je n'en suis qu'à *soixante*, et je ne peux plus aller. J'ai besoin de ce fameux *bain de multitude* dont l'incorrection vous avait justement choqué.

Néanmoins, il essaie de « grossir doucement » son « paquet de Poèmes en prose[1] ». *Le 21 juin 1865,* Les Bons Chiens *paraissent dans* L'Indépendance belge, *contre le gré du poète, semble-t-il. Cela aura été le dernier morceau inédit publié du vivant de l'auteur.*

En juillet 1865, las d'attendre des ouvrages promis depuis deux ans et préférant s'occuper désormais de publications illustrées pour enfants, Hetzel rend à Baudelaire la libre disposition des Fleurs du Mal *et du* Spleen de Paris. *De son côté, Mme Aupick désintéresse pour partie Poulet-Malassis, si bien que le poète espère enfin trouver un nouvel acquéreur pour ses œuvres complètes. Il avait déposé lors d'un bref passage à Paris en juillet un « paquet pour Julien*

1. À sa mère, 30 mai 1865.

Lemer», son nouveau chargé d'affaires littéraires. Nous en connaissons le sommaire, qui comprend des textes déjà parus ainsi que d'autres qui ne paraîtront qu'à titre posthume[1]*. À Lemer, le 9 août:*

Pour vous donner une idée de certaines faiblesses de mon caractère, je vous dirai que, ne voyant rien venir de vous, je m'étais figuré que, *désormais, aucun livre de moi n'était vendable,* et conséquemment qu'il était *inutile* de finir *Le Spleen de Paris* et *La Belgique.* Découragement parfait. — Votre lettre m'a fait grand bien, et je me remets au *Spleen de Paris,* qui sera certainement fini à la fin du mois.

Pour ne négliger aucun moyen de me procurer un peu d'argent, nous donnerons, ou je donnerai, les fragments restants à *Charpentier* ou à la *Revue française.* — Car le besoin d'argent se fait cruellement sentir, et je croyais que l'affaire pourrait être résolue en quinze jours. Or, je désire entamer le moins possible la somme que vous tirerez du libraire, — de laquelle somme d'ailleurs il faudra d'abord défalquer 1 200 francs pour Hetzel et 500 pour Manet, — avant même de payer mes dettes de Bruxelles.

Et le 13 octobre suivant, il promet au même Lemer cinquante poèmes en prose en «complément du Spleen de Paris». «*Or, en supposant que, sur ces derniers cinquante, il y en ait vingt inintelligibles ou répulsifs pour le public d'un journal, il restera toujours bien assez de matière pour pouvoir demander une bonne somme.*»

1. Voir *Le Manuscrit autographe,* numéro spécial consacré à Baudelaire, Blaizot, 1927. Le «paquet» devait comporter d'après le sommaire autographe reproduit dans ce numéro: *Perte d'auréole, Mademoiselle Bistouri, Any where out of the world, Assommons les pauvres!, Les Bienfaits de la lune, Laquelle est la vraie?, La Soupe et les nuages, Le Galant Tireur, Le Tir et le cimetière, Portraits de maîtresses, Les Bons Chiens.*

Malgré ces affirmations, Baudelaire n'écrivait plus guère. Les derniers poèmes avaient sans doute été remis à Charpentier au début du mois de juillet, lors de son dernier voyage éclair à Paris. Une partie d'entre eux devait être publiée dans la Revue nationale et étrangère *à partir du 31 août 1867, jour de la mort du poète. Le même périodique, deux ans plus tôt, avait écarté plusieurs poèmes en prose comme étant impubliables, parmi lesquels* Le Galant Tireur, La Soupe et les nuages, Perte d'auréole, Mademoiselle Bistouri *et* Assommons les pauvres!

Néanmoins, à lire les lettres écrites durant les six mois précédant l'ictus de la fin mars 1866, on pourrait croire que Baudelaire espère achever son livre et lui trouver un éditeur. Le 15 janvier 1866, il écrit à Sainte-Beuve:

J'ai tâché de me replonger dans *Le Spleen de Paris* (poèmes en prose); car, ce n'était pas fini. Enfin, j'ai l'espoir de pouvoir montrer, un de ces jours, un nouveau Joseph Delorme accrochant sa pensée rhapsodique à chaque accident de sa flânerie et tirant de chaque objet une morale désagréable. Mais que les bagatelles, quand on veut les exprimer d'une manière à la fois pénétrante et légère, sont donc difficiles à faire!

Et le 19 février, il mande à Jules Troubat, le secrétaire de «l'oncle Beuve», qu'il est «assez content» du Spleen de Paris*: «En somme, c'est encore* Les Fleurs du Mal, *mais avec beaucoup plus de liberté, et de détail, et de raillerie.» Avant d'ajouter, trois semaines plus tard: «Ah! ce* Spleen, *quelles colères, et quel labeur il m'a causés! Et je reste mécontent de certaines parties*[1]*.» C'est dans cette même lettre qu'il remercie*

1. À Troubat, lettre du 5 mars 1866.

Troubat de l'envoi de l'article de Verlaine paru dans L'Art *des 16 et 30 novembre et 23 décembre 1865, dans lequel ce dernier souligne que « la profonde originalité de Charles Baudelaire » est « de représenter puissamment et essentiellement l'homme moderne*[1] *». On connaît la réaction de Baudelaire, qui n'a aucune envie de faire école: « Ces jeunes gens ne manquent certes pas de talent, mais que de folies! que d'inexactitudes! quelles exagérations! quel manque de précision! Pour dire la vérité, ils me font une peur de chien. Je n'aime rien tant que d'être seul. »*

Le Spleen de Paris, *tel qu'il nous est parvenu, reste une œuvre inachevée. C'est en 1865 ou 1866 que Baudelaire a dressé une liste des cinquante poèmes achevés. Conservée à la bibliothèque littéraire Jacques Doucet, elle ne comporte pas de titre; elle ne comporte pas non plus de dédicace, ni d'*Épilogue. *Les poèmes XLIII à L sont suivis de la mention « inédit », ce qui pourrait faire penser que le document est antérieur au 21 juin 1865, date de publication des* Bons Chiens. *La remarque « chaque poème en page » apportée par une main étrangère suggère que c'est bien ce sommaire qui a servi à l'impression de l'édition dite « définitive ». C'est, en tout cas, l'ordre adopté par Asselineau et Banville qui ont, pour la première fois, publié l'ensemble des textes achevés dans le tome IV des* Œuvres complètes *(Michel Lévy, 1869) qui contient également* Les Paradis artificiels. *Ils représentent à peu près la moitié du recueil que Baudelaire aurait voulu faire; les différentes listes de projets et les quelques ébauches de poèmes permettent d'imaginer les linéaments de l'œuvre envisagée.*

Dès lors, le premier problème qui se pose est celui

1. Verlaine, *Œuvres en prose complètes*, Gallimard, « Bibliothèque de la Pléiade », 1972, p. 599-600.

de l'agencement des poèmes dans le cadre de ce recueil posthume. À la différence des Fleurs du Mal, Le Spleen de Paris *n'obéit pas à une « architecture secrète », pour reprendre l'expression utilisée par Barbey d'Aurevilly dès 1857. En effet, dès la première édition des* Fleurs, *Baudelaire avait insisté sur la cohérence et l'unité de son livre. « Le Livre doit être jugé* dans son ensemble *— exige-t-il dans les notes pour son avocat —, et alors il en ressort une terrible moralité*[1]*. » Architecture établie* a posteriori, *mais dont le poète souligne l'importance encore accrue dans la deuxième édition du recueil : « Le seul éloge que je sollicite pour ce livre — écrit-il à Vigny environ le 16 décembre 1861 — est qu'on reconnaisse qu'il n'est pas un pur album et qu'il a un commencement et une fin. Tous les poèmes nouveaux ont été faits pour être adaptés au cadre singulier que j'avais choisi. » L'architecture des* Fleurs du Mal *dessine un itinéraire spirituel. Rien de comparable dans* Le Spleen de Paris, *bien au contraire. Le recueil invite à une déambulation des plus libres : « Nous pouvons couper où nous voulons, moi ma rêverie, vous le manuscrit, le lecteur sa lecture », est-il précisé dans le prologue dédié à Arsène Houssaye. Ce n'est pas un ouvrage sans queue ni tête, bien au contraire, puisque tout « y est à la fois tête et queue, alternativement et réciproquement ». C'est un ouvrage à entrées multiples, un kaléidoscope dont les facettes recomposent indéfiniment de nouvelles images. Cette volonté affichée de prendre le contre-pied d'un ouvrage structuré de façon linéaire ne doit pas faire oublier toutefois que Baudelaire maintient certaines séquences d'une publication préoriginale à l'autre. Ainsi* Les Foules, Les Veuves *et* Le Vieux Saltimbanque *sont-ils toujours présentés à la suite et ce n'est pas le seul exemple*

1. *O. C.*, I, 193.

d'un groupe de poèmes unis par un lien thématique. Il n'empêche que la discontinuité prime. Et la brièveté.

En effet, dans la même lettre d'envoi, Baudelaire se démarque des romans-feuilletons à la manière d'Eugène Sue qui généralement s'étalaient dans les rez-de-chaussée des journaux occupés maintenant par de petits poèmes en prose, car il ne suspend pas la « volonté rétive » du lecteur « au fil interminable d'une intrigue superflue ».

Troisième élément dans cette définition en quelque sorte négative du nouveau genre : la référence à Aloysius Bertrand. Le « fameux » Gaspard de la Nuit *avait paru à titre posthume, en 1842, par les soins de David d'Angers et de Victor Pavie, avec une préface quelque peu condescendante de Sainte-Beuve, reprise, en 1844, dans les* Portraits littéraires[1]*. Certes, le volume du Dijonnais avait été salué par quelques romantiques attardés tels Émile Deschamps, Paul de Molènes et Arsène Houssaye lui-même[2]. Mais au moment où Baudelaire lui rend hommage, il fait partie des « Oubliés du XIXe siècle », comme en témoigne un article portant ce titre que Fortuné Calmels consacra à Bertrand dans la* Revue fantaisiste *du 15 octobre 1861, un mois avant que ne paraissent dans le même périodique neuf* Poèmes en prose*:*

Aujourd'hui, vingt ans après l'apparition de *Gaspard de la Nuit*, Louis Bertrand n'est même pas un *nom*, et l'édition de son livre, tirée à petit nombre, n'est peut-être pas encore entièrement épuisée.

1. Voir l'édition procurée par Max Milner dans « Poésie/Gallimard » et qui contient le texte de Sainte-Beuve, 1997.

2. Respectivement dans *La France littéraire*, nouvelle série, t. XIV, 1843, la *Revue des Deux Mondes*, 15 janvier 1843, et *Voyage à ma fenêtre*, Lecou, 1851.

Aucun doute que Baudelaire ne connaissait cet article puisqu'il est suivi, immédiatement, du compte rendu qu'il fit, dans le même numéro, des Martyrs ridicules *de Léon Cladel*[1]*. Dans l'ordre littéraire, Bertrand occupe une place comparable à celle qu'occupe Constantin Guys dans l'ordre de la peinture : un auteur de « second ordre », un de ces* « poetae minores » *qui « ont du bon, du solide et du délicieux » et qui expriment « la beauté particulière, la beauté de circonstance et le trait de mœurs*[2]*». C'est cette beauté circonstancielle qu'exprime le peintre de la vie moderne, comme le poète de la vie moderne. Certes, d'autres avant Baudelaire ont essayé de créer un nouveau genre littéraire : le poème en prose. Parmi eux Houssaye lui-même, qui a « tenté de traduire en une* chanson *le cri strident du* Vitrier », *morceau figurant dans les* Poésies complètes *(1850) du directeur de* La Presse *et sur lequel l'auteur avait fondé de grandes prétentions :*

Il s'est indigné contre la vétusté des rimes au point qu'après avoir, dans quelques-uns de ses poèmes antiques, voulu renouveler ces panaches flétris, il a osé être poète dans le rythme primitif, sans rime, sans vers et sans prose poétique, comme dans *Les Syrènes* et *La Chanson du vitrier*[3].

Houssaye ne semble pas avoir remarqué que Baudelaire le félicitait d'avoir « tenté » de traduire le cri du vitrier. Il n'a pas relevé non plus la riposte ironique que le poète lui donnait dans Le Mauvais Vitrier. *Ce poème n'est pas un banal tableau pari-*

1. Voir André Guyaux, « Le Baudelaire de Léon Cladel », dans *Léon Cladel*, textes réunis par Pierre Glaudes et Marie-Catherine Huet-Brichard, Presses universitaires du Mirail, 2003, p. 17-29.
2. *O. C.*, II, 683.
3. Arsène Houssaye, « L'Art et la poésie » dans *Poésies complètes*, Charpentier, 1850 ; publication préoriginale dans *L'Artiste* en 1848.

sien ; il illustre parfaitement la conception baudelairienne de l'art :

Qu'est-ce que l'art pur suivant la conception moderne ? C'est créer une magie suggestive contenant à la fois l'objet et le sujet, le monde extérieur à l'artiste et l'artiste lui-même[1].

Car ce Paris du Spleen *n'est plus celui de Mercier ou de Rétif auxquels il doit pourtant beaucoup. Le poète de la vie moderne n'est plus le promeneur solitaire ou le promeneur nocturne, c'est l'homme des foules. C'est « de la fréquentation des villes énormes » qu'est née l'idée baudelairienne d'une poésie prosaïque. C'est de la flânerie, de la déambulation, de l'horreur du domicile et du vagabondage[2] que sont nés ces petits objets cristallisant chacun un éclat de modernité :*

Que cherche-t-il ? À coup sûr [...], ce solitaire doué d'une imagination active, toujours voyageant à travers *le grand désert d'hommes*, a un but plus élevé que celui d'un pur flâneur, un but plus général, autre que le plaisir fugitif de la circonstance. Il cherche ce quelque chose qu'on nous permettra d'appeler la *modernité*[3].

Aussi Georges Blin a-t-il raison de dire que l'essai sur Constantin Guys est « le plus grand des poèmes en prose de Baudelaire[4] ». Et Le Spleen de Paris *est le premier recueil poétique captant le prosaïsme du monde moderne.*

1. *L'Art philosophique*, dans *O. C.*, II, 598.
2. *Mon cœur mis à nu*, XXXVIII, dans *O. C.*, I, 701.
3. *Le Peintre de la vie moderne*, dans *O. C.*, II, 694.
4. *Annuaire du Collège de France*, 69e année (1969-1970), résumé des cours de 1968-1969, p. 525.

Ce monde moderne, c'est d'abord le Paris d'Haussmann, c'est-à-dire une grande ville qui devient une mégapole. Le lien entre le nouveau genre littéraire du poème en prose et la ville est clairement établi par Baudelaire lui-même dans sa dédicace à Arsène Houssaye. Et dans Les Bons Chiens, *le poète invoque «la muse citadine», qu'il préfère à «la muse académique». Celle-ci est traitée de «vieille bégueule», alors que sa concurrente est, selon les versions «jeune» et «vivifiante», capable de s'intéresser à des sujets non nobles, tels les chiens «crottés», «solitaires», «calamiteux», que tout le monde écarte, mais que le poète regarde d'un œil fraternel. Toutefois, Paris, dans son ensemble, n'apparaît jamais dans ces textes, exception faite de l'*Épilogue *en vers, qui, toutefois, ne devait pas faire partie du recueil et qu'Asselineau et Banville y avaient inclus à tort*[1]*. Un seul parmi les projets non exécutés et classés dans la rubrique «choses parisiennes» pourrait faire penser à une évocation semblable à celle de Balzac à la fin du* Père Goriot*: «Du haut des Buttes Chaumont». Or, si Paris n'apparaît que par allusion, sa présence n'en est pas moins insistante.*

D'abord le narrateur ou le poète, celui qui dit souvent je *dans ces poèmes, se désigne comme un «vrai Parisien» (*Le Vieux Saltimbanque*) et plusieurs poèmes sont comme incidemment inscrits dans le décor urbain identifiable sans peine. Ainsi* Le Mauvais Vitrier *(«à travers la lourde et sale atmosphère parisienne»),* Les Veuves *(où une petite vieille écoute à l'écart «un de ces concerts dont la musique des régiments gratifie le peuple parisien»),* Le Joueur généreux *(que le narrateur rencontre sur le boulevard et qu'il suit dans un souterrain luxueux «dont aucune des habitations supérieures de Paris ne pourrait four-*

1. Voir nos commentaires, *infra*, p. 332.

nir un exemple approchant»), Mademoiselle Bistouri *(monstre innocent collectionnant des portraits de médecins, dont un Anglais qu'elle a «attrapé à son voyage à Paris»). Il n'est pas jusqu'à la belle Dorothée qui ne rêve d'aller au bal de l'Opéra pour voir «si les belles dames de Paris sont toutes plus belles qu'elle».*

Ce ne sont pas seulement les termes de «Paris» ou de «parisien» qui situent ces textes au cœur de la capitale. Sans doute le cadre n'est-il pas toujours aussi clairement indiqué que dans Un plaisant *où le «délire officiel d'une grande ville» trouble le cerveau du promeneur solitaire. Mais les foules auxquelles il est fait allusion dans* Les Foules *ou dans* À une heure du matin, *les boulevards du* Joueur généreux *ou de* Perte d'auréole, *les becs de gaz, les cafés, les tripots, les cabarets, les bureaux de tabac dans* Les Yeux des pauvres *ou dans* Portraits de maîtresses, *les jardins publics dans* Le Fou et la Vénus, Les Veuves *ou* Les Vocations, *les fêtes foraines de* La Femme sauvage *ou du* Vieux Saltimbanque, *sont évidemment ceux de Paris. Se dégagent ainsi de ces textes une atmosphère, un halo qu'a bien senti un autre poète parisien: Jules Laforgue, qui, dès le milieu des années 1880, a fourni une des meilleures analyses de la poésie parisienne de Baudelaire:*

Le premier, il parla de Paris en damné quotidien de la capitale (les becs de gaz que tourmente le vent de la Prostitution qui s'allume dans les rues, les restaurants et leurs soupiraux, les hôpitaux, le jeu, le bois qu'on scie en bûches qui retentissent sur le pavé des cours, et le coin du feu, et des chats, des lits, des bas, des ivrognes et des parfums de fabrication moderne), mais cela de façon noble, lointaine, supérieure.

Ses disciples ont étalé Paris comme des provinciaux ahuris d'un tour de boulevard et lassés de la tyrannie de leur brasserie[1].

*Ce Paris est bien celui d'un «promeneur» (*Le Tir et le cimetière*), voire d'un «promeneur solitaire et pensif» (*Les Foules*) qui enregistre des «choses vues». D'où les* incipit *tels que ceux-ci: «Comme j'arrivais à l'extrémité du faubourg» (*Mademoiselle Bistouri*), «Comme la voiture traversait le bois» (*Le Galant Tireur*), «Comme nous nous éloignions du bureau de tabac» (*La Fausse Monnaie*), «Il se disait, en se promenant dans un grand parc solitaire» (*Les Projets*). On comprend mieux pourquoi Baudelaire a pu songer à intituler son recueil* Le Rôdeur parisien *et que le titre définitif est finalement bien, semble-t-il,* Le Spleen de Paris.

*Souvent, ces «choses vues» servent à illustrer une maxime, une réflexion de portée générale, une vérité en apparence première, un de ces lieux communs dont Baudelaire raffole. D'où une autre série d'*incipit*: «Il y a des natures purement contemplatives et tout à fait impropres à l'action» (*Le Mauvais Vitrier*), «Il n'est pas donné à chacun de prendre un bain de multitude» (*Les Foules*), «Cette vie est un hôpital où chaque malade est possédé du désir de changer de lit» (*Any where out of the world*). Suit l'évocation du fait divers qui illustre, infirme, ridiculise ou confirme la sentence liminaire.*

Si les incipit *frappent par leur banalité, celle-ci contraste le plus souvent avec le caractère extraordinaire de la rencontre qui est évoquée. Elle jure avec l'illustration paradoxale qui est fournie de l'affirmation première. Sans doute faut-il mettre en rapport ce*

1. *Œuvres complètes. Mélanges posthumes*, Mercure de France, 1903, p. 111-112. Voir, pour une version plus complète et plus correcte de ce texte, J. Laforgue, *Œuvres complètes*, t. III, Lausanne, L'Âge d'homme, 2000, p. 158-181.

*contraste avec le caractère particulier de la flânerie baudelairienne. Le flâneur parisien est d'abord à l'affût de ce qui est bizarre. Et la grande ville fourmille de bizarreries « quand on sait se promener et regarder » (*Mademoiselle Bistouri*). Ce rôdeur parisien n'est pas sans ressemblance avec Daumier, de qui les albums offrent également de belles collections de « bizarreries ». « Feuilletez son œuvre — écrit Baudelaire dans son essai sur* Quelques caricaturistes français[1] *—, et vous verrez défiler devant vos yeux, dans sa réalité fantastique et saisissante, tout ce qu'une grande ville contient de vivantes monstruosités. Tout ce qu'elle renferme de trésors effrayants, grotesques, sinistres et bouffons, Daumier le connaît. »*

En effet, c'est bien une « réalité fantastique » que nous rencontrons le plus souvent dans Le Spleen de Paris. *Qu'il s'agisse des « monstres innocents » comme Mademoiselle Bistouri ou du comportement hystérique du narrateur dans* Le Mauvais Vitrier *et dans* Assommons les pauvres!, *ou encore de l'intrusion du fantastique au cœur même du réel, comme dans* Le Joueur généreux. *Même une scène d'une apparente trivialité peut se transformer en tableau quasiment surréaliste, ainsi dans* Un plaisant.

La réalité du rêve n'est guère distincte de la réalité de la veille et une « chose vue » peut tout aussi bien être une « chose lue ». Sont ainsi mis sur le même plan : faits divers, récits de rêve, anecdotes, rêveries, bouffonneries. Le but de cette opération faussement innocente est double : si tous ces éléments sont présentés comme appartenant à une même réalité, les lois traditionnelles de la perception subissent une sorte de subversion ; par ailleurs, tout est matière à poésie, il n'existe plus de hiérarchie des sujets ou des tons. La

1. *O. C.*, II, 554.

réalité est déréalisée; elle peut ainsi recevoir une signification qu'à l'origine elle n'a pas.

Cette opération de déréalisation, Baudelaire l'évoque dans la lettre déjà citée à Sainte-Beuve, dans laquelle il définit le promeneur du Spleen de Paris *comme «un nouveau Joseph Delorme accrochant sa pensée rhapsodique à chaque accident de sa flânerie et tirant de chaque objet une morale désagréable*[1]*». La pensée rhapsodique — selon la définition de Baudelaire — est celle qui est suggérée par le monde extérieur et par le hasard. Or le monde extérieur n'a,* a priori, *aucun intérêt, car il est sans signification. Il n'a d'intérêt qu'à certains moments et à certaines conditions. Ainsi quand l'opium ou le hachisch développent un intérêt exagéré pour tous les détails de ce monde extérieur, un intérêt exagéré même pour les choses les plus triviales. Le monde est alors miraculeusement revêtu de signification. C'est ce que Baudelaire note dans une page de* Fusées*: «Dans certains états de l'âme presque surnaturels, la profondeur de la vie se révèle tout entière dans le spectacle, si ordinaire qu'il soit, qu'on a sous les yeux. Il en devient le symbole*[2]*.» Que Baudelaire ait eu tendance à demander ces états aux médecines du diable, voici ce qu'atteste cette page des* Paradis artificiels *qui offre de frappantes analogies avec la note de* Fusées. *Dans le chapitre intitulé «L'Homme-Dieu», Baudelaire fait sienne l'expérience d'Auguste Bedloe, personnage de Poe, qui «chaque matin, avant sa promenade, avale sa dose d'opium» et peut ainsi «prendre à toute chose, même à la plus triviale, un intérêt exagéré. "Cependant — écrit Poe cité par Baudelaire dans le texte —, l'opium avait produit son effet accoutumé, qui est de revêtir tout le monde extérieur d'une intensité d'intérêt. Dans le*

1. Voir *supra*, p. 84.
2. *O. C.*, I, 659.

tremblement d'une feuille, — dans la couleur d'un brin d'herbe, — dans la forme d'un trèfle, — dans le bourdonnement d'une abeille, — dans l'éclat d'une goutte de rosée, — dans le soupir du vent, — dans les vagues odeurs échappées de la forêt, — se produisait tout un monde d'inspirations, une procession magnifique et bigarrée de pensées désordonnées et rhapsodiques[1]."»

Dans la suite, Baudelaire explique longuement ce terme de rhapsodique «qui définit si bien un train de pensées suggéré et commandé par le monde extérieur et le hasard des circonstances». C'est ce train de pensées qui fait que «se développe cet état mystérieux et temporaire de l'esprit, où la profondeur de la vie, hérissée de ses problèmes multiples, se révèle tout entière dans le spectacle, si naturel et si trivial qu'il soit, qu'on a sous les yeux, — où le premier objet venu devient un symbole parlant. [...] L'intelligence de l'allégorie prend en vous des proportions à vous-même inconnues[2].» Ainsi, l'intelligibilité du monde est liée à la profondeur passagère dont il est revêtu «aux belles heures de la vie», celles-ci étant, dans le meilleur des cas, le fruit d'un travail artistique, dans le pire l'effet des médecines du diable.

Jusqu'alors, l'explication poétique du monde était passée par les grands mythes. Ceux-là mêmes qu'au temps de Baudelaire, un Hugo, un Nerval ou un Quinet essayaient de faire revivre. Tout comme Wagner. Et c'est en parlant de lui et de son Tannhäuser *que Baudelaire rappelle que les mythes et les légendes avaient le pouvoir de rendre la vie «compréhensible», «intelligible». Les mythes sont des réservoirs de thèmes et de personnages. La mythologie offre également au poète des figures de style. Elles ne sont pas*

1. *O. C.*, I, 427-428.
2. *O. C.*, I, p. 430.

*toutes périmées ou ridicules, comme avait voulu le faire croire le jeune Baudelaire, lorsqu'en 1852 il se moquait de l'*École païenne. *Moins de dix ans plus tard, dans son étude sur Banville, il reconnaît que «la mythologie est un dictionnaire d'hiéroglyphes vivants, hiéroglyphes connus de tout le monde» et qu'elle peut fournir des moyens d'expression appropriés à ce «mode lyrique» qui aime à «considérer les choses non pas sous leur aspect particulier, exceptionnel, mais dans les traits principaux, généreux, universels* [1] *». Or Baudelaire, dans* Le Spleen de Paris, *considère précisément les choses dans leur aspect particulier et exceptionnel. C'est pourquoi, il estime que dans* Joseph Delorme *il y a «un peu trop de* luths, *de* lyres, *de* harpes *et de* Jéhovahs». *Et d'ajouter: «Cela fait tache dans des poèmes parisiens*[2]*.» Et comme le monde moderne «a définitivement abjuré tout amour spirituel*[3]*», qu'il n'a plus d'entrailles, mais seulement des viscères, qu'il est absolument usé, pire: abruti et goulu, qu'il a horreur de la fiction et n'a d'amour que pour la possession, Baudelaire se tourne résolument vers ce qui caractérise le mieux ce monde: la banalité, la trivialité, la vulgarité, le lieu commun. Il n'a cessé d'exalter la profondeur du lieu commun. Ainsi dans cette note de* Fusées*: «Profondeur immense de pensée dans les locutions vulgaires, trous creusés par des générations de fourmis*[4]*.» Ou dans le* Salon de 1859*: «Existe-t-il [...] quelque chose de plus charmant, de plus fertile et d'une nature plus positivement* excitante *que le lieu commun*[5]*?» Et les vrais artistes «savent qu'il y a*

1. *O. C.*, II, p. 165.
2. Lettre à Sainte-Beuve du 15 janvier 1866.
3. L'expression se trouve dans l'article de Baudelaire sur *Madame Bovary*, *O. C.*, II, 77.
4. *O. C.*, I, 650. Voir aussi la pensée citée en épigraphe.
5. *O. C.*, II, 609.

une épouvantable profondeur dans la première idée venue».

C'est cette banalité de la vie quotidienne que Baudelaire oppose à la fois à l'ancienne mythologie et à la nouvelle qu'un Maxime du Camp, par exemple, a voulu proposer dans ses Chants modernes. *Exaltant les conquêtes du monde moderne, Du Camp estime que les divinités de l'heure sont la vapeur et l'électricité: «La science fait des prodiges, l'industrie accomplit des miracles, et nous restons impassibles, insensibles, méprisables, grattant les cordes fausses de nos lyres, fermant les yeux pour ne pas voir, ou nous obstinant à regarder vers un passé que rien ne doit nous faire regretter. On découvre la vapeur, nous chantons Vénus, fille de l'onde amère; on découvre l'électricité, nous chantons Bacchus, l'ami de la grappe vermeille. C'est absurde*[1] *!» Baudelaire n'a de cesse de faire le procès de cette mythologie du progrès, dans son compte rendu de l'*Exposition universelle *de 1855, comme dans cette note de* Mon cœur mis à nu*: «Théorie de la vraie civilisation. Elle n'est pas dans le gaz, ni dans la vapeur, ni dans les tables tournantes, elle est dans la diminution des traces du péché originel*[2]*.» Grand lecteur de Joseph de Maistre, il s'oppose à Maxime Du Camp mot par mot. Il lui dédicacera* Le Voyage *pour mieux le contredire.*

Inutile donc de courir après les nouveautés promises par la civilisation du progrès. La vie quotidienne, dans sa banalité, offre plus de nouveauté à celui qui sait voir. «Pour le parfait flâneur, pour l'observateur passionné, c'est une immense jouissance que d'élire domicile dans le nombre, dans l'ondoyant, dans le mouvement, dans le fugitif et l'infini. [...] L'amateur de la vie fait du monde sa famille [...].

1. *Les Chants modernes*, Michel Lévy frères, 1855, p. 5.
2. *O. C.*, I, 697.

C'est un moi *insatiable du* non-moi, *qui, à chaque instant, le rend et l'exprime en images plus vivantes que la vie elle-même, toujours instable et fugitive*[1]*.» La vie souffre donc d'un manque; la réalité est incomplète. À moins d'être transfigurée par l'artiste. «Je trouve inutile et fastidieux de représenter ce qui est, parce que rien de ce qui est ne me satisfait*[2]*.»*

Surtout, cette vie, cette réalité est «le séjour de l'éternel ennui». Car Le Spleen de Paris *est également une façon de dire que Paris est la ville du spleen. Aussi le flâneur fait-il tout pour échapper à l'ennui, «ce tyran du monde» (*Une mort héroïque*), cette «source de toutes [les] maladies et de tous [les] misérables progrès» (*Le Joueur généreux*), qui fait jaillir l'énergie malsaine qui s'abat sur le poète dans* Le Mauvais Vitrier, *qui incite le quatrième garçon des* Vocations *à suivre les bohémiens, qui nous pousse, enfin, à nous enivrer sans cesse — de vin, de vertu ou de poésie.*

Comment chasser cet ennui sans recourir à la magie noire des drogues? Comment rendre au monde la plénitude qui lui fait défaut? Comment accéder à l'infini sans violer les lois de l'existence? Baudelaire s'est maintes fois posé la question. Les Fleurs du Mal *obéissent à une esthétique de la concentration; la contrainte de la forme était cette prison au fond de laquelle le ciel paraît plus profond.* Le Spleen de Paris *— encore* Les Fleurs du Mal, *dit Baudelaire, «mais avec beaucoup plus de liberté, et de détail, et de raillerie» — opère un déplacement systématique de frontières de la poésie et du langage. Par la création d'un genre qui est une contradiction dans les termes mêmes. «On confond toutes les idées, on transpose les limites des arts, quand on donne le nom de poème à la prose», disait Voltaire en bon classique*[3]*.*

1. *Le Peintre de la vie moderne, O. C.*, II, 691-692.
2. *Salon de 1859, O. C.*, II, 620.
3. Voltaire, *Essai sur la poésie épique* (1727-1733), conclusion.

Pour Les Fleurs du Mal, *Baudelaire avait défini la nouveauté en termes de géographie littéraire, suivant la suggestion de Sainte-Beuve qui avait fourni quelques «petits moyens de défense»: «Tout était pris dans le domaine de la poésie. Lamartine avait pris les* cieux, *Victor Hugo avait pris la* terre *et plus que la* terre. *Laprade avait pris les* forêts. *Musset avait pris la* passion et l'orgie *éblouissante. D'autres avaient pris le* foyer, *la* vie rurale, *etc. Théophile Gautier avait pris l'Espagne et ses hautes couleurs. Que restait-il? Ce que Baudelaire a pris. Il y a été comme forcé.»*

Le Spleen de Paris *ne recherche pas la nouveauté pour la nouveauté dans des thèmes traités non seulement par les romantiques proches de Baudelaire mais par une tradition poétique remontant à la Renaissance, voire au-delà. Le recueil ne s'inscrit pas non plus dans une tradition, ou s'y inscrit par dérision en faisant appel à Aloysius Bertrand ou à Arsène Houssaye. Contrairement aux* Fleurs du Mal, Le Spleen de Paris *n'est pas un recueil construit, mais un recueil «sans queue ni tête». Œuvre décapitée mais qui se situe dans la capitale, la grande ville où le croisement des rapports innombrables tient lieu de centre, la ville labyrinthe où l'on s'égare parce qu'on se retrouve toujours au même point.*

C'est donc en déplaçant non pas les frontières de l'existence, mais celles de la poésie que Baudelaire espère traquer quelques parcelles de signification. Dérision, déception, déplacement de sens: voilà les procédés par lesquels Baudelaire crée la surprise. Ainsi, la seule réalité est la réalité du langage; c'est lui qui signifie. Ou, comme le dit Baudelaire dans une note de Fusées*: «Ce qui est créé par l'esprit est plus vivant que la matière.» En traquant la poésie jusque dans les recoins de la vie quotidienne qui semble en être le plus dépourvue, en la faisant jaillir d'une langue qu'aucun signe extérieur ne signale comme* *poésie, Baudelaire veut-il dire que le prosaïsme n'aura pas le dernier mot, comme le caricaturiste traque* « *cet élément insaisissable du beau jusque dans les œuvres destinées à représenter à l'homme sa propre laideur morale et physique*[1] » *? Aucun réel n'aura donc jamais raison de notre amour de la beauté, celle-ci dût-elle appartenir à un monde antérieur.*

Robert Kopp

1. *De l'essence du rire, O. C.*, II, 526.

Le Spleen de Paris

Petits Poèmes en prose

Texte de 1869

À ARSÈNE HOUSSAYE

Mon cher ami, je vous envoie un petit ouvrage dont on ne pourrait pas dire, sans injustice, qu'il n'a ni queue ni tête, puisque tout, au contraire, y est à la fois tête et queue, alternativement et réciproquement. Considérez, je vous prie, quelles admirables commodités cette combinaison nous offre à tous, à vous, à moi et au lecteur. Nous pouvons couper où nous voulons, moi ma rêverie, vous le manuscrit, le lecteur sa lecture ; car je ne suspends pas la volonté rétive de celui-ci au fil interminable d'une intrigue superflue. Enlevez une vertèbre, et les deux morceaux de cette tortueuse fantaisie se rejoindront sans peine. Hachez-la en nombreux fragments, et vous verrez que chacun peut exister à part. Dans l'espérance que quelques-uns de ces tronçons seront assez vivants pour vous plaire et vous amuser, j'ose vous dédier le serpent tout entier.

J'ai une petite confession à vous faire. C'est en feuilletant, pour la vingtième fois au moins, le fameux *Gaspard de la Nuit*, d'Aloysius Bertrand (un livre connu de vous, de moi et de quelques-uns de nos amis, n'a-t-il pas tous les droits à être appelé *fameux* ?) que l'idée m'est venue de tenter quelque chose d'analogue, et d'appliquer à la description de la vie moderne, ou plutôt d'*une* vie moderne et plus abstraite, le procédé qu'il avait appliqué à la peinture de la vie ancienne, si étrangement pittoresque.

Quel est celui de nous qui n'a pas, dans ses jours d'ambition, rêvé le miracle d'une prose poétique, musicale sans rythme et sans rime, assez souple et 30 assez heurtée pour s'adapter aux mouvements lyriques de l'âme, aux ondulations de la rêverie, aux soubresauts de la conscience ?

C'est surtout de la fréquentation des villes énormes, c'est du croisement de leurs innombrables 35 rapports que naît cet idéal obsédant. Vous-même, mon cher ami, n'avez-vous pas tenté de traduire en une *chanson* le cri strident du *Vitrier,* et d'exprimer dans une prose lyrique toutes les désolantes suggestions que ce cri envoie jusqu'aux mansardes, à tra- 40 vers les plus hautes brumes de la rue ?

Mais, pour dire le vrai, je crains que ma jalousie ne m'ait pas porté bonheur. Sitôt que j'eus commencé le travail, je m'aperçus que non seulement je restais bien loin de mon mystérieux et brillant modèle, mais 45 encore que je faisais quelque chose (si cela peut s'appeler *quelque chose*) de singulièrement différent, accident dont tout autre que moi s'enorgueillirait sans doute, mais qui ne peut qu'humilier profondément un esprit qui regarde comme le plus grand 50 honneur du poète d'accomplir *juste* ce qu'il a projeté de faire.

Votre bien affectionné,
C. B.

I

L'ÉTRANGER

— Qui aimes-tu le mieux, homme énigmatique, dis? ton père, ta mère, ta sœur ou ton frère?

— Je n'ai ni père, ni mère, ni sœur, ni frère.

— Tes amis?

5 — Vous vous servez là d'une parole dont le sens m'est resté jusqu'à ce jour inconnu.

— Ta patrie?

— J'ignore sous quelle latitude elle est située.

— La beauté?

10 — Je l'aimerais volontiers, déesse et immortelle.

— L'or?

— Je le hais comme vous haïssez Dieu.

— Eh! qu'aimes-tu donc, extraordinaire étranger?

15 — J'aime les nuages... les nuages qui passent... là-bas... là-bas... les merveilleux nuages!

II

LE DÉSESPOIR DE LA VIEILLE

La petite vieille ratatinée se sentit toute réjouie en voyant ce joli enfant à qui chacun faisait fête, à qui tout le monde voulait plaire; ce joli être, si fragile comme elle, la petite vieille, et, comme elle aussi, sans dents et sans cheveux.

Et elle s'approcha de lui, voulant lui faire des risettes et des mines agréables.

Mais l'enfant épouvanté se débattait sous les caresses de la bonne femme décrépite, et remplissait la maison de ses glapissements.

Alors la bonne vieille se retira dans sa solitude éternelle, et elle pleurait dans un coin, se disant: — «Ah! pour nous, malheureuses vieilles femelles, l'âge est passé de plaire, même aux innocents; et nous faisons horreur aux petits enfants que nous voulons aimer!»

III

LE *CONFITEOR* DE L'ARTISTE

Que les fins de journées d'automne sont pénétrantes ! Ah ! pénétrantes jusqu'à la douleur ! car il est de certaines sensations délicieuses dont le vague n'exclut pas l'intensité ; et il n'est pas de pointe plus acérée que celle de l'Infini.

Grand délice que celui de noyer son regard dans l'immensité du ciel et de la mer ! Solitude, silence, incomparable chasteté de l'azur ! une petite voile frissonnante à l'horizon, et qui par sa petitesse et son isolement imite mon irrémédiable existence, mélodie monotone de la houle, toutes ces choses pensent par moi, ou je pense par elles (car dans la grandeur de la rêverie, le *moi* se perd vite !) ; elles pensent, dis-je, mais musicalement et pittoresquement, sans arguties, sans syllogismes, sans déductions.

Toutefois, ces pensées, qu'elles sortent de moi ou s'élancent des choses, deviennent bientôt trop intenses. L'énergie dans la volupté crée un malaise et une souffrance positive. Mes nerfs trop tendus ne donnent plus que des vibrations criardes et douloureuses.

Et maintenant la profondeur du ciel me consterne ; sa limpidité m'exaspère. L'insensibilité de la mer, l'immuabilité du spectacle, me révoltent... Ah ! faut-il éternellement souffrir, ou fuir éternellement le beau ? Nature, enchanteresse sans pitié, rivale toujours victorieuse, laisse-moi ! Cesse de tenter mes désirs et mon orgueil ! L'étude du beau est un duel où l'artiste crie de frayeur avant d'être vaincu.

IV

UN PLAISANT

C'était l'explosion du nouvel an : chaos de boue et de neige, traversé de mille carrosses, étincelant de joujoux et de bonbons, grouillant de cupidités et de désespoirs, délire officiel d'une grande ville fait
5 pour troubler le cerveau du solitaire le plus fort.

Au milieu de ce tohu-bohu et de ce vacarme, un âne trottait vivement, harcelé par un malotru armé d'un fouet.

Comme l'âne allait tourner l'angle d'un trottoir,
10 un beau monsieur ganté, verni, cruellement cravaté et emprisonné dans des habits tout neufs, s'inclina cérémonieusement devant l'humble bête, et lui dit, en ôtant son chapeau : « Je vous la souhaite bonne et heureuse ! » puis se retourna vers je ne sais quels
15 camarades avec un air de fatuité, comme pour les prier d'ajouter leur approbation à son contentement.

L'âne ne vit pas ce beau plaisant, et continua de courir avec zèle où l'appelait son devoir.

20 Pour moi, je fus pris subitement d'une incommensurable rage contre ce magnifique imbécile, qui me parut concentrer en lui tout l'esprit de la France.

V

LA CHAMBRE DOUBLE

Une chambre qui ressemble à une rêverie, une chambre véritablement *spirituelle*, où l'atmosphère stagnante est légèrement teintée de rose et de bleu.

L'âme y prend un bain de paresse, aromatisé par le regret et le désir. — C'est quelque chose de crépusculaire, de bleuâtre et de rosâtre ; un rêve de volupté pendant une éclipse.

Les meubles ont des formes allongées, prostrées, alanguies. Les meubles ont l'air de rêver ; on les dirait doués d'une vie somnambulique, comme le végétal et le minéral. Les étoffes parlent une langue muette, comme les fleurs, comme les ciels, comme les soleils couchants.

Sur les murs nulle abomination artistique. Relativement au rêve pur, à l'impression non analysée, l'art défini, l'art positif est un blasphème. Ici, tout a la suffisante clarté et la délicieuse obscurité de l'harmonie.

Une senteur infinitésimale du choix le plus exquis, à laquelle se mêle une très légère humidité, nage dans cette atmosphère, où l'esprit sommeillant est bercé par des sensations de serre chaude.

La mousseline pleut abondamment devant les fenêtres et devant le lit ; elle s'épanche en cascades neigeuses. Sur ce lit est couchée l'Idole, la souveraine des rêves. Mais comment est-elle ici ? Qui l'a amenée ? quel pouvoir magique l'a installée sur ce trône de rêverie et de volupté ? Qu'importe ? la voilà ! je la reconnais.

30 Voilà bien ces yeux dont la flamme traverse le crépuscule ; ces subtiles et terribles *mirettes*, que je reconnais à leur effrayante malice ! Elles attirent, elles subjuguent, elles dévorent le regard de l'imprudent qui les contemple. Je les ai souvent étudiées, 35 ces étoiles noires qui commandent la curiosité et l'admiration.

À quel démon bienveillant dois-je d'être ainsi entouré de mystère, de silence, de paix et de parfums ? Ô béatitude ! ce que nous nommons géné-40 ralement la vie, même dans son expansion la plus heureuse, n'a rien de commun avec cette vie suprême dont j'ai maintenant connaissance et que je savoure minute par minute, seconde par seconde !

Non ! il n'est plus de minutes, il n'est plus de 45 secondes ! Le temps a disparu ; c'est l'Éternité qui règne, une éternité de délices !

Mais un coup terrible, lourd, a retenti à la porte, et, comme dans les rêves infernaux, il m'a semblé que je recevais un coup de pioche dans l'estomac.

50 Et puis un Spectre est entré. C'est un huissier qui vient me torturer au nom de la loi ; une infâme concubine qui vient crier misère et ajouter les trivialités de sa vie aux douleurs de la mienne ; ou bien le saute-ruisseau d'un directeur de journal qui réclame 55 la suite du manuscrit.

La chambre paradisiaque, l'idole, la souveraine des rêves, la *Sylphide*, comme disait le grand René, toute cette magie a disparu au coup brutal frappé par le Spectre.

60 Horreur ! je me souviens ! je me souviens ! Oui ! ce taudis, ce séjour de l'éternel ennui, est bien le mien. Voici les meubles sots, poudreux, écornés ; la chemi-

née sans flamme et sans braise, souillée de crachats ; les tristes fenêtres où la pluie a tracé des sillons dans la poussière ; les manuscrits, raturés ou incomplets ; l'almanach où le crayon a marqué les dates sinistres !

Et ce parfum d'un autre monde, dont je m'enivrais avec une sensibilité perfectionnée, hélas ! il est remplacé par une fétide odeur de tabac mêlée à je ne sais quelle nauséabonde moisissure. On respire ici maintenant le ranci de la désolation.

Dans ce monde étroit, mais si plein de dégoût, un seul objet connu me sourit : la fiole de laudanum ; une vieille et terrible amie ; comme toutes les amies, hélas ! féconde en caresses et en traîtrises.

Oh ! oui ! le Temps a reparu ; le Temps règne en souverain maintenant ; et avec le hideux vieillard est revenu tout son démoniaque cortège de Souvenirs, de Regrets, de Spasmes, de Peurs, d'Angoisses, de Cauchemars, de Colères et de Névroses.

Je vous assure que les secondes maintenant sont fortement et solennellement accentuées, et chacune, en jaillissant de la pendule, dit : — « Je suis la Vie, l'insupportable, l'implacable Vie ! »

Il n'y a qu'une Seconde dans la vie humaine qui ait mission d'annoncer une bonne nouvelle, la *bonne nouvelle* qui cause à chacun une inexplicable peur.

Oui ! le Temps règne ; il a repris sa brutale dictature. Et il me pousse, comme si j'étais un bœuf, avec son double aiguillon. — « Et hue donc ! bourrique ! Sue donc, esclave ! Vis donc, damné ! »

VI

CHACUN SA CHIMÈRE

Sous un grand ciel gris, dans une grande plaine poudreuse, sans chemins, sans gazon, sans un chardon, sans une ortie, je rencontrai plusieurs hommes qui marchaient courbés.

5 Chacun d'eux portait sur son dos une énorme Chimère, aussi lourde qu'un sac de farine ou de charbon, ou le fourniment d'un fantassin romain.

Mais la monstrueuse bête n'était pas un poids inerte ; au contraire, elle enveloppait et opprimait 10 l'homme de ses muscles élastiques et puissants ; elle s'agrafait avec ses deux vastes griffes à la poitrine de sa monture ; et sa tête fabuleuse surmontait le front de l'homme, comme un de ces casques horribles par lesquels les anciens guerriers espéraient ajouter à la 15 terreur de l'ennemi.

Je questionnai l'un de ces hommes, et je lui demandai où ils allaient ainsi. Il me répondit qu'il n'en savait rien, ni lui, ni les autres ; mais qu'évidemment ils allaient quelque part, puisqu'ils étaient 20 poussés par un invincible besoin de marcher.

Chose curieuse à noter : aucun de ces voyageurs n'avait l'air irrité contre la bête féroce suspendue à son cou et collée à son dos ; on eût dit qu'il la considérait comme faisant partie de lui-même. Tous ces 25 visages fatigués et sérieux ne témoignaient d'aucun désespoir ; sous la coupole spleenétique du ciel, les pieds plongés dans la poussière d'un sol aussi désolé que ce ciel, ils cheminaient avec la physionomie résignée de ceux qui sont condamnés à espérer toujours. 30

Et le cortège passa à côté de moi et s'enfonça dans l'atmosphère de l'horizon, à l'endroit où la surface arrondie de la planète se dérobe à la curiosité du regard humain.

Et pendant quelques instants je m'obstinai à vouloir comprendre ce mystère ; mais bientôt l'irrésistible Indifférence s'abattit sur moi, et j'en fus plus lourdement accablé qu'ils ne l'étaient eux-mêmes par leurs écrasantes Chimères. 35

VII

LE FOU ET LA VÉNUS

Quelle admirable journée! Le vaste parc se pâme sous l'œil brûlant du soleil, comme la jeunesse sous la domination de l'Amour.

L'extase universelle des choses ne s'exprime par aucun bruit; les eaux elles-mêmes sont comme endormies. Bien différente des fêtes humaines, c'est ici une orgie silencieuse.

On dirait qu'une lumière toujours croissante fait de plus en plus étinceler les objets; que les fleurs excitées brûlent du désir de rivaliser avec l'azur du ciel par l'énergie de leurs couleurs, et que la chaleur, rendant visibles les parfums, les fait monter vers l'astre comme des fumées.

Cependant, dans cette jouissance universelle, j'ai aperçu un être affligé.

Aux pieds d'une colossale Vénus, un de ces fous artificiels, un de ces bouffons volontaires chargés de faire rire les rois quand le Remords ou l'Ennui les obsède, affublé d'un costume éclatant et ridicule, coiffé de cornes et de sonnettes, tout ramassé contre le piédestal, lève des yeux pleins de larmes vers l'immortelle Déesse.

Et ses yeux disent: — «Je suis le dernier et le plus solitaire des humains, privé d'amour et d'amitié, et bien inférieur en cela au plus imparfait des animaux. Cependant je suis fait, moi aussi, pour comprendre et sentir l'immortelle Beauté ! Ah ! Déesse ! ayez pitié de ma tristesse et de mon délire ! »

Mais l'implacable Vénus regarde au loin je ne sais quoi avec ses yeux de marbre. 30

VIII

LE CHIEN ET LE FLACON

« — Mon beau chien, mon bon chien, mon cher toutou, approchez et venez respirer un excellent parfum acheté chez le meilleur parfumeur de la ville. »

Et le chien, en frétillant de la queue, ce qui est, je crois, chez ces pauvres êtres, le signe correspondant du rire et du sourire, s'approche et pose curieusement son nez humide sur le flacon débouché ; puis, reculant soudainement avec effroi, il aboie contre moi, en manière de reproche.

« — Ah ! misérable chien, si je vous avais offert un paquet d'excréments, vous l'auriez flairé avec délices et peut-être dévoré. Ainsi, vous-même, indigne compagnon de ma triste vie, vous ressemblez au public, à qui il ne faut jamais présenter des parfums délicats qui l'exaspèrent, mais des ordures soigneusement choisies. »

IX

LE MAUVAIS VITRIER

Il y a des natures purement contemplatives et tout à fait impropres à l'action, qui cependant, sous une impulsion mystérieuse et inconnue, agissent quelquefois avec une rapidité dont elles se seraient crues elles-mêmes incapables.

Tel qui, craignant de trouver chez son concierge une nouvelle chagrinante, rôde lâchement une heure devant sa porte sans oser rentrer, tel qui garde quinze jours une lettre sans la décacheter, ou ne se résigne qu'au bout de six mois à opérer une démarche nécessaire depuis un an, se sentent quelquefois brusquement précipités vers l'action par une force irrésistible, comme la flèche d'un arc. Le moraliste et le médecin, qui prétendent tout savoir, ne peuvent pas expliquer d'où vient si subitement une si folle énergie à ces âmes paresseuses et voluptueuses, et comment, incapables d'accomplir les choses les plus simples et les plus nécessaires, elles trouvent à une certaine minute un courage de luxe pour exécuter les actes les plus absurdes et souvent même les plus dangereux.

Un de mes amis, le plus inoffensif rêveur qui ait existé, a mis une fois le feu à une forêt pour voir, disait-il, si le feu prenait avec autant de facilité qu'on l'affirme généralement. Dix fois de suite, l'expérience manqua ; mais, à la onzième, elle réussit beaucoup trop bien.

Un autre allumera un cigare à côté d'un tonneau de poudre, *pour voir, pour savoir, pour tenter la des-*
30 *tinée,* pour se contraindre lui-même à faire preuve d'énergie, pour faire le joueur, pour connaître les plaisirs de l'anxiété, pour rien, par caprice, par désœuvrement.

C'est une espèce d'énergie qui jaillit de l'ennui et
35 de la rêverie ; et ceux en qui elle se manifeste si inopinément sont, en général, comme je l'ai dit, les plus indolents et les plus rêveurs des êtres.

Un autre, timide à ce point qu'il baisse les yeux même devant les regards des hommes, à ce point
40 qu'il lui faut rassembler toute sa pauvre volonté pour entrer dans un café ou passer devant le bureau d'un théâtre, où les contrôleurs lui paraissent investis de la majesté de Minos, d'Éaque et de Rhadamante, sautera brusquement au cou d'un vieillard
45 qui passe à côté de lui et l'embrassera avec enthousiasme devant la foule étonnée.

Pourquoi ? Parce que... parce que cette physionomie lui était irrésistiblement sympathique ? Peut-être ; mais il est plus légitime de supposer que lui-même il
50 ne sait pas pourquoi.

J'ai été plus d'une fois victime de ces crises et de ces élans, qui nous autorisent à croire que des Démons malicieux se glissent en nous et nous font accomplir, à notre insu, leurs plus absurdes volon-
55 tés.

Un matin je m'étais levé maussade, triste, fatigué d'oisiveté, et poussé, me semblait-il, à faire quelque chose de grand, une action d'éclat ; et j'ouvris la fenêtre, hélas !

60 (Observez, je vous prie, que l'esprit de mystification qui, chez quelques personnes, n'est pas le résultat d'un travail ou d'une combinaison, mais d'une

inspiration fortuite, participe beaucoup, ne fût-ce que par l'ardeur du désir, de cette humeur, hystérique selon les médecins, satanique selon ceux qui pensent un peu mieux que les médecins, qui nous pousse sans résistance vers une foule d'actions dangereuses ou inconvenantes.)

La première personne que j'aperçus dans la rue, ce fut un vitrier dont le cri perçant, discordant, monta jusqu'à moi à travers la lourde et sale atmosphère parisienne. Il me serait d'ailleurs impossible de dire pourquoi je fus pris à l'égard de ce pauvre homme d'une haine aussi soudaine que despotique.

« — Hé ! hé ! » et je lui criai de monter. Cependant je réfléchissais, non sans quelque gaieté, que, la chambre étant au sixième étage et l'escalier fort étroit, l'homme devait éprouver quelque peine à opérer son ascension et accrocher en maint endroit les angles de sa fragile marchandise.

Enfin il parut : j'examinai curieusement toutes ses vitres, et je lui dis : « — Comment ? vous n'avez pas de verres de couleur ? des verres roses, rouges, bleus, des vitres magiques, des vitres de paradis ? Impudent que vous êtes ! vous osez vous promener dans des quartiers pauvres, et vous n'avez pas même de vitres qui fassent voir la vie en beau ! » Et je le poussai vivement vers l'escalier, où il trébucha en grognant.

Je m'approchai du balcon et je me saisis d'un petit pot de fleurs, et quand l'homme reparut au débouché de la porte, je laissai tomber perpendiculairement mon engin de guerre sur le rebord postérieur de ses crochets ; et le choc le renversant, il acheva de briser sous son dos toute sa pauvre fortune ambulatoire qui rendit le bruit éclatant d'un palais de cristal crevé par la foudre.

Et, ivre de ma folie, je lui criai furieusement : « La vie en beau ! la vie en beau ! »

100 Ces plaisanteries nerveuses ne sont pas sans péril, et on peut souvent les payer cher. Mais qu'importe l'éternité de la damnation à qui a trouvé dans une seconde l'infini de la jouissance ?

X

À UNE HEURE DU MATIN

Enfin ! seul ! On n'entend plus que le roulement de quelques fiacres attardés et éreintés. Pendant quelques heures, nous posséderons le silence, sinon le repos. Enfin ! la tyrannie de la face humaine a disparu, et je ne souffrirai plus que par moi-même.

Enfin ! il m'est donc permis de me délasser dans un bain de ténèbres ! D'abord, un double tour à la serrure. Il me semble que ce tour de clef augmentera ma solitude et fortifiera les barricades qui me séparent actuellement du monde.

Horrible vie ! Horrible ville ! Récapitulons la journée : avoir vu plusieurs hommes de lettres, dont l'un m'a demandé si l'on pouvait aller en Russie par voie de terre (il prenait sans doute la Russie pour une île) ; avoir disputé généreusement contre le directeur d'une revue, qui à chaque objection répondait : « — C'est ici le parti des honnêtes gens », ce qui implique que tous les autres journaux sont rédigés par des coquins ; avoir salué une vingtaine de personnes, dont quinze me sont inconnues ; avoir distribué des poignées de main dans la même proportion, et cela sans avoir pris la précaution d'acheter des gants ; être monté pour tuer le temps, pendant une averse, chez une sauteuse qui m'a prié de lui dessiner un costume de *Vénustre* ; avoir fait ma cour à un

directeur de théâtre, qui m'a dit en me congédiant : « — Vous feriez peut-être bien de vous adresser à Z... ; c'est le plus lourd, le plus sot et le plus célèbre de tous mes auteurs, avec lui vous pourriez peut-
30 être aboutir à quelque chose. Voyez-le, et puis nous verrons » ; m'être vanté (pourquoi ?) de plusieurs vilaines actions que je n'ai jamais commises, et avoir lâchement nié quelques autres méfaits que j'ai accomplis avec joie, délit de fanfaronnade, crime de
35 respect humain ; avoir refusé à un ami un service facile, et donné une recommandation écrite à un parfait drôle ; ouf ! est-ce bien fini ?

Mécontent de tous et mécontent de moi, je voudrais bien me racheter et m'enorgueillir un peu dans
40 le silence et la solitude de la nuit. Âmes de ceux que j'ai aimés, âmes de ceux que j'ai chantés, fortifiez-moi, soutenez-moi, éloignez de moi le mensonge et les vapeurs corruptrices du monde, et vous, Seigneur mon Dieu ! accordez-moi la grâce de produire
45 quelques beaux vers qui me prouvent à moi-même que je ne suis pas le dernier des hommes, que je ne suis pas inférieur à ceux que je méprise !

XI

LA FEMME SAUVAGE ET LA PETITE-MAÎTRESSE

« Vraiment, ma chère, vous me fatiguez sans mesure et sans pitié ; on dirait, à vous entendre soupirer, que vous souffrez plus que les glaneuses sexagénaires et que les vieilles mendiantes qui ramassent des croûtes de pain à la porte des cabarets.

« Si au moins vos soupirs exprimaient le remords, ils vous feraient quelque honneur ; mais ils ne traduisent que la satiété du bien-être et l'accablement du repos. Et puis, vous ne cessez de vous répandre en paroles inutiles : « Aimez-moi bien ! j'en ai tant besoin ! Consolez-moi par-ci, caressez-moi par-là ! » Tenez, je veux essayer de vous guérir ; nous en trouverons peut-être le moyen, pour deux sols, au milieu d'une fête, et sans aller bien loin.

« Considérons bien, je vous prie, cette solide cage de fer derrière laquelle s'agite, hurlant comme un damné, secouant les barreaux comme un orang-outang exaspéré par l'exil, imitant, dans la perfection, tantôt les bonds circulaires du tigre, tantôt les dandinements stupides de l'ours blanc, ce monstre poilu dont la forme imite assez vaguement la vôtre.

« Ce monstre est un de ces animaux qu'on appelle généralement « mon ange ! » c'est-à-dire une femme. L'autre monstre, celui qui crie à tue-tête, un bâton à la main, est un mari. Il a enchaîné sa femme légitime comme une bête, et il la montre dans les faubourgs, les jours de foire, avec permission des magistrats, cela va sans dire.

« Faites bien attention ! Voyez avec quelle voracité 30 (non simulée peut-être !) elle déchire des lapins vivants et des volailles piaillantes que lui jette son cornac. « Allons, dit-il, il ne faut pas manger tout son bien en un jour », et, sur cette sage parole, il lui arrache cruellement la proie, dont les boyaux dévi- 35 dés restent un instant accrochés aux dents de la bête féroce, de la femme, veux-je dire.

« Allons ! un bon coup de bâton pour la calmer ! car elle darde des yeux terribles de convoitise sur la nourriture enlevée. Grand Dieu ! le bâton n'est pas 40 un bâton de comédie, avez-vous entendu résonner la chair, malgré le poil postiche ? Aussi les yeux lui sortent maintenant de la tête, elle hurle *plus naturellement*. Dans sa rage, elle étincelle tout entière, comme le fer qu'on bat.

45 « Telles sont les mœurs conjugales de ces deux descendants d'Ève et d'Adam, ces œuvres de vos mains, ô mon Dieu ! Cette femme est incontestablement malheureuse, quoique après tout, peut-être, les jouissances titillantes de la gloire ne lui soient 50 pas inconnues. Il y a des malheurs plus irrémédiables, et sans compensation. Mais dans le monde où elle a été jetée, elle n'a jamais pu croire que la femme méritât une autre destinée.

« Maintenant, à nous deux, chère précieuse ! À voir 55 les enfers dont le monde est peuplé, que voulez-vous que je pense de votre joli enfer, vous qui ne reposez que sur des étoffes aussi douces que votre peau, qui ne mangez que de la viande cuite, et pour qui un domestique habile prend soin de découper les mor- 60 ceaux ?

« Et que peuvent signifier pour moi tous ces petits soupirs qui gonflent votre poitrine parfumée, robuste coquette ? Et toutes ces affectations apprises dans les livres, et cette infatigable mélancolie, faite pour inspirer au spectateur un tout autre sentiment que la pitié ? En vérité, il me prend quelquefois envie de vous apprendre ce que c'est que le vrai malheur. 65

« À vous voir ainsi, ma belle délicate, les pieds dans la fange et les yeux tournés vaporeusement vers le ciel, comme pour lui demander un roi, on dirait vraisemblablement une jeune grenouille qui invoquerait l'idéal. Si vous méprisez le soliveau (ce que je suis maintenant, comme vous savez bien), gare la grue *qui vous croquera, vous gobera et vous tuera à son plaisir !* 70 75

« Tant poète que je sois, je ne suis pas aussi dupe que vous voudriez le croire, et si vous me fatiguez trop souvent de vos *précieuses* pleurnicheries, je vous traiterai en *femme sauvage*, ou je vous jetterai par la fenêtre, comme une bouteille vide. » 80

XII

LES FOULES

Il n'est pas donné à chacun de prendre un bain de multitude : jouir de la foule est un art ; et celui-là seul peut faire, aux dépens du genre humain, une ribote de vitalité, à qui une fée a insufflé dans son berceau le goût du travestissement et du masque, la haine du domicile et la passion du voyage.

Multitude, solitude : termes égaux et convertibles pour le poète actif et fécond. Qui ne sait pas peupler sa solitude, ne sait pas non plus être seul dans une foule affairée.

Le poète jouit de cet incomparable privilège, qu'il peut à sa guise être lui-même et autrui. Comme ces âmes errantes qui cherchent un corps, il entre, quand il veut, dans le personnage de chacun. Pour lui seul, tout est vacant ; et si de certaines places paraissent lui être fermées, c'est qu'à ses yeux elles ne valent pas la peine d'être visitées.

Le promeneur solitaire et pensif tire une singulière ivresse de cette universelle communion. Celui-là qui épouse facilement la foule connaît des jouissances fiévreuses, dont seront éternellement privés l'égoïste, fermé comme un coffre, et le paresseux, interné comme un mollusque. Il adopte comme siennes toutes les professions, toutes les joies et toutes les misères que la circonstance lui présente.

Ce que les hommes nomment amour est bien petit, bien restreint et bien faible, comparé à cette ineffable orgie, à cette sainte prostitution de l'âme qui se donne tout entière, poésie et charité, à l'imprévu qui se montre, à l'inconnu qui passe.

Il est bon d'apprendre quelquefois aux heureux de ce monde, ne fût-ce que pour humilier un instant leur sot orgueil, qu'il est des bonheurs supérieurs au leur, plus vastes et plus raffinés. Les fondateurs de colonies, les pasteurs de peuples, les prêtres missionnaires exilés au bout du monde, connaissent sans doute quelque chose de ces mystérieuses ivresses ; et, au sein de la vaste famille que leur génie s'est faite, ils doivent rire quelquefois de ceux qui les plaignent pour leur fortune si agitée et pour leur vie si chaste.

XIII

LES VEUVES

Vauvenargues dit que dans les jardins publics il est des allées hantées principalement par l'ambition déçue, par les inventeurs malheureux, par les gloires avortées, par les cœurs brisés, par toutes ces âmes tumultueuses et fermées, en qui grondent encore les derniers soupirs d'un orage, et qui reculent loin du regard insolent des joyeux et des oisifs. Ces retraites ombreuses sont les rendez-vous des éclopés de la vie.

C'est surtout vers ces lieux que le poète et le philosophe aiment diriger leurs avides conjectures. Il y a là une pâture certaine. Car s'il est une place qu'ils dédaignent de visiter, comme je l'insinuais tout à l'heure, c'est surtout la joie des riches. Cette turbulence dans le vide n'a rien qui les attire. Au contraire, ils se sentent irrésistiblement entraînés vers tout ce qui est faible, ruiné, contristé, orphelin.

Un œil expérimenté ne s'y trompe jamais. Dans ces traits rigides ou abattus, dans ces yeux caves et ternes, ou brillants des derniers éclairs de la lutte, dans ces rides profondes et nombreuses, dans ces démarches si lentes ou si saccadées, il déchiffre tout de suite les innombrables légendes de l'amour trompé, du dévouement méconnu, des efforts non récompensés, de la faim et du froid humblement, silencieusement supportés.

Avez-vous quelquefois aperçu des veuves sur ces bancs solitaires, des veuves pauvres ? Qu'elles soient en deuil ou non, il est facile de les reconnaître. D'ailleurs, il y a toujours dans le deuil du pauvre quelque chose qui manque, une absence d'harmonie qui le 30 rend plus navrant. Il est contraint de lésiner sur sa douleur. Le riche porte la sienne au grand complet.

Quelle est la veuve la plus triste et la plus attristante, celle qui traîne à sa main un bambin avec qui elle ne peut pas partager sa rêverie, ou celle qui est 35 tout à fait seule ? Je ne sais... Il m'est arrivé une fois de suivre pendant de longues heures une vieille affligée de cette espèce ; celle-là roide, droite, sous un petit châle usé, portait dans tout son être une fierté de stoïcienne. 40

Elle était évidemment condamnée, par une absolue solitude, à des habitudes de vieux célibataire, et le caractère masculin de ses mœurs ajoutait un piquant mystérieux à leur austérité. Je ne sais dans quel misérable café et de quelle façon elle déjeuna. Je la 45 suivis au cabinet de lecture ; et je l'épiai longtemps pendant qu'elle cherchait dans les gazettes, avec des yeux actifs, jadis brûlés par les larmes, des nouvelles d'un intérêt puissant et personnel.

Enfin, dans l'après-midi, sous un ciel d'automne 50 charmant, un de ces ciels d'où descendent en foule les regrets et les souvenirs, elle s'assit à l'écart dans un jardin, pour entendre, loin de la foule, un de ces concerts dont la musique des régiments gratifie le peuple parisien. 55

C'était sans doute là la petite débauche de cette vieille innocente (ou de cette vieille purifiée), la consolation bien gagnée d'une de ces lourdes journées sans ami, sans causerie, sans joie, sans confident, que Dieu laissait tomber sur elle, depuis bien des ans peut- 60 être ! trois cent soixante-cinq fois par an.

Une autre encore :

Je ne puis jamais m'empêcher de jeter un regard, sinon universellement sympathique, au moins curieux, sur la foule de parias qui se pressent autour de l'enceinte d'un concert public. L'orchestre jette à travers la nuit des chants de fête, de triomphe ou de volupté. Les robes traînent en miroitant ; les regards se croisent ; les oisifs, fatigués de n'avoir rien fait, se dandinent, feignant de déguster indolemment la musique. Ici rien que de riche, d'heureux ; rien qui ne respire et n'inspire l'insouciance et le plaisir de se laisser vivre ; rien, excepté l'aspect de cette tourbe qui s'appuie là-bas sur la barrière extérieure, attrapant gratis, au gré du vent, un lambeau de musique, et regardant l'étincelante fournaise intérieure.

C'est toujours chose intéressante que ce reflet de la joie du riche au fond de l'œil du pauvre. Mais ce jour-là, à travers ce peuple vêtu de blouses et d'indienne, j'aperçus un être dont la noblesse faisait un éclatant contraste avec toute la trivialité environnante.

C'était une femme grande, majestueuse, et si noble dans tout son air, que je n'ai pas souvenir d'avoir vu sa pareille dans les collections des aristocratiques beautés du passé. Un parfum de hautaine vertu émanait de toute sa personne. Son visage, triste et amaigri, était en parfaite accordance avec le grand deuil dont elle était revêtue. Elle aussi, comme la plèbe à laquelle elle s'était mêlée et qu'elle ne voyait pas, elle regardait le monde lumineux avec un œil profond, et elle écoutait en hochant doucement la tête.

Singulière vision ! « À coup sûr, me dis-je, cette pauvreté-là, si pauvreté il y a, ne doit pas admettre l'économie sordide ; un si noble visage m'en répond. Pourquoi donc reste-t-elle volontairement dans un milieu où elle fait une tache si éclatante ? »

Mais en passant curieusement auprès d'elle, je crus en deviner la raison. La grande veuve tenait par la main un enfant comme elle vêtu de noir; si modique que fût le prix d'entrée, ce prix suffisait peut-être pour payer un des besoins du petit être, mieux encore, une superfluité, un jouet.

Et elle sera rentrée à pied, méditant et rêvant, seule, toujours seule; car l'enfant est turbulent, égoïste, sans douceur et sans patience; et il ne peut même pas, comme le pur animal, comme le chien et le chat, servir de confident aux douleurs solitaires.

XIV

LE VIEUX SALTIMBANQUE

Partout s'étalait, se répandait, s'ébaudissait le peuple en vacances. C'était une de ces solennités sur lesquelles, pendant un long temps, comptent les saltimbanques, les faiseurs de tours, les montreurs 5 d'animaux et les boutiquiers ambulants, pour compenser les mauvais temps de l'année.

En ces jours-là il me semble que le peuple oublie tout, la douleur et le travail; il devient pareil aux enfants. Pour les petits c'est un jour de congé, c'est 10 l'horreur de l'école renvoyée à vingt-quatre heures. Pour les grands c'est un armistice conclu avec les puissances malfaisantes de la vie, un répit dans la contention et la lutte universelles.

L'homme du monde lui-même et l'homme occupé 15 de travaux spirituels échappent difficilement à l'influence de ce jubilé populaire. Ils absorbent, sans le vouloir, leur part de cette atmosphère d'insouciance. Pour moi, je ne manque jamais, en vrai Parisien, de passer la revue de toutes les baraques qui se pava- 20 nent à ces époques solennelles.

Elles se faisaient, en vérité, une concurrence formidable : elles piaillaient, beuglaient, hurlaient. C'était un mélange de cris, de détonations de cuivre et d'explosions de fusées. Les queues-rouges et les 25 Jocrisses convulsaient les traits de leurs visages basanés, racornis par le vent, la pluie et le soleil; ils lançaient, avec l'aplomb des comédiens sûrs de leurs effets, des bons mots et des plaisanteries d'un comique solide et lourd comme celui de Molière. Les Hercules, fiers de l'énormité de leurs membres, 30 sans front et sans crâne, comme les orangs-outangs, se prélassaient majestueusement sous les maillots lavés la veille pour la circonstance. Les danseuses, belles comme des fées ou des princesses, sautaient et cabriolaient sous le feu des lanternes qui remplis- 35 saient leurs jupes d'étincelles.

Tout n'était que lumière, poussière, cris, joie, tumulte; les uns dépensaient, les autres gagnaient, les uns et les autres également joyeux. Les enfants se suspendaient aux jupons de leurs mères pour 40 obtenir quelque bâton de sucre, ou montaient sur les épaules de leurs pères pour mieux voir un escamoteur éblouissant comme un dieu. Et partout circulait, dominant tous les parfums, une odeur de friture qui était comme l'encens de cette fête. 45

Au bout, à l'extrême bout de la rangée de baraques, comme si, honteux, il s'était exilé lui-même de toutes ces splendeurs, je vis un pauvre saltimbanque, voûté, caduc, décrépit, une ruine d'homme, adossé contre un des poteaux de sa cahute; une cahute plus misé- 50 rable que celle du sauvage le plus abruti, et dont deux bouts de chandelles, coulants et fumants, éclairaient trop bien encore la détresse.

Partout la joie, le gain, la débauche; partout la certitude du pain pour les lendemains; partout l'ex- 55 plosion frénétique de la vitalité. Ici la misère absolue, la misère affublée, pour comble d'horreur, de haillons comiques, où la nécessité, bien plus que l'art, avait introduit le contraste. Il ne riait pas, le misérable! Il ne pleurait pas, il ne dansait pas, il ne 60 gesticulait pas, il ne criait pas; il ne chantait aucune chanson, ni gaie ni lamentable, il n'implorait pas. Il était muet et immobile. Il avait renoncé, il avait abdiqué. Sa destinée était faite.

Mais quel regard profond, inoubliable, il promenait sur la foule et les lumières, dont le flot mouvant s'arrêtait à quelques pas de sa répulsive misère! Je sentis ma gorge serrée par la main terrible de l'hystérie, et il me sembla que mes regards étaient offusqués par ces larmes rebelles qui ne veulent pas tomber.

Que faire? À quoi bon demander à l'infortuné quelle curiosité, quelle merveille il avait à montrer dans ces ténèbres puantes, derrière son rideau déchiqueté? En vérité, je n'osais; et, dût la raison de ma timidité vous faire rire, j'avouerai que je craignais de l'humilier. Enfin, je venais de me résoudre à déposer en passant quelque argent sur une de ses planches, espérant qu'il devinerait mon intention, quand un grand reflux de peuple, causé par je ne sais quel trouble, m'entraîna loin de lui.

Et, m'en retournant, obsédé par cette vision, je cherchai à analyser ma soudaine douleur, et je me dis: Je viens de voir l'image du vieil homme de lettres qui a survécu à la génération dont il fut le brillant amuseur; du vieux poète sans amis, sans famille, sans enfants, dégradé par sa misère et par l'ingratitude publique, et dans la baraque de qui le monde oublieux ne veut plus entrer!

XV

LE GÂTEAU

Je voyageais. Le paysage au milieu duquel j'étais placé était d'une grandeur et d'une noblesse irrésistibles. Il en passa sans doute en ce moment quelque chose dans mon âme. Mes pensées voltigeaient avec une légèreté égale à celle de l'atmosphère; les passions vulgaires, telles que la haine et l'amour profane, m'apparaissaient maintenant aussi éloignées que les nuées qui défilaient au fond des abîmes sous mes pieds; mon âme me semblait aussi vaste et aussi pure que la coupole du ciel dont j'étais enveloppé; le souvenir des choses terrestres n'arrivait à mon cœur qu'affaibli et diminué, comme le son de la clochette des bestiaux imperceptibles qui paissaient loin, bien loin, sur le versant d'une autre montagne. Sur le petit lac immobile, noir de son immense profondeur, passait quelquefois l'ombre d'un nuage, comme le reflet du manteau d'un géant aérien volant à travers le ciel. Et je me souviens que cette sensation solennelle et rare, causée par un grand mouvement parfaitement silencieux, me remplissait d'une joie mêlée de peur. Bref, je me sentais, grâce à l'enthousiasmante beauté dont j'étais environné, en parfaite paix avec moi-même et avec l'univers; je crois même que, dans ma parfaite béatitude et dans mon total oubli de tout le mal ter-

restre, j'en étais venu à ne plus trouver si ridicules les journaux qui prétendent que l'homme est né bon ; — quand la matière incurable renouvelant ses exigences, je songeai à réparer la fatigue et à soula-
30 ger l'appétit causés par une si longue ascension. Je tirai de ma poche un gros morceau de pain, une tasse de cuir et un flacon d'un certain élixir que les pharmaciens vendaient dans ce temps-là aux touristes pour le mêler dans l'occasion avec de l'eau de
35 neige.

Je découpais tranquillement mon pain, quand un bruit très léger me fit lever les yeux. Devant moi se tenait un petit être déguenillé, noir, ébouriffé, dont les yeux creux, farouches et comme suppliants,
40 dévoraient le morceau de pain. Et je l'entendis soupirer, d'une voix basse et rauque, le mot : *gâteau !* Je ne pus m'empêcher de rire en entendant l'appellation dont il voulait bien honorer mon pain presque blanc, et j'en coupai pour lui une belle tranche que
45 je lui offris. Lentement il se rapprocha, ne quittant pas des yeux l'objet de sa convoitise ; puis, happant le morceau avec sa main, se recula vivement, comme s'il eût craint que mon offre ne fût pas sincère ou que je m'en repentisse déjà.

50 Mais au même instant il fut culbuté par un autre petit sauvage, sorti je ne sais d'où, et si parfaitement semblable au premier qu'on aurait pu le prendre pour son frère jumeau. Ensemble ils roulèrent sur le sol, se disputant la précieuse proie, aucun n'en vou-
55 lant sans doute sacrifier la moitié pour son frère. Le premier, exaspéré, empoigna le second par les cheveux ; celui-ci lui saisit l'oreille avec les dents, et en cracha un petit morceau sanglant avec un superbe juron patois. Le légitime propriétaire du gâteau
60 essaya d'enfoncer ses petites griffes dans les yeux de l'usurpateur ; à son tour celui-ci appliqua toutes ses forces à étrangler son adversaire d'une main, pen-

dant que de l'autre il tâchait de glisser dans sa poche le prix du combat. Mais, ravivé par le désespoir, le vaincu se redressa et fit rouler le vainqueur par terre d'un coup de tête dans l'estomac. À quoi bon décrire une lutte hideuse qui dura en vérité plus longtemps que leurs forces enfantines ne semblaient le promettre ? Le gâteau voyageait de main en main et changeait de poche à chaque instant ; mais hélas ! il changeait aussi de volume ; et lorsque enfin, exténués, haletants, sanglants, ils s'arrêtèrent par impossibilité de continuer, il n'y avait plus, à vrai dire, aucun sujet de bataille ; le morceau de pain avait disparu, et il était éparpillé en miettes semblables aux grains de sable auxquels il était mêlé.

Ce spectacle m'avait embrumé le paysage, et la joie calme où s'ébaudissait mon âme avant d'avoir vu ces petits hommes avait totalement disparu ; j'en restai triste assez longtemps, me répétant sans cesse : « Il y a donc un pays superbe où le pain s'appelle du *gâteau*, friandise si rare qu'elle suffit pour engendrer une guerre parfaitement fratricide ! »

XVI

L'HORLOGE

Les Chinois voient l'heure dans l'œil des chats.

Un jour un missionnaire, se promenant dans la banlieue de Nankin, s'aperçut qu'il avait oublié sa montre, et demanda à un petit garçon quelle heure 5 il était.

Le gamin du céleste Empire hésita d'abord ; puis, se ravisant, il répondit : « Je vais vous le dire. » Peu d'instants après, il reparut, tenant dans ses bras un fort gros chat, et le regardant, comme on dit, dans 10 le blanc des yeux, il affirma sans hésiter : « Il n'est pas encore tout à fait midi. » Ce qui était vrai.

Pour moi, si je me penche vers la belle Féline, la si bien nommée, qui est à la fois l'honneur de son sexe, l'orgueil de mon cœur et le parfum de mon esprit, 15 que ce soit la nuit, que ce soit le jour, dans la pleine lumière ou dans l'ombre opaque, au fond de ses yeux adorables je vois toujours l'heure distinctement, toujours la même, une heure vaste, solennelle, grande comme l'espace, sans divisions de minutes ni de 20 secondes, — une heure immobile qui n'est pas marquée sur les horloges, et cependant légère comme un soupir, rapide comme un coup d'œil.

Et si quelque importun venait me déranger pendant que mon regard repose sur ce délicieux cadran, 25 si quelque Génie malhonnête et intolérant, quelque

Démon du contretemps venait me dire : « Que regardes-tu là avec tant de soin ? Que cherches-tu dans les yeux de cet être ? Y vois-tu l'heure, mortel prodigue et fainéant ? » je répondrais sans hésiter : « Oui, je vois l'heure ; il est l'Éternité ! » 30

N'est-ce pas, madame, que voici un madrigal vraiment méritoire, et aussi emphatique que vous-même ? En vérité, j'ai eu tant de plaisir à broder cette prétentieuse galanterie, que je ne vous demanderai rien en échange. 35

XVII

UN HÉMISPHÈRE DANS UNE CHEVELURE

Laisse-moi respirer longtemps, longtemps, l'odeur de tes cheveux, y plonger tout mon visage, comme un homme altéré dans l'eau d'une source, et les agiter avec ma main comme un mouchoir odorant, pour secouer des souvenirs dans l'air.

Si tu pouvais savoir tout ce que je vois ! tout ce que je sens ! tout ce que j'entends dans tes cheveux ! Mon âme voyage sur le parfum comme l'âme des autres hommes sur la musique.

Tes cheveux contiennent tout un rêve, plein de voilures et de mâtures ; ils contiennent de grandes mers dont les moussons me portent vers de charmants climats, où l'espace est plus bleu et plus profond, où l'atmosphère est parfumée par les fruits, par les feuilles et par la peau humaine.

Dans l'océan de ta chevelure, j'entrevois un port fourmillant de chants mélancoliques, d'hommes vigoureux de toutes nations et de navires de toutes formes découpant leurs architectures fines et compliquées sur un ciel immense où se prélasse l'éternelle chaleur.

Dans les caresses de ta chevelure, je retrouve les langueurs des longues heures passées sur un divan, dans la chambre d'un beau navire, bercées par le

roulis imperceptible du port, entre les pots de fleurs 25
et les gargoulettes rafraîchissantes.

Dans l'ardent foyer de ta chevelure, je respire l'odeur du tabac mêlé à l'opium et au sucre ; dans la nuit de ta chevelure, je vois resplendir l'infini de l'azur tropical ; sur les rivages duvetés de ta cheve- 30
lure je m'enivre des odeurs combinées du goudron, du musc et de l'huile de coco.

Laisse-moi mordre longtemps tes tresses lourdes et noires. Quand je mordille tes cheveux élastiques et rebelles, il me semble que je mange des souvenirs. 35

XVIII

L'INVITATION AU VOYAGE

Il est un pays superbe, un pays de Cocagne, dit-on, que je rêve de visiter avec une vieille amie. Pays singulier, noyé dans les brumes de notre Nord, et qu'on pourrait appeler l'Orient de l'Occident, la Chine de l'Europe, tant la chaude et capricieuse fantaisie s'y est donné carrière, tant elle l'a patiemment et opiniâtrement illustré de ses savantes et délicates végétations.

Un vrai pays de Cocagne, où tout est beau, riche, tranquille, honnête; où le luxe a plaisir à se mirer dans l'ordre; où la vie est grasse et douce à respirer; d'où le désordre, la turbulence et l'imprévu sont exclus; où le bonheur est marié au silence; où la cuisine elle-même est poétique, grasse et excitante à la fois; où tout vous ressemble, mon cher ange.

Tu connais cette maladie fiévreuse qui s'empare de nous dans les froides misères, cette nostalgie du pays qu'on ignore, cette angoisse de la curiosité? Il est une contrée qui te ressemble, où tout est beau, riche, tranquille et honnête, où la fantaisie a bâti et décoré une Chine occidentale, où la vie est douce à respirer, où le bonheur est marié au silence. C'est là qu'il faut aller vivre, c'est là qu'il faut aller mourir!

Oui, c'est là qu'il faut aller respirer, rêver et allonger les heures par l'infini des sensations. Un musicien a écrit l'*Invitation à la valse* ; quel est celui qui composera l'*Invitation au voyage*, qu'on puisse offrir à la femme aimée, à la sœur d'élection ?

Oui, c'est dans cette atmosphère qu'il ferait bon vivre, — là-bas, où les heures plus lentes contiennent 30 plus de pensées, où les horloges sonnent le bonheur avec une plus profonde et plus significative solennité.

Sur des panneaux luisants, ou sur des cuirs dorés et d'une richesse sombre, vivent discrètement des pein- 35 tures béates, calmes et profondes, comme les âmes des artistes qui les créèrent. Les soleils couchants, qui colorent si richement la salle à manger ou le salon, sont tamisés par de belles étoffes ou par ces hautes fenêtres ouvragées que le plomb divise en 40 nombreux compartiments. Les meubles sont vastes, curieux, bizarres, armés de serrures et de secrets comme des âmes raffinées. Les miroirs, les métaux, les étoffes, l'orfèvrerie et la faïence y jouent pour les yeux une symphonie muette et mystérieuse ; et de 45 toutes choses, de tous les coins, des fissures des tiroirs et des plis des étoffes s'échappe un parfum singulier, un *revenez-y* de Sumatra, qui est comme l'âme de l'appartement.

Un vrai pays de Cocagne, te dis-je, où tout est 50 riche, propre et luisant, comme une belle conscience, comme une magnifique batterie de cuisine, comme une splendide orfèvrerie, comme une bijouterie bariolée ! Les trésors du monde y affluent, comme dans la maison d'un homme laborieux et qui a bien mérité du 55 monde entier. Pays singulier, supérieur aux autres, comme l'Art l'est à la Nature, où celle-ci est réformée par le rêve, où elle est corrigée, embellie, refondue.

Qu'ils cherchent, qu'ils cherchent encore, qu'ils reculent sans cesse les limites de leur bonheur, ces 60 alchimistes de l'horticulture ! Qu'ils proposent des prix de soixante et de cent mille florins pour qui résoudra leurs ambitieux problèmes! Moi, j'ai trouvé ma *tulipe noire* et mon *dahlia bleu*!

65 Fleur incomparable, tulipe retrouvée, allégorique dahlia, c'est là, n'est-ce pas, dans ce beau pays si calme et si rêveur, qu'il faudrait aller vivre et fleurir? Ne serais-tu pas encadrée dans ton analogie, et ne pourrais-tu pas te mirer, pour parler comme les 70 mystiques, dans ta propre *correspondance*?

Des rêves! toujours des rêves! et plus l'âme est ambitieuse et délicate, plus les rêves l'éloignent du possible. Chaque homme porte en lui sa dose d'opium naturel, incessamment sécrétée et renouvelée, et, 75 de la naissance à la mort, combien comptons-nous d'heures remplies par la jouissance positive, par l'action réussie et décidée? Vivrons-nous jamais, passerons-nous jamais dans ce tableau qu'a peint mon esprit, ce tableau qui te ressemble?

80 Ces trésors, ces meubles, ce luxe, cet ordre, ces parfums, ces fleurs miraculeuses, c'est toi. C'est encore toi, ces grands fleuves et ces canaux tranquilles. Ces énormes navires qu'ils charrient, tout chargés de richesses, et d'où montent les chants 85 monotones de la manœuvre, ce sont mes pensées qui dorment ou qui roulent sur ton sein. Tu les conduis doucement vers la mer qui est l'Infini, tout en réfléchissant les profondeurs du ciel dans la limpidité de ta belle âme; — et quand, fatigués par la houle et 90 gorgés des produits de l'Orient, ils rentrent au port natal, ce sont encore mes pensées enrichies qui reviennent de l'Infini vers toi.

XIX

LE JOUJOU DU PAUVRE

Je veux donner l'idée d'un divertissement innocent. Il y a si peu d'amusements qui ne soient pas coupables !

Quand vous sortirez le matin avec l'intention décidée de flâner sur les grandes routes, remplissez 5 vos poches de petites inventions à un sol, — telles que le polichinelle plat mû par un seul fil, les forgerons qui battent l'enclume, le cavalier et son cheval dont la queue est un sifflet, — et le long des cabarets, au pied des arbres, faites-en hommage aux 10 enfants inconnus et pauvres que vous rencontrerez. Vous verrez leurs yeux s'agrandir démesurément. D'abord ils n'oseront pas prendre ; ils douteront de leur bonheur. Puis leurs mains agripperont vivement le cadeau, et ils s'enfuiront comme font les 15 chats qui vont manger loin de vous le morceau que vous leur avez donné, ayant appris à se défier de l'homme.

Sur une route, derrière la grille d'un vaste jardin, au bout duquel apparaissait la blancheur d'un joli 20 château frappé par le soleil, se tenait un enfant beau et frais, habillé de ces vêtements de campagne si pleins de coquetterie.

Le luxe, l'insouciance et le spectacle habituel de la richesse, rendent ces enfants-là si jolis, qu'on les 25 croirait faits d'une autre pâte que les enfants de la médiocrité ou de la pauvreté.

À côté de lui, gisait sur l'herbe un joujou splendide, aussi frais que son maître, verni, doré, vêtu 30 d'une robe pourpre, et couvert de plumets et de verroteries. Mais l'enfant ne s'occupait pas de son joujou préféré, et voici ce qu'il regardait :

De l'autre côté de la grille, sur la route, entre les chardons et les orties, il y avait un autre enfant, 35 sale, chétif, fuligineux, un de ces marmots-parias dont un œil impartial découvrirait la beauté, si, comme l'œil du connaisseur devine une peinture idéale sous un vernis de carrossier, il le nettoyait de la répugnante patine de la misère.

40 À travers ces barreaux symboliques séparant deux mondes, la grande route et le château, l'enfant pauvre montrait à l'enfant riche son propre joujou, que celui-ci examinait avidement comme un objet rare et inconnu. Or, ce joujou, que le petit souillon 45 agaçait, agitait et secouait dans une boîte grillée, c'était un rat vivant ! Les parents, par économie sans doute, avaient tiré le joujou de la vie elle-même.

Et les deux enfants se riaient l'un à l'autre fraternellement, avec des dents d'une *égale* blancheur.

XX

LES DONS DES FÉES

C'était grande assemblée des Fées, pour procéder à la répartition des dons parmi tous les nouveau-nés, arrivés à la vie depuis vingt-quatre heures.

Toutes ces antiques et capricieuses Sœurs du Destin, toutes ces Mères bizarres de la joie et de la douleur, étaient fort diverses : les unes avaient l'air sombre et rechigné, les autres, un air folâtre et malin ; les unes, jeunes, qui avaient toujours été jeunes ; les autres, vieilles, qui avaient toujours été vieilles.

Tous les pères qui ont foi dans les Fées étaient venus, chacun apportant son nouveau-né dans ses bras.

Les Dons, les Facultés, les bons Hasards, les Circonstances invincibles, étaient accumulés à côté du tribunal, comme les prix sur l'estrade, dans une distribution de prix. Ce qu'il y avait ici de particulier, c'est que les Dons n'étaient pas la récompense d'un effort, mais tout au contraire une grâce accordée à celui qui n'avait pas encore vécu, une grâce pouvant déterminer sa destinée et devenir aussi bien la source de son malheur que de son bonheur.

Les pauvres Fées étaient très affairées ; car la foule des solliciteurs était grande, et le monde intermédiaire, placé entre l'homme et Dieu, est soumis comme nous à la terrible loi du Temps et de son infinie postérité, les Jours, les Heures, les Minutes, les Secondes.

En vérité, elles étaient aussi ahuries que des ministres un jour d'audience, ou des employés du Mont-de-Piété quand une fête nationale autorise les dégagements gratuits. Je crois même qu'elles regardaient de temps à autre l'aiguille de l'horloge avec autant d'impatience que des juges humains qui, siégeant depuis le matin, ne peuvent s'empêcher de rêver au dîner, à la famille et à leurs chères pantoufles. Si, dans la justice surnaturelle, il y a un peu de précipitation et de hasard, ne nous étonnons pas qu'il en soit de même quelquefois dans la justice humaine. Nous serions nous-mêmes, en ce cas, des juges injustes.

Aussi furent commises ce jour-là quelques bourdes qu'on pourrait considérer comme bizarres, si la prudence, plutôt que le caprice, était le caractère distinctif, éternel des Fées.

Ainsi la puissance d'attirer magnétiquement la fortune fut adjugée à l'héritier unique d'une famille très riche, qui, n'étant doué d'aucun sens de charité, non plus que d'aucune convoitise pour les biens les plus visibles de la vie, devait se trouver plus tard prodigieusement embarrassé de ses millions.

Ainsi furent donnés l'amour du Beau et la Puissance poétique au fils d'un sombre gueux, carrier de son état, qui ne pouvait, en aucune façon, aider les facultés, ni soulager les besoins de sa déplorable progéniture.

J'ai oublié de vous dire que la distribution, en ces cas solennels, est sans appel, et qu'aucun don ne peut être refusé.

Toutes les Fées se levaient, croyant leur corvée accomplie ; car il ne restait plus aucun cadeau, aucune largesse à jeter à tout ce fretin humain, quand un brave homme, un pauvre petit commerçant, je crois, se leva, et empoignant par sa robe de vapeurs multicolores la Fée qui était le plus à sa portée, s'écria : 65

« Eh ! madame ! vous nous oubliez ! il y a encore mon petit ! Je ne veux pas être venu pour rien. »

La Fée pouvait être embarrassée ; car il ne restait plus *rien*. Cependant elle se souvint à temps d'une loi bien connue, quoique rarement appliquée, dans le 70 monde surnaturel, habité par ces déités impalpables, amies de l'homme, et souvent contraintes de s'adapter à ses passions, telles que les Fées, les Gnomes, les Salamandres, les Sylphides, les Sylphes, les Nixes, les Ondins et les Ondines, — je veux parler de la loi 75 qui concède aux Fées, dans un cas semblable à celui-ci, c'est-à-dire le cas d'épuisement des lots, la faculté d'en donner encore un, supplémentaire et exceptionnel, pourvu toutefois qu'elle ait l'imagination suffisante pour le créer immédiatement. 80

Donc la bonne Fée répondit, avec un aplomb digne de son rang : « Je donne à ton fils... je lui donne... le *Don de plaire* ! »

« Mais plaire comment ? plaire... ? plaire pourquoi ? » demanda opiniâtrement le petit boutiquier, 85 qui était sans doute un de ces raisonneurs si communs, incapable de s'élever jusqu'à la logique de l'Absurde.

« Parce que ! parce que ! » répliqua la Fée courroucée, en lui tournant le dos ; et rejoignant le cortège 90 de ses compagnes, elle leur disait : « Comment trouvez-vous ce petit Français vaniteux, qui veut tout comprendre, et qui ayant obtenu pour son fils le meilleur des lots, ose encore interroger et discuter l'indiscutable ? » 95

XXI

LES TENTATIONS

OU ÉROS, PLUTUS ET LA GLOIRE

Deux superbes Satans et une Diablesse, non moins extraordinaire, ont la nuit dernière monté l'escalier mystérieux par où l'enfer donne assaut à la faiblesse de l'homme qui dort, et communique en secret avec
5 lui. Et ils sont venus se poser glorieusement devant moi, debout comme sur une estrade. Une splendeur sulfureuse émanait de ces trois personnages, qui se détachaient ainsi du fond opaque de la nuit. Ils avaient l'air si fier et si plein de domination, que je
10 les pris d'abord tous les trois pour de vrais Dieux.

Le visage du premier Satan était d'un sexe ambigu, et il avait aussi, dans les lignes de son corps, la mollesse des anciens Bacchus. Ses beaux yeux languissants, d'une couleur ténébreuse et indécise, res-
15 semblaient à des violettes chargées encore des lourds pleurs de l'orage, et ses lèvres entrouvertes à des cassolettes chaudes, d'où s'exhalait la bonne odeur d'une parfumerie ; et à chaque fois qu'il soupirait, des insectes musqués s'illuminaient, en voletant, aux
20 ardeurs de son souffle.

Autour de sa tunique de pourpre était roulé, en manière de ceinture, un serpent chatoyant qui, la tête relevée, tournait langoureusement vers lui ses yeux de braise. À cette ceinture vivante étaient sus-
25 pendus, alternant avec des fioles pleines de liqueurs

sinistres, de brillants couteaux et des instruments de chirurgie. Dans sa main droite il tenait une autre fiole dont le contenu était d'un rouge lumineux, et qui portait pour étiquette ces mots bizarres : « Buvez, ceci est mon sang, un parfait cordial » ; dans la gauche, un violon qui lui servait sans doute à chanter ses plaisirs et ses douleurs, et à répandre la contagion de sa folie dans les nuits de sabbat.

À ses chevilles délicates traînaient quelques anneaux d'une chaîne d'or rompue, et quand la gêne qui en résultait le forçait à baisser les yeux vers la terre, il contemplait vaniteusement les ongles de ses pieds, brillants et polis comme des pierres bien travaillées.

Il me regarda avec ses yeux inconsolablement navrés, d'où s'écoulait une insidieuse ivresse, et il me dit d'une voix chantante : « Si tu veux, si tu veux, je te ferai le seigneur des âmes, et tu seras le maître de la matière vivante, plus encore que le sculpteur peut l'être de l'argile ; et tu connaîtras le plaisir, sans cesse renaissant, de sortir de toi-même pour t'oublier dans autrui, et d'attirer les autres âmes jusqu'à les confondre avec la tienne. »

Et je lui répondis : « Grand merci ! je n'ai que faire de cette pacotille d'êtres qui, sans doute, ne valent pas mieux que mon pauvre moi. Bien que j'aie quelque honte à me souvenir, je ne veux rien oublier ; et quand même je ne te connaîtrais pas, vieux monstre, ta mystérieuse coutellerie, tes fioles équivoques, les chaînes dont tes pieds sont empêtrés, sont des symboles qui expliquent assez clairement les inconvénients de ton amitié. Garde tes présents. »

Le second Satan n'avait ni cet air à la fois tragique et souriant, ni ces belles manières insinuantes, ni cette beauté délicate et parfumée. C'était un homme vaste, à gros visage sans yeux, dont la lourde bedaine surplombait les cuisses, et dont toute la peau était dorée et illustrée, comme d'un tatouage, d'une foule de petites figures mouvantes représentant les formes 65 nombreuses de la misère universelle. Il y avait de petits hommes efflanqués qui se suspendaient volontairement à un clou ; il y avait de petits gnomes difformes, maigres, dont les yeux suppliants réclamaient l'aumône mieux encore que leurs mains tremblantes ; 70 et puis de vieilles mères portant des avortons accrochés à leurs mamelles exténuées. Il y en avait encore bien d'autres.

Le gros Satan tapait avec son poing sur son immense ventre, d'où sortait alors un long et retentis- 75 sant cliquetis de métal, qui se terminait en un vague gémissement fait de nombreuses voix humaines. Et il riait, en montrant impudemment ses dents gâtées, d'un énorme rire imbécile, comme certains hommes de tous les pays quand ils ont trop bien dîné.

80 Et celui-là me dit : « Je puis te donner ce qui obtient tout, ce qui vaut tout, ce qui remplace tout ! » Et il tapa sur son ventre monstrueux, dont l'écho sonore fit le commentaire de sa grossière parole.

Je me détournai avec dégoût, et je répondis : « Je 85 n'ai besoin, pour ma jouissance, de la misère de personne ; et je ne veux pas d'une richesse attristée, comme un papier de tenture, de tous les malheurs représentés sur ta peau. »

Quant à la Diablesse, je mentirais si je n'avouais 90 pas qu'à première vue je lui trouvai un bizarre charme. Pour définir ce charme, je ne saurais le comparer à rien de mieux qu'à celui des très belles femmes sur le retour, qui cependant ne vieillissent plus, et dont la beauté garde la magie pénétrante des 95 ruines. Elle avait l'air à la fois impérieux et dégingandé, et ses yeux, quoique battus, contenaient une force fascinatrice. Ce qui me frappa le plus, ce fut le mystère de sa voix, dans laquelle je retrouvais le souvenir des *contralti* les plus délicieux et aussi un peu de l'enrouement des gosiers incessamment lavés par l'eau-de-vie.

« Veux-tu connaître ma puissance ? » dit la fausse déesse avec sa voix charmante et paradoxale. « Écoute. »

Et elle emboucha alors une gigantesque trompette, enrubannée, comme un mirliton, des titres de tous les journaux de l'univers, et à travers cette trompette elle cria mon nom, qui roula ainsi à travers l'espace avec le bruit de cent mille tonnerres, et me revint répercuté par l'écho de la plus lointaine planète.

« Diable ! » fis-je, à moitié subjugué, « voilà qui est précieux ! » Mais en examinant plus attentivement la séduisante virago, il me sembla vaguement que je la reconnaissais pour l'avoir vue trinquant avec quelques drôles de ma connaissance ; et le son rauque du cuivre apporta à mes oreilles je ne sais quel souvenir d'une trompette prostituée.

Aussi je répondis, avec tout mon dédain : « Va-t'en ! Je ne suis pas fait pour épouser la maîtresse de certains que je ne veux pas nommer. »

Certes, d'une si courageuse abnégation j'avais le droit d'être fier. Mais malheureusement je me réveillai, et toute ma force m'abandonna. « En vérité, me dis-je, il fallait que je fusse bien lourdement assoupi pour montrer de tels scrupules. Ah ! s'ils pouvaient revenir pendant que je suis éveillé, je ne ferais pas tant le délicat ! »

Et je les invoquai à haute voix, les suppliant de me pardonner, leur offrant de me déshonorer aussi souvent qu'il le faudrait pour mériter leurs faveurs ; mais je les avais sans doute fortement offensés, car ils ne sont jamais revenus.

XXII

LE CRÉPUSCULE DU SOIR

Le jour tombe. Un grand apaisement se fait dans les pauvres esprits fatigués du labeur de la journée; et leurs pensées prennent maintenant les couleurs tendres et indécises du crépuscule.

5 Cependant du haut de la montagne arrive à mon balcon, à travers les nues transparentes du soir, un grand hurlement, composé d'une foule de cris discordants, que l'espace transforme en une lugubre harmonie, comme celle de la marée qui monte ou 10 d'une tempête qui s'éveille.

Quels sont les infortunés que le soir ne calme pas, et qui prennent, comme les hiboux, la venue de la nuit pour un signal de sabbat? Cette sinistre ululation nous arrive du noir hospice perché sur la mon-15 tagne; et, le soir, en fumant et en contemplant le repos de l'immense vallée, hérissée de maisons dont chaque fenêtre dit: «C'est ici la paix maintenant; c'est ici la joie de la famille!» je puis, quand le vent souffle de là-haut, bercer ma pensée étonnée à cette 20 imitation des harmonies de l'enfer.

Le crépuscule excite les fous. — Je me souviens que j'ai eu deux amis que le crépuscule rendait tout malades. L'un méconnaissait alors tous les rapports d'amitié et de politesse, et maltraitait, comme un 25 sauvage, le premier venu. Je l'ai vu jeter à la tête d'un maître d'hôtel un excellent poulet, dans lequel il croyait voir je ne sais quel insultant hiéroglyphe. Le soir, précurseur des voluptés profondes, lui gâtait les choses les plus succulentes.

L'autre, un ambitieux blessé, devenait, à mesure que le jour baissait, plus aigre, plus sombre, plus taquin. Indulgent et sociable encore pendant la journée, il était impitoyable le soir ; et ce n'était pas seulement sur autrui, mais aussi sur lui-même, que s'exerçait rageusement sa manie crépusculeuse.

Le premier est mort fou, incapable de reconnaître sa femme et son enfant ; le second porte en lui l'inquiétude d'un malaise perpétuel, et fût-il gratifié de tous les honneurs que peuvent conférer les républiques et les princes, je crois que le crépuscule allumerait encore en lui la brûlante envie de distinctions imaginaires. La nuit, qui mettait ses ténèbres dans leur esprit, fait la lumière dans le mien ; et, bien qu'il ne soit pas rare de voir la même cause engendrer deux effets contraires, j'en suis toujours comme intrigué et alarmé.

Ô nuit ! ô rafraîchissantes ténèbres ! vous êtes pour moi le signal d'une fête intérieure, vous êtes la délivrance d'une angoisse ! Dans la solitude des plaines, dans les labyrinthes pierreux d'une capitale, scintillement des étoiles, explosion des lanternes, vous êtes le feu d'artifice de la déesse Liberté !

Crépuscule, comme vous êtes doux et tendre ! Les lueurs roses qui traînent encore à l'horizon comme l'agonie du jour sous l'oppression victorieuse de sa nuit, les feux des candélabres qui font des taches d'un rouge opaque sur les dernières gloires du couchant, les lourdes draperies qu'une main invisible attire des profondeurs de l'Orient, imitent tous les sentiments compliqués qui luttent dans le cœur de l'homme aux heures solennelles de la vie.

On dirait encore une de ces robes étranges de dan-

seuses, où une gaze transparente et sombre laisse entrevoir les splendeurs amorties d'une jupe écla-
65 tante, comme sous le noir présent transperce le délicieux passé ; et les étoiles vacillantes d'or et d'argent, dont elle est semée, représentent ces feux de la fantaisie qui ne s'allument bien que sous le deuil profond de la Nuit.

XXIII

LA SOLITUDE

Un gazetier philanthrope me dit que la solitude est mauvaise pour l'homme ; et à l'appui de sa thèse, il cite, comme tous les incrédules, des paroles des Pères de l'Église.

Je sais que le Démon fréquente volontiers les lieux arides, et que l'Esprit de meurtre et de lubricité s'enflamme merveilleusement dans les solitudes. Mais il serait possible que cette solitude ne fût dangereuse que pour l'âme oisive et divagante qui la peuple de ses passions et de ses chimères.

Il est certain qu'un bavard, dont le suprême plaisir consiste à parler du haut d'une chaire ou d'une tribune, risquerait fort de devenir fou furieux dans l'île de Robinson. Je n'exige pas de mon gazetier les courageuses vertus de Crusoé, mais je demande qu'il ne décrète pas d'accusation les amoureux de la solitude et du mystère.

Il y a dans nos races jacassières des individus qui accepteraient avec moins de répugnance le supplice suprême, s'il leur était permis de faire du haut de l'échafaud une copieuse harangue, sans craindre que les tambours de Santerre ne leur coupassent intempestivement la parole.

Je ne les plains pas, parce que je devine que leurs effusions oratoires leur procurent des voluptés égales à celles que d'autres tirent du silence et du recueillement ; mais je les méprise.

Je désire surtout que mon maudit gazetier me laisse m'amuser à ma guise. « Vous n'éprouvez donc 30 jamais, — me dit-il, avec un ton de nez très apostolique, — le besoin de partager vos jouissances ? » Voyez-vous le subtil envieux ! Il sait que je dédaigne les siennes, et il vient s'insinuer dans les miennes, le hideux trouble-fête !

35 « Ce grand malheur de ne pouvoir être seul !... » dit quelque part La Bruyère, comme pour faire honte à tous ceux qui courent s'oublier dans la foule, craignant sans doute de ne pouvoir se supporter eux-mêmes.

40 « Presque tous nos malheurs nous viennent de n'avoir pas su rester dans notre chambre », dit un autre sage, Pascal, je crois, rappelant ainsi dans la cellule du recueillement tous ces affolés qui cherchent le bonheur dans le mouvement et dans une 45 prostitution que je pourrais appeler *fraternitaire*, si je voulais parler la belle langue de mon siècle.

XXIV

LES PROJETS

Il se disait, en se promenant dans un grand parc solitaire : « Comme elle serait belle dans un costume de cour, compliqué et fastueux, descendant, à travers l'atmosphère d'un beau soir, les degrés de marbre d'un palais, en face des grandes pelouses et des bassins ! Car elle a naturellement l'air d'une princesse. »

En passant plus tard dans une rue, il s'arrêta devant une boutique de gravures, et, trouvant dans un carton une estampe représentant un paysage tropical, il se dit : « Non ! ce n'est pas dans un palais que je voudrais posséder sa chère vie. Nous n'y serions pas *chez nous*. D'ailleurs ces murs criblés d'or ne laisseraient pas une place pour accrocher son image ; dans ces solennelles galeries, il n'y a pas un coin pour l'intimité. Décidément, c'est *là* qu'il faudrait demeurer pour cultiver le rêve de ma vie. »

Et, tout en analysant des yeux les détails de la gravure, il continuait mentalement : « Au bord de la mer, une belle case en bois, enveloppée de tous ces arbres bizarres et luisants dont j'ai oublié les noms....., dans l'atmosphère, une odeur enivrante, indéfinissable....., dans la case un puissant parfum de rose et de musc....., plus loin, derrière notre petit domaine, des bouts de mâts balancés par la houle....., autour

de nous, au-delà de la chambre éclairée d'une lumière rose tamisée par les stores, décorée de nattes fraîches et de fleurs capiteuses, avec de rares sièges d'un rococo portugais, d'un bois lourd et ténébreux (où
30 elle reposerait si calme, si bien éventée, fumant le tabac légèrement opiacé !), au-delà de la varangue, le tapage des oiseaux ivres de lumière, et le jacassement des petites négresses....., et, la nuit, pour servir d'accompagnement à mes songes, le chant plaintif
35 des arbres à musique, des mélancoliques filaos ! Oui, en vérité, c'est bien *là* le décor que je cherchais. Qu'ai-je à faire de palais ? »

Et plus loin, comme il suivait une grande avenue, il aperçut une auberge proprette, où d'une fenêtre
40 égayée par des rideaux d'indienne bariolée se penchaient deux têtes rieuses. Et tout de suite : « Il faut, — se dit-il, — que ma pensée soit une grande vagabonde pour aller chercher si loin ce qui est si près de moi. Le plaisir et le bonheur sont dans la première
45 auberge venue, dans l'auberge du hasard, si féconde en voluptés. Un grand feu, des faïences voyantes, un souper passable, un vin rude, et un lit très large avec des draps un peu âpres, mais frais ; quoi de mieux ? »

Et en rentrant seul chez lui, à cette heure où les
50 conseils de la Sagesse ne sont plus étouffés par les bourdonnements de la vie extérieure, il se dit : « J'ai eu aujourd'hui, en rêve, trois domiciles où j'ai trouvé un égal plaisir. Pourquoi contraindre mon corps à changer de place, puisque mon âme voyage si leste-
55 ment ? Et à quoi bon exécuter des projets, puisque le projet est en lui-même une jouissance suffisante ? »

XXV

LA BELLE DOROTHÉE

Le soleil accable la ville de sa lumière droite et terrible ; le sable est éblouissant et la mer miroite. Le monde stupéfié s'affaisse lâchement et fait la sieste, une sieste qui est une espèce de mort savoureuse où le dormeur, à demi éveillé, goûte les voluptés de son anéantissement. 5

Cependant Dorothée, forte et fière comme le soleil, s'avance dans la rue déserte, seule vivante à cette heure sous l'immense azur, et faisant sur la lumière une tache éclatante et noire. 10

Elle s'avance, balançant mollement son torse si mince sur ses hanches si larges. Sa robe de soie collante, d'un ton clair et rose, tranche vivement sur les ténèbres de sa peau et moule exactement sa taille longue, son dos creux et sa gorge pointue. 15

Son ombrelle rouge, tamisant la lumière, projette sur son visage sombre le fard sanglant de ses reflets.

Le poids de son énorme chevelure presque bleue tire en arrière sa tête délicate et lui donne un air triomphant et paresseux. De lourdes pendeloques 20 gazouillent secrètement à ses mignonnes oreilles.

De temps en temps la brise de mer soulève par le coin sa jupe flottante et montre sa jambe luisante et superbe ; et son pied, pareil aux pieds des déesses de marbre que l'Europe enferme dans ses musées, 25

imprime fidèlement sa forme sur le sable fin. Car Dorothée est si prodigieusement coquette, que le plaisir d'être admirée l'emporte chez elle sur l'orgueil de l'affranchie, et, bien qu'elle soit libre, elle
30 marche sans souliers.

Elle s'avance ainsi, harmonieusement, heureuse de vivre et souriant d'un blanc sourire, comme si elle apercevait au loin dans l'espace un miroir reflétant sa démarche et sa beauté.

35 À l'heure où les chiens eux-mêmes gémissent de douleur sous le soleil qui les mord, quel puissant motif fait donc aller ainsi la paresseuse Dorothée, belle et froide comme le bronze ?

Pourquoi a-t-elle quitté sa petite case si coquette-
40 ment arrangée, dont les fleurs et les nattes font à si peu de frais un parfait boudoir ; où elle prend tant de plaisir à se peigner, à fumer, à se faire éventer ou à se regarder dans le miroir de ses grands éventails de plumes, pendant que la mer, qui bat la plage à
45 cent pas de là, fait à ses rêveries indécises un puissant et monotone accompagnement, et que la marmite de fer, où cuit un ragoût de crabes au riz et au safran, lui envoie, du fond de la cour, ses parfums excitants ?

50 Peut-être a-t-elle un rendez-vous avec quelque jeune officier qui, sur des plages lointaines, a entendu parler par ses camarades de la célèbre Dorothée. Infailliblement elle le priera, la simple créature, de lui décrire le bal de l'Opéra, et lui demandera si on peut
55 y aller pieds nus, comme aux danses du dimanche, où les vieilles Cafrines elles-mêmes deviennent ivres et furieuses de joie ; et puis encore si les belles dames de Paris sont toutes plus belles qu'elle.

Dorothée est admirée et choyée de tous, et elle
60 serait parfaitement heureuse si elle n'était obligée d'entasser piastre sur piastre pour racheter sa petite sœur qui a bien onze ans, et qui est déjà mûre, et si

belle ! Elle réussira sans doute, la bonne Dorothée ; le maître de l'enfant est si avare, trop avare pour comprendre une autre beauté que celle des écus ! 65

XXVI

LES YEUX DES PAUVRES

Ah! vous voulez savoir pourquoi je vous hais aujourd'hui. Il vous sera sans doute moins facile de le comprendre qu'à moi de vous l'expliquer; car vous êtes, je crois, le plus bel exemple d'imperméabilité féminine qui se puisse rencontrer.

Nous avions passé ensemble une longue journée qui m'avait paru courte. Nous nous étions bien promis que toutes nos pensées nous seraient communes à l'un et à l'autre, et que nos deux âmes désormais n'en feraient plus qu'une; — un rêve qui n'a rien d'original, après tout, si ce n'est que, rêvé par tous les hommes, il n'a été réalisé par aucun.

Le soir, un peu fatigué, vous voulûtes vous asseoir devant un café neuf qui formait le coin d'un boulevard neuf, encore tout plein de gravois et montrant déjà glorieusement ses splendeurs inachevées. Le café étincelait. Le gaz lui-même y déployait toute l'ardeur d'un début, et éclairait de toutes ses forces les murs aveuglants de blancheur, les nappes éblouissantes des miroirs, les ors des baguettes et des corniches, les pages aux joues rebondies traînés par les chiens en laisse, les dames riant au faucon perché sur leur poing, les nymphes et les déesses portant sur leur tête des fruits, des pâtés et du gibier, les Hébés et les Ganymèdes présentant à bras tendu la petite amphore à bavaroises ou l'obélisque bicolore des glaces panachées; toute l'histoire et toute la mythologie mises au service de la goinfrerie.

Droit devant nous, sur la chaussée, était planté un brave homme d'une quarantaine d'années, au visage fatigué, à la barbe grisonnante, tenant d'une main un petit garçon et portant sur l'autre bras un petit être trop faible pour marcher. Il remplissait l'office de bonne et faisait prendre à ses enfants l'air du soir. Tous en guenilles. Ces trois visages étaient extraordinairement sérieux, et ces six yeux contemplaient fixement le café nouveau avec une admiration égale, mais nuancée diversement par l'âge.

Les yeux du père disaient: « Que c'est beau! que c'est beau! on dirait que tout l'or du pauvre monde est venu se porter sur ces murs. » — Les yeux du petit garçon: « Que c'est beau! que c'est beau! mais c'est une maison où peuvent seuls entrer les gens qui ne sont pas comme nous. » — Quant aux yeux du plus petit, ils étaient trop fascinés pour exprimer autre chose qu'une joie stupide et profonde.

Les chansonniers disent que le plaisir rend l'âme bonne et amollit le cœur. La chanson avait raison ce soir-là, relativement à moi. Non seulement j'étais attendri par cette famille d'yeux, mais je me sentais un peu honteux de nos verres et de nos carafes, plus grands que notre soif. Je tournais mes regards vers les vôtres, cher amour, pour y lire *ma* pensée; je plongeais dans vos yeux si beaux et si bizarrement doux, dans vos yeux verts, habités par le Caprice et inspirés par la Lune, quand vous me dites: « Ces gens-là me sont insupportables avec leurs yeux ouverts comme des portes cochères! Ne pourriez-vous pas prier le maître du café de les éloigner d'ici? »

Tant il est difficile de s'entendre, mon cher ange, et tant la pensée est incommunicable, même entre gens qui s'aiment!

XXVII

UNE MORT HÉROÏQUE

Fancioulle était un admirable bouffon, et presque un des amis du Prince. Mais pour les personnes vouées par état au comique, les choses sérieuses ont de fatales attractions, et, bien qu'il puisse paraître bizarre que les idées de patrie et de liberté s'emparent despotiquement du cerveau d'un histrion, un jour Fancioulle entra dans une conspiration formée par quelques gentilshommes mécontents.

Il existe partout des hommes de bien pour dénoncer au pouvoir ces individus d'humeur atrabilaire qui veulent déposer les princes et opérer, sans la consulter, le déménagement d'une société. Les seigneurs en question furent arrêtés, ainsi que Fancioulle, et voués à une mort certaine.

Je croirais volontiers que le Prince fut presque fâché de trouver son comédien favori parmi les rebelles. Le Prince n'était ni meilleur ni pire qu'un autre ; mais une excessive sensibilité le rendait, en beaucoup de cas, plus cruel et plus despote que tous ses pareils. Amoureux passionné des beaux-arts, excellent connaisseur d'ailleurs, il était vraiment insatiable de voluptés. Assez indifférent relativement aux hommes et à la morale, véritable artiste lui-même, il ne connaissait d'ennemi dangereux que l'Ennui, et les efforts bizarres qu'il faisait pour fuir ou pour vaincre ce tyran du monde lui auraient certainement attiré, de la part d'un historien sévère, l'épithète de « monstre », s'il avait été permis, dans ses domaines, d'écrire quoi que ce fût qui ne tendît pas uniquement au plaisir ou à l'étonnement, qui est une des formes les plus délicates du plaisir. Le grand malheur de ce Prince fut qu'il n'eut jamais un théâtre assez vaste pour son génie. Il y a des jeunes Nérons qui étouffent dans des limites trop étroites, et dont les siècles à venir ignoreront toujours le nom et la bonne volonté. L'imprévoyante Providence avait donné à celui-ci des facultés plus grandes que ses États.

Tout d'un coup le bruit courut que le souverain voulait faire grâce à tous les conjurés ; et l'origine de ce bruit fut l'annonce d'un grand spectacle où Fancioulle devait jouer l'un de ses principaux et de ses meilleurs rôles, et auquel assisteraient même, disait-on, les gentilshommes condamnés ; signe évident, ajoutaient les esprits superficiels, des tendances généreuses du Prince offensé.

De la part d'un homme aussi naturellement et volontairement excentrique, tout était possible, même la vertu, même la clémence, surtout s'il avait pu espérer y trouver des plaisirs inattendus. Mais pour ceux qui, comme moi, avaient pu pénétrer plus avant dans les profondeurs de cette âme curieuse et malade, il était infiniment plus probable que le Prince voulait juger de la valeur des talents scéniques d'un homme condamné à mort. Il voulait profiter de l'occasion pour faire une expérience physiologique d'un intérêt *capital*, et vérifier jusqu'à quel point les facultés habituelles d'un artiste pouvaient être altérées ou modifiées par la situation extraordinaire où il se trouvait ; au-delà, existait-il dans son âme une intention plus ou moins arrêtée de clémence ? C'est un point qui n'a jamais pu être éclairci.

Enfin, le grand jour arrivé, cette petite cour déploya toutes ses pompes, et il serait difficile de
65 concevoir, à moins de l'avoir vu, tout ce que la classe privilégiée d'un petit État, à ressources restreintes, peut montrer de splendeurs pour une vraie solennité. Celle-là était doublement vraie, d'abord par la magie du luxe étalé, ensuite par l'intérêt moral et
70 mystérieux qui y était attaché.

Le sieur Fancioulle excellait surtout dans les rôles muets ou peu chargés de paroles, qui sont souvent les principaux dans ces drames féeriques dont l'objet est de représenter symboliquement le mystère
75 de la vie. Il entra en scène légèrement et avec une aisance parfaite, ce qui contribua à fortifier, dans le noble public, l'idée de douceur et de pardon.

Quand on dit d'un comédien: «Voilà un bon comédien», on se sert d'une formule qui implique
80 que sous le personnage se laisse encore deviner le comédien, c'est-à-dire l'art, l'effort, la volonté. Or, si un comédien arrivait à être, relativement au personnage qu'il est chargé d'exprimer, ce que les meilleures statues de l'antiquité, miraculeusement
85 animées, vivantes, marchantes, voyantes, seraient relativement à l'idée générale et confuse de beauté, ce serait là, sans doute, un cas singulier et tout à fait imprévu. Fancioulle fut, ce soir-là, une parfaite idéalisation, qu'il était impossible de ne pas supposer
90 vivante, possible, réelle. Ce bouffon allait, venait, riait, pleurait, se convulsait, avec une indestructible auréole autour de la tête, auréole invisible pour tous, mais visible pour moi, et où se mêlaient, dans un étrange amalgame, les rayons de l'Art et la gloire
95 du Martyre. Fancioulle introduisait, par je ne sais quelle grâce spéciale, le divin et le surnaturel, jusque dans les plus extravagantes bouffonneries. Ma plume tremble, et des larmes d'une émotion toujours présente me montent aux yeux pendant que je cherche

à vous décrire cette inoubliable soirée. Fancioulle me prouvait, d'une manière péremptoire, irréfutable, que l'ivresse de l'Art est plus apte que toute autre à voiler les terreurs du gouffre ; que le génie peut jouer la comédie au bord de la tombe avec une joie qui l'empêche de voir la tombe, perdu, comme il est, dans un paradis excluant toute idée de tombe et de destruction.

Tout ce public, si blasé et frivole qu'il pût être, subit bientôt la toute-puissante domination de l'artiste. Personne ne rêva plus de mort, de deuil, ni de supplices. Chacun s'abandonna, sans inquiétude, aux voluptés multipliées que donne la vue d'un chef-d'œuvre d'art vivant. Les explosions de la joie et de l'admiration ébranlèrent à plusieurs reprises les voûtes de l'édifice avec l'énergie d'un tonnerre continu. Le Prince lui-même, enivré, mêla ses applaudissements à ceux de sa cour.

Cependant, pour un œil clairvoyant, son ivresse, à lui, n'était pas sans mélange. Se sentait-il vaincu dans son pouvoir de despote ? humilié dans son art de terrifier les cœurs et d'engourdir les esprits ? frustré de ses espérances et bafoué dans ses prévisions ? De telles suppositions non exactement justifiées, mais non absolument injustifiables, traversèrent mon esprit pendant que je contemplais le visage du Prince, sur lequel une pâleur nouvelle s'ajoutait sans cesse à sa pâleur habituelle, comme la neige s'ajoute à la neige. Ses lèvres se resserraient de plus en plus, et ses yeux s'éclairaient d'un feu intérieur semblable à celui de la jalousie et de la rancune, même pendant qu'il applaudissait ostensiblement les talents de son vieil ami, l'étrange bouffon, qui bouffonnait si bien la mort. À un certain moment, je vis Son Altesse se pencher vers un petit page, placé derrière elle, et lui parler à l'oreille. La physionomie espiègle du joli enfant s'illumina d'un sourire ; et puis il quitta vivement la loge princière comme pour s'acquitter d'une commission urgente.

Quelques minutes plus tard un coup de sifflet aigu, prolongé, interrompit Fancioulle dans un de ses meilleurs moments, et déchira à la fois les oreilles et les cœurs. Et de l'endroit de la salle d'où avait jailli cette désapprobation inattendue, un enfant se précipitait dans un corridor avec des rires étouffés.

Fancioulle, secoué, réveillé dans son rêve, ferma d'abord les yeux, puis les rouvrit presque aussitôt, démesurément agrandis, ouvrit ensuite la bouche comme pour respirer convulsivement, chancela un peu en avant, un peu en arrière, et puis tomba roide mort sur les planches.

Le sifflet, rapide comme un glaive, avait-il réellement frustré le bourreau ? Le Prince avait-il lui-même deviné toute l'homicide efficacité de sa ruse ? Il est permis d'en douter. Regretta-t-il son cher et inimitable Fancioulle ? Il est doux et légitime de le croire.

Les gentilshommes coupables avaient joui pour la dernière fois du spectacle de la comédie. Dans la même nuit ils furent effacés de la vie.

Depuis lors, plusieurs mimes, justement appréciés dans différents pays, sont venus jouer devant la cour de *** ; mais aucun d'eux n'a pu rappeler les merveilleux talents de Fancioulle, ni s'élever jusqu'à la même *faveur*.

XXVIII

LA FAUSSE MONNAIE

Comme nous nous éloignions du bureau de tabac, mon ami fit un soigneux triage de sa monnaie ; dans la poche gauche de son gilet il glissa de petites pièces d'or ; dans la droite, de petites pièces d'argent ; dans la poche gauche de sa culotte, une masse de gros sols, et enfin, dans la droite, une pièce d'argent de deux francs qu'il avait particulièrement examinée.

« Singulière et minutieuse répartition ! » me dis-je en moi-même.

Nous fîmes la rencontre d'un pauvre qui nous tendit sa casquette en tremblant. — Je ne connais rien de plus inquiétant que l'éloquence muette de ces yeux suppliants, qui contiennent à la fois, pour l'homme sensible qui sait y lire, tant d'humilité, tant de reproches. Il y trouve quelque chose approchant cette profondeur de sentiment compliqué, dans les yeux larmoyants des chiens qu'on fouette.

L'offrande de mon ami fut beaucoup plus considérable que la mienne, et je lui dis : « Vous avez raison ; après le plaisir d'être étonné, il n'en est pas de plus grand que celui de causer une surprise. — C'était la pièce fausse », me répondit-il tranquillement, comme pour se justifier de sa prodigalité.

Mais dans mon misérable cerveau, toujours occupé à chercher midi à quatorze heures (de quelle fatigante faculté la nature m'a fait cadeau !), entra soudainement cette idée qu'une pareille conduite, de la part de mon ami, n'était excusable que par le désir de créer un événement dans la vie de ce pauvre diable, peut-être même de connaître les conséquences diverses, funestes ou autres, que peut engendrer une pièce fausse dans la main d'un mendiant. Ne pouvait-elle pas se multiplier en pièces vraies ? ne pouvait-elle pas aussi le conduire en prison ? Un cabaretier, un boulanger, par exemple, allait peut-être le faire arrêter comme faux monnayeur ou comme propagateur de fausse monnaie. Tout aussi bien la pièce fausse serait peut-être, pour un pauvre petit spéculateur, le germe d'une richesse de quelques jours. Et ainsi ma fantaisie allait son train, prêtant des ailes à l'esprit de mon ami et tirant toutes les déductions possibles de toutes les hypothèses possibles.

Mais celui-ci rompit brusquement ma rêverie en reprenant mes propres paroles : « Oui, vous avez raison ; il n'est pas de plaisir plus doux que de surprendre un homme en lui donnant plus qu'il n'espère. »

Je le regardai dans le blanc des yeux, et je fus épouvanté de voir que ses yeux brillaient d'une incontestable candeur. Je vis alors clairement qu'il avait voulu faire à la fois la charité et une bonne affaire ; gagner quarante sols et le cœur de Dieu ; emporter le paradis économiquement ; enfin attraper gratis un brevet d'homme charitable. Je lui aurais presque pardonné le désir de la criminelle jouissance dont je le supposais tout à l'heure capable ; j'aurais trouvé curieux, singulier, qu'il s'amusât à compromettre les pauvres ; mais je ne lui pardonnerai jamais l'ineptie de son calcul. On n'est jamais excusable d'être méchant, mais il y a quelque mérite à savoir qu'on l'est ; et le plus irréparable des vices est de faire le mal par bêtise.

XXIX

LE JOUEUR GÉNÉREUX

Hier, à travers la foule du boulevard, je me sentis frôlé par un Être mystérieux que j'avais toujours désiré connaître, et que je reconnus tout de suite, quoique je ne l'eusse jamais vu. Il y avait sans doute chez lui, relativement à moi, un désir analogue, car il me fit, en passant, un clignement d'œil significatif auquel je me hâtai d'obéir. Je le suivis attentivement, et bientôt je descendis derrière lui dans une demeure souterraine, éblouissante, où éclatait un luxe dont aucune des habitations supérieures de Paris ne pourrait fournir un exemple approchant. Il me parut singulier que j'eusse pu passer si souvent à côté de ce prestigieux repaire sans en deviner l'entrée. Là régnait une atmosphère exquise, quoique capiteuse, qui faisait oublier presque instantanément toutes les fastidieuses horreurs de la vie ; on y respirait une béatitude sombre, analogue à celle que durent éprouver les mangeurs de lotus quand, débarquant dans une île enchantée, éclairée des lueurs d'une éternelle après-midi, ils sentirent naître en eux, aux sons assoupissants des mélodieuses cascades, le désir de ne jamais revoir leurs pénates, leurs femmes, leurs enfants, et de ne jamais remonter sur les hautes lames de la mer.

Il y avait là des visages étranges d'hommes et de

femmes, marqués d'une beauté fatale, qu'il me semblait avoir vus déjà à des époques et dans des pays dont il m'était impossible de me souvenir exactement, et qui m'inspiraient plutôt une sympathie fraternelle que cette crainte qui naît ordinairement à l'aspect de l'inconnu. Si je voulais essayer de définir d'une manière quelconque l'expression singulière de leurs regards, je dirais que jamais je ne vis d'yeux brillant plus énergiquement de l'horreur de l'ennui et du désir immortel de se sentir vivre.

Mon hôte et moi, nous étions déjà, en nous asseyant, de vieux et parfaits amis. Nous mangeâmes, nous bûmes outre mesure de toutes sortes de vins extraordinaires, et, chose non moins extraordinaire, il me semblait, après plusieurs heures, que je n'étais pas plus ivre que lui. Cependant le jeu, ce plaisir surhumain, avait coupé à divers intervalles nos fréquentes libations, et je dois dire que j'avais joué et perdu mon âme, en partie liée, avec une insouciance et une légèreté héroïques. L'âme est une chose si impalpable, si souvent inutile et quelquefois si gênante, que je n'éprouvai, quant à cette perte, qu'un peu moins d'émotion que si j'avais égaré, dans une promenade, ma carte de visite.

Nous fumâmes longuement quelques cigares dont la saveur et le parfum incomparables donnaient à l'âme la nostalgie de pays et de bonheurs inconnus, et, enivré de toutes ces délices, j'osai, dans un accès de familiarité qui ne parut pas lui déplaire, m'écrier, en m'emparant d'une coupe pleine jusqu'au bord : « À votre immortelle santé, vieux Bouc ! »

Nous causâmes aussi de l'univers, de sa création et de sa future destruction ; de la grande idée du siècle, c'est-à-dire du progrès et de la perfectibilité, et, en général, de toutes les formes de l'infatuation humaine. Sur ce sujet-là, Son Altesse ne tarissait pas en plaisanteries légères et irréfutables, et elle s'exprimait avec une suavité de diction et une tranquillité dans la drôlerie que je n'ai trouvées dans aucun des plus célèbres causeurs de l'humanité. Elle m'expliqua l'absurdité des différentes philosophies qui avaient jusqu'à présent pris possession du cerveau humain, et daigna même me faire confidence de quelques principes fondamentaux dont il ne me convient pas de partager les bénéfices et la propriété avec qui que ce soit. Elle ne se plaignit en aucune façon de la mauvaise réputation dont elle jouit dans toutes les parties du monde, m'assura qu'elle était, elle-même, la personne la plus intéressée à la destruction de la *superstition*, et m'avoua qu'elle n'avait eu peur, relativement à son propre pouvoir, qu'une seule fois, c'était le jour où elle avait entendu un prédicateur, plus subtil que ses confrères, s'écrier en chaire : « Mes chers frères, n'oubliez jamais, quand vous entendrez vanter le progrès des lumières, que la plus belle des ruses du diable est de vous persuader qu'il n'existe pas ! »

Le souvenir de ce célèbre orateur nous conduisit naturellement vers le sujet des académies, et mon étrange convive m'affirma qu'il ne dédaignait pas, en beaucoup de cas, d'inspirer la plume, la parole et la conscience des pédagogues, et qu'il assistait presque toujours en personne, quoique invisible, à toutes les séances académiques.

Encouragé par tant de bontés, je lui demandai des nouvelles de Dieu, et s'il l'avait vu récemment. Il me répondit, avec une insouciance nuancée d'une certaine tristesse : « Nous nous saluons quand nous nous rencontrons, mais comme deux vieux gentilshommes, en qui une politesse innée ne saurait éteindre tout à fait le souvenir d'anciennes rancunes. »

Il est douteux que Son Altesse ait jamais donné une si longue audience à un simple mortel, et je craignais d'abuser. Enfin, comme l'aube frissonnante

100 blanchissait les vitres, ce célèbre personnage, chanté par tant de poètes et servi par tant de philosophes qui travaillent à sa gloire sans le savoir, me dit : « Je veux que vous gardiez de moi un bon souvenir, et vous prouver que Moi, dont on dit tant de mal, je suis 105 quelquefois *bon diable*, pour me servir d'une de vos locutions vulgaires. Afin de compenser la perte irrémédiable que vous avez faite de votre âme, je vous donne l'enjeu que vous auriez gagné si le sort avait été pour vous, c'est-à-dire la possibilité de soulager 110 et de vaincre, pendant toute votre vie, cette bizarre affection de l'Ennui, qui est la source de toutes vos maladies et de tous vos misérables progrès. Jamais un désir ne sera formé par vous, que je ne vous aide à le réaliser ; vous régnerez sur vos vulgaires sem-115 blables ; vous serez fourni de flatteries et même d'adorations ; l'argent, l'or, les diamants, les palais féeriques, viendront vous chercher et vous prieront de les accepter, sans que vous ayez fait un effort pour les gagner ; vous changerez de patrie et de contrée 120 aussi souvent que votre fantaisie vous l'ordonnera ; vous vous soûlerez de voluptés, sans lassitude, dans des pays charmants où il fait toujours chaud et où les femmes sentent aussi bon que les fleurs, — et cætera, et cætera... », ajouta-t-il en se levant et en me 125 congédiant avec un bon sourire.

Si ce n'eût été la crainte de m'humilier devant une aussi grande assemblée, je serais volontiers tombé aux pieds de ce joueur généreux, pour le remercier de son inouïe munificence. Mais peu à peu, après 130 que je l'eus quitté, l'incurable défiance rentra dans mon sein ; je n'osais plus croire à un si prodigieux bonheur, et, en me couchant, faisant encore ma prière par un reste d'habitude imbécile, je répétais dans un demi-sommeil : « Mon Dieu ! Seigneur, mon 135 Dieu ! faites que le diable me tienne sa parole ! »

XXX

LA CORDE

À Édouard Manet

« Les illusions, — me disait mon ami, — sont aussi innombrables peut-être que les rapports des hommes entre eux, ou des hommes avec les choses. Et quand l'illusion disparaît, c'est-à-dire quand nous voyons l'être ou le fait tel qu'il existe en dehors de nous, 5 nous éprouvons un bizarre sentiment, compliqué moitié de regret pour le fantôme disparu, moitié de surprise agréable devant la nouveauté, devant le fait réel. S'il existe un phénomène évident, trivial, toujours semblable, et d'une nature à laquelle il soit 10 impossible de se tromper, c'est l'amour maternel. Il est aussi difficile de supposer une mère sans amour maternel qu'une lumière sans chaleur ; n'est-il donc pas parfaitement légitime d'attribuer à l'amour maternel toutes les actions et les paroles d'une mère, 15 relatives à son enfant ? Et cependant écoutez cette petite histoire, où j'ai été singulièrement mystifié par l'illusion la plus naturelle.

« Ma profession de peintre me pousse à regarder attentivement les visages, les physionomies, qui s'of- 20 frent dans ma route, et vous savez quelle jouissance nous tirons de cette faculté qui rend à nos yeux la vie plus vivante et plus significative que pour les autres

hommes. Dans le quartier reculé que j'habite, et où
25 de vastes espaces gazonnés séparent encore les bâtiments, j'observai souvent un enfant dont la physionomie ardente et espiègle, plus que toutes les autres,
me séduisit tout d'abord. Il a posé plus d'une fois
pour moi, et je l'ai transformé tantôt en petit bohé-
30 mien, tantôt en ange, tantôt en Amour mytholo-
gique. Je lui ai fait porter le violon du vagabond, la
Couronne d'Épines et les Clous de la Passion, et la
Torche d'Éros. Je pris enfin à toute la drôlerie de ce
gamin un plaisir si vif, que je priai un jour ses
35 parents, de pauvres gens, de vouloir bien me le
céder, promettant de bien l'habiller, de lui donner
quelque argent et de ne pas lui imposer d'autre peine
que de nettoyer mes pinceaux et de faire mes
commissions. Cet enfant, débarbouillé, devint char-
40 mant, et la vie qu'il menait chez moi lui semblait un
paradis, comparativement à celle qu'il aurait subie
dans le taudis paternel. Seulement je dois dire que
ce petit bonhomme m'étonna quelquefois par des
crises singulières de tristesse précoce, et qu'il mani-
45 festa bientôt un goût immodéré pour le sucre et les
liqueurs ; si bien qu'un jour où je constatai que, malgré mes nombreux avertissements, il avait encore
commis un nouveau larcin de ce genre, je le mena-
çai de le renvoyer à ses parents. Puis je sortis, et
50 mes affaires me retinrent assez longtemps hors de
chez moi.

« Quels ne furent pas mon horreur et mon étonnement quand, rentrant à la maison, le premier objet
qui frappa mes regards fut mon petit bonhomme,
55 l'espiègle compagnon de ma vie, pendu au panneau
de cette armoire ! Ses pieds touchaient presque le
plancher ; une chaise, qu'il avait sans doute repoussée du pied, était renversée à côté de lui ; sa tête était
penchée convulsivement sur une épaule ; son visage,
60 boursouflé, et ses yeux, tout grands ouverts avec une

fixité effrayante, me causèrent d'abord l'illusion de la vie. Le dépendre n'était pas une besogne aussi facile que vous le pouvez croire. Il était déjà fort roide, et j'avais une répugnance inexplicable à le faire brusquement tomber sur le sol. Il fallait le sou- 65 tenir tout entier avec un bras, et, avec la main de l'autre bras, couper la corde. Mais cela fait, tout n'était pas fini ; le petit monstre s'était servi d'une ficelle fort mince qui était entrée profondément dans les chairs, et il fallait maintenant, avec de minces 70 ciseaux, chercher la corde entre les deux bourrelets de l'enflure, pour lui dégager le cou.

« J'ai négligé de vous dire que j'avais vivement appelé au secours ; mais tous mes voisins avaient refusé de me venir en aide, fidèles en cela aux habi- 75 tudes de l'homme civilisé, qui ne veut jamais, je ne sais pourquoi, se mêler des affaires d'un pendu. Enfin vint un médecin qui déclara que l'enfant était mort depuis plusieurs heures. Quand, plus tard, nous eûmes à le déshabiller pour l'ensevelissement, 80 la rigidité cadavérique était telle, que, désespérant de fléchir les membres, nous dûmes lacérer et couper les vêtements pour les lui enlever.

« Le commissaire, à qui, naturellement, je dus déclarer l'accident, me regarda de travers, et me dit : 85 « Voilà qui est louche ! » mû sans doute par un désir invétéré et une habitude d'état de faire peur, à tout hasard, aux innocents comme aux coupables.

« Restait une tâche suprême à accomplir, dont la seule pensée me causait une angoisse terrible : il fal- 90 lait avertir les parents. Mes pieds refusaient de m'y conduire. Enfin j'eus ce courage. Mais, à mon grand étonnement, la mère fut impassible, pas une larme ne suinta du coin de son œil. J'attribuai cette étrangeté à l'horreur même qu'elle devait éprouver, et je 95 me souvins de la sentence connue : « Les douleurs les plus terribles sont les douleurs muettes. » Quant au père, il se contenta de dire d'un air moitié abruti, moitié rêveur : « Après tout, cela vaut peut-être 100 mieux ainsi ; il aurait toujours mal fini ! »

« Cependant le corps était étendu sur mon divan, et, assisté d'une servante, je m'occupais des derniers préparatifs, quand la mère entra dans mon atelier. Elle voulait, disait-elle, voir le cadavre de son fils. Je 105 ne pouvais pas, en vérité, l'empêcher de s'enivrer de son malheur et lui refuser cette suprême et sombre consolation. Ensuite elle me pria de lui montrer l'endroit où son petit s'était pendu. « Oh ! non ! madame, — lui répondis-je, — cela vous ferait mal. » Et comme 110 involontairement mes yeux se tournaient vers la funèbre armoire, je m'aperçus, avec un dégoût mêlé d'horreur et de colère, que le clou était resté fiché dans la paroi, avec un long bout de corde qui traînait encore. Je m'élançai vivement pour arracher 115 ces derniers vestiges du malheur, et comme j'allais les lancer au-dehors par la fenêtre ouverte, la pauvre femme saisit mon bras et me dit d'une voix irrésistible : « Oh ! monsieur ! laissez-moi cela ! je vous en prie ! je vous en supplie ! » Son désespoir l'avait, sans 120 doute, me parut-il, tellement affolée, qu'elle s'éprenait de tendresse maintenant pour ce qui avait servi d'instrument à la mort de son fils, et le voulait garder comme une horrible et chère relique. — Et elle s'empara du clou et de la ficelle.

125 « Enfin ! enfin ! tout était accompli. Il ne me restait plus qu'à me remettre au travail, plus vivement encore que d'habitude, pour chasser peu à peu ce petit cadavre qui hantait les replis de mon cerveau, et dont le fantôme me fatiguait de ses grands yeux fixes. 130 Mais le lendemain je reçus un paquet de lettres : les unes, des locataires de ma maison, quelques autres des maisons voisines ; l'une, du premier étage ; l'autre, du second ; l'autre, du troisième, et ainsi de suite, les unes en style demi-plaisant, comme cherchant à

déguiser sous un apparent badinage la sincérité de la demande ; les autres, lourdement effrontées et sans orthographe, mais toutes tendant au même but, c'est-à-dire à obtenir de moi un morceau de la funeste et béatifique corde. Parmi les signataires il y avait, je dois le dire, plus de femmes que d'hommes ; mais tous, croyez-le bien, n'appartenaient pas à la classe infime et vulgaire. J'ai gardé ces lettres.

« Et alors, soudainement, une lueur se fit dans mon cerveau, et je compris pourquoi la mère tenait tant à m'arracher la ficelle et par quel commerce elle entendait se consoler. »

XXXI

LES VOCATIONS

Dans un beau jardin où les rayons d'un soleil automnal semblaient s'attarder à plaisir, sous un ciel déjà verdâtre où des nuages d'or flottaient comme des continents en voyage, quatre beaux enfants, quatre 5 garçons, las de jouer sans doute, causaient entre eux.

L'un disait : « Hier on m'a mené au théâtre. Dans des palais grands et tristes, au fond desquels on voit la mer et le ciel, des hommes et des femmes, sérieux 10 et tristes aussi, mais bien plus beaux et bien mieux habillés que ceux que nous voyons partout, parlent avec une voix chantante. Ils se menacent, ils supplient, ils se désolent, et ils appuient souvent leur main sur un poignard enfoncé dans leur ceinture. 15 Ah ! c'est bien beau ! Les femmes sont bien plus belles et bien plus grandes que celles qui viennent nous voir à la maison, et, quoique avec leurs grands yeux creux et leurs joues enflammées elles aient l'air terrible, on ne peut pas s'empêcher de les aimer. On a peur, 20 on a envie de pleurer, et cependant l'on est content... Et puis, ce qui est plus singulier, cela donne envie d'être habillé de même, de dire et de faire les mêmes choses, et de parler avec la même voix... »

L'un des quatre enfants, qui depuis quelques 25 secondes n'écoutait plus le discours de son camarade et observait avec une fixité étonnante je ne sais quel point du ciel, dit tout à coup : « Regardez, regardez là-bas... ! *Le* voyez-vous ? Il est assis sur ce petit nuage isolé, ce petit nuage couleur de feu, qui marche doucement. *Lui* aussi, on dirait qu'*il* nous regarde. »

« Mais qui donc ? » demandèrent les autres.

« Dieu ! » répondit-il avec un accent parfait de conviction. « Ah ! il est déjà bien loin, tout à l'heure vous ne pourrez plus le voir. Sans doute, il voyage, pour visiter tous les pays. Tenez, il va passer derrière cette rangée d'arbres qui est presque à l'horizon... et maintenant il descend derrière le clocher... Ah ! on ne le voit plus ! » Et l'enfant resta longtemps tourné du même côté, fixant sur la ligne qui sépare la terre du ciel des yeux où brillait une inexprimable expression d'extase et de regret.

« Est-il bête, celui-là, avec son bon Dieu, que lui seul peut apercevoir ! » dit alors le troisième, dont toute la petite personne était marquée d'une vivacité et d'une vitalité singulières. « Moi, je vais vous raconter comment il m'est arrivé quelque chose qui ne vous est jamais arrivé, et qui est un peu plus intéressant que votre théâtre et vos nuages. — Il y a quelques jours, mes parents m'ont emmené en voyage avec eux, et, comme dans l'auberge où nous nous sommes arrêtés, il n'y avait pas assez de lits pour nous tous, il a été décidé que je dormirais dans le même lit que ma bonne. » — Il attira ses camarades plus près de lui, et parla d'une voix plus basse. — « Ça fait un singulier effet, allez, de n'être pas couché seul et d'être dans un lit avec sa bonne, dans les ténèbres. Comme je ne dormais pas, je me suis amusé pendant qu'elle dormait, à passer ma main sur ses bras, sur son cou et sur ses épaules. Elle a les bras et le cou bien plus gros que toutes les autres femmes, et la peau en est si douce, si douce, qu'on dirait du papier à lettre ou du papier de soie. J'y avais tant de plaisir que j'aurais longtemps continué, si je n'avais pas eu peur, peur de la réveiller d'abord, et puis encore peur de je ne sais quoi. Ensuite j'ai fourré ma tête dans ses cheveux qui pendaient dans son dos, épais comme une crinière, et ils sentaient aussi bon, je vous assure, que les fleurs du jardin, à cette heure-ci. Essayez, quand vous pourrez, d'en faire autant que moi, et vous verrez ! »

Le jeune auteur de cette prodigieuse révélation avait, en faisant son récit, les yeux écarquillés par une sorte de stupéfaction de ce qu'il éprouvait encore, et les rayons du soleil couchant, en glissant à travers les boucles rousses de sa chevelure ébouriffée, y allumaient comme une auréole sulfureuse de passion. Il était facile de deviner que celui-là ne perdrait pas sa vie à chercher la Divinité dans les nuées, et qu'il la trouverait fréquemment ailleurs.

Enfin le quatrième dit : « Vous savez que je ne m'amuse guère à la maison ; on ne me mène jamais au spectacle ; mon tuteur est trop avare ; Dieu ne s'occupe pas de moi et de mon ennui, et je n'ai pas une belle bonne pour me dorloter. Il m'a souvent semblé que mon plaisir serait d'aller toujours droit devant moi, sans savoir où, sans que personne s'en inquiète, et de voir toujours des pays nouveaux. Je ne suis jamais bien nulle part, et je crois toujours que je serais mieux ailleurs que là où je suis. Eh bien ! j'ai vu, à la dernière foire du village voisin, trois hommes qui vivent comme je voudrais vivre. Vous n'y avez pas fait attention, vous autres. Ils étaient grands, presque noirs et très fiers, quoique en guenilles, avec l'air de n'avoir besoin de personne. Leurs grands yeux sombres sont devenus tout à fait brillants pendant qu'ils faisaient de la musique ; une musique si surprenante qu'elle donne envie tantôt de danser, tantôt de pleurer, ou de faire les deux à la fois, et qu'on deviendrait comme fou si on les écoutait trop longtemps. L'un, en traînant son archet sur son violon, semblait raconter un chagrin, et l'autre, en faisant sautiller son petit marteau sur les cordes d'un petit piano suspendu à son cou par une courroie, avait l'air de se moquer de la plainte de son voisin, tandis que le troisième choquait, de temps à autre, ses cymbales avec une violence extraordinaire. Ils étaient si contents d'eux-mêmes, qu'ils ont continué à jouer leur musique de sauvages, même après que la foule s'est dispersée. Enfin ils ont ramassé leurs sous, ont chargé leur bagage sur leur dos, et sont partis. Moi, voulant savoir où ils demeuraient, je les ai suivis de loin, jusqu'au bord de la forêt, où j'ai compris seulement alors, qu'ils ne demeuraient nulle part.

Alors l'un a dit : « Faut-il déployer la tente ? »

« Ma foi ! non ! » a répondu l'autre, « il fait une si belle nuit ! »

Le troisième disait en comptant la recette : « Ces gens-là ne sentent pas la musique, et leurs femmes dansent comme des ours. Heureusement, avant un mois nous serons en Autriche, où nous trouverons un peuple plus aimable. »

« Nous ferions peut-être mieux d'aller vers l'Espagne, car voici la saison qui s'avance ; fuyons avant les pluies et ne mouillons que notre gosier », a dit un des deux autres.

« J'ai tout retenu, comme vous voyez. Ensuite ils ont bu chacun une tasse d'eau-de-vie et se sont endormis, le front tourné vers les étoiles. J'avais eu d'abord envie de les prier de m'emmener avec eux et de m'apprendre à jouer de leurs instruments ; mais je n'ai pas osé, sans doute parce qu'il est toujours très difficile de se décider à n'importe quoi, et aussi parce que j'avais peur d'être rattrapé avant d'être hors de France. »

L'air peu intéressé des trois autres camarades me donna à penser que ce petit était déjà un *incompris*. Je le regardais attentivement ; il y avait dans son œil
140 et dans son front ce je ne sais quoi de précocement fatal qui éloigne généralement la sympathie, et qui, je ne sais pourquoi, excitait la mienne, au point que j'eus un instant l'idée bizarre que je pouvais avoir un frère à moi-même inconnu.

145 Le soleil était couché. La nuit solennelle avait pris place. Les enfants se séparèrent, chacun allant, à son insu, selon les circonstances et les hasards, mûrir sa destinée, scandaliser ses proches et graviter vers la gloire ou vers le déshonneur.

XXXII

LE THYRSE

À Franz Liszt

Qu'est-ce qu'un thyrse ? Selon le sens moral et poétique, c'est un emblème sacerdotal dans la main des prêtres ou prêtresses célébrant la divinité dont ils sont les interprètes et les serviteurs. Mais physiquement ce n'est qu'un bâton, un pur bâton, perche 5 à houblon, tuteur de vigne, sec, dur et droit. Autour de ce bâton, dans des méandres capricieux, se jouent et folâtrent des tiges et des fleurs, celles-ci sinueuses et fuyardes, celles-là penchées comme des cloches ou des coupes renversées. Et une gloire étonnante 10 jaillit de cette complexité de lignes et de couleurs, tendres ou éclatantes. Ne dirait-on pas que la ligne courbe et la spirale font leur cour à la ligne droite et dansent autour dans une muette adoration ? Ne dirait-on pas que toutes ces corolles délicates, tous 15 ces calices, explosions de senteurs et de couleurs, exécutent un mystique fandango autour du bâton hiératique ? Et quel est, cependant, le mortel imprudent qui osera décider si les fleurs et les pampres ont été faits pour le bâton, ou si le bâton n'est que le 20 prétexte pour montrer la beauté des pampres et des fleurs ? Le thyrse est la représentation de votre étonnante dualité, maître puissant et vénéré, cher Bac-

chant de la Beauté mystérieuse et passionnée. Jamais
25 nymphe exaspérée par l'invincible Bacchus ne secoua
son thyrse sur les têtes de ses compagnes affolées
avec autant d'énergie et de caprice que vous agitez
votre génie sur les cœurs de vos frères. — Le bâton,
c'est votre volonté, droite, ferme et inébranlable ; les
30 fleurs, c'est la promenade de votre fantaisie autour
de votre volonté ; c'est l'élément féminin exécutant
autour du mâle ses prestigieuses pirouettes. Ligne
droite et ligne arabesque, intention et expression,
roideur de la volonté, sinuosité du verbe, unité du
35 but, variété des moyens, amalgame tout-puissant et
indivisible du génie, quel analyste aura le détestable
courage de vous diviser et de vous séparer ?

Cher Liszt, à travers les brumes, par-delà les
fleuves, par-dessus les villes où les pianos chantent
40 votre gloire, où l'imprimerie traduit votre sagesse, en
quelque lieu que vous soyez, dans les splendeurs de
la ville éternelle ou dans les brumes des pays rêveurs
que console Cambrinus, improvisant des chants
de délectation ou d'ineffable douleur, ou confiant
45 au papier vos méditations abstruses, chantre de la
Volupté et de l'Angoisse éternelles, philosophe, poète
et artiste, je vous salue en l'immortalité !

XXXIII

ENIVREZ-VOUS

Il faut être toujours ivre. Tout est là : c'est l'unique question. Pour ne pas sentir l'horrible fardeau du Temps qui brise vos épaules et vous penche vers la terre, il faut vous enivrer sans trêve.

Mais de quoi ? De vin, de poésie ou de vertu, à votre guise. Mais enivrez-vous.

Et si quelquefois, sur les marches d'un palais, sur l'herbe verte d'un fossé, dans la solitude morne de votre chambre, vous vous réveillez, l'ivresse déjà diminuée ou disparue, demandez au vent, à la vague, à l'étoile, à l'oiseau, à l'horloge, à tout ce qui fuit, à tout ce qui gémit, à tout ce qui roule, à tout ce qui chante, à tout ce qui parle, demandez quelle heure il est ; et le vent, la vague, l'étoile, l'oiseau, l'horloge, vous répondront : « Il est l'heure de s'enivrer ! Pour n'être pas les esclaves martyrisés du Temps, enivrez-vous ; enivrez-vous sans cesse ! De vin, de poésie ou de vertu, à votre guise. »

XXXIV

DÉJÀ !

Cent fois déjà le soleil avait jailli, radieux ou attristé, de cette cuve immense de la mer dont les bords ne se laissent qu'à peine apercevoir ; cent fois il s'était replongé, étincelant ou morose, dans son
5 immense bain du soir. Depuis nombre de jours, nous pouvions contempler l'autre côté du firmament et déchiffrer l'alphabet céleste des antipodes. Et chacun des passagers gémissait et grognait. On eût dit que l'approche de la terre exaspérait leur souffrance.
10 « Quand donc », disaient-ils, « cesserons-nous de dormir un sommeil secoué par la lame, troublé par un vent qui ronfle plus haut que nous ? Quand pourrons-nous manger de la viande qui ne soit pas salée comme l'élément infâme qui nous porte ? Quand
15 pourrons-nous digérer dans un fauteuil immobile ? »

Il y en avait qui pensaient à leur foyer, qui regrettaient leurs femmes infidèles et maussades, et leur progéniture criarde. Tous étaient si affolés par l'image de la terre absente, qu'ils auraient, je crois, mangé
20 de l'herbe avec plus d'enthousiasme que les bêtes.

Enfin un rivage fut signalé ; et nous vîmes, en approchant, que c'était une terre magnifique, éblouissante. Il semblait que les musiques de la vie s'en détachaient en un vague murmure, et que de ces côtes,
25 riches en verdures de toute sorte, s'exhalait, jusqu'à

plusieurs lieues, une délicieuse odeur de fleurs et de fruits.

Aussitôt chacun fut joyeux, chacun abdiqua sa mauvaise humeur. Toutes les querelles furent oubliées, tous les torts réciproques pardonnés ; les duels convenus furent rayés de la mémoire, et les rancunes s'envolèrent comme des fumées.

Moi seul j'étais triste, inconcevablement triste. Semblable à un prêtre à qui on arracherait sa divinité, je ne pouvais, sans une navrante amertume, me détacher de cette mer si monstrueusement séduisante, de cette mer si infiniment variée dans son effrayante simplicité, et qui semble contenir en elle et représenter par ses jeux, ses allures, ses colères et ses sourires, les humeurs, les agonies et les extases de toutes les âmes qui ont vécu, qui vivent et qui vivront !

En disant adieu à cette incomparable beauté, je me sentais abattu jusqu'à la mort ; et c'est pourquoi, quand chacun de mes compagnons dit : « Enfin ! » je ne pus crier que : « *Déjà !* »

Cependant c'était la terre, la terre avec ses bruits, ses passions, ses commodités, ses fêtes ; c'était une terre riche et magnifique, pleine de promesses, qui nous envoyait un mystérieux parfum de rose et de musc, et d'où les musiques de la vie nous arrivaient en un amoureux murmure.

XXXV

LES FENÊTRES

Celui qui regarde du dehors à travers une fenêtre ouverte, ne voit jamais autant de choses que celui qui regarde une fenêtre fermée. Il n'est pas d'objet plus profond, plus mystérieux, plus fécond, plus ténébreux, plus éblouissant qu'une fenêtre éclairée d'une chandelle. Ce qu'on peut voir au soleil est toujours moins intéressant que ce qui se passe derrière une vitre. Dans ce trou noir ou lumineux vit la vie, rêve la vie, souffre la vie.

Par-delà des vagues de toits, j'aperçois une femme mûre, ridée déjà, pauvre, toujours penchée sur quelque chose, et qui ne sort jamais. Avec son visage, avec son vêtement, avec son geste, avec presque rien, j'ai refait l'histoire de cette femme, ou plutôt sa légende, et quelquefois je me la raconte à moi-même en pleurant.

Si c'eût été un pauvre vieux homme, j'aurais refait la sienne tout aussi aisément.

Et je me couche, fier d'avoir vécu et souffert dans d'autres que moi-même.

Peut-être me direz-vous : « Es-tu sûr que cette légende soit la vraie ? » Qu'importe ce que peut être la réalité placée hors de moi, si elle m'a aidé à vivre, à sentir que je suis et ce que je suis ?

XXXVI

LE DÉSIR DE PEINDRE

Malheureux peut-être l'homme, mais heureux l'artiste que le désir déchire !

Je brûle de peindre celle qui m'est apparue si rarement et qui a fui si vite, comme une belle chose regrettable derrière le voyageur emporté dans la 5 nuit. Comme il y a longtemps déjà qu'elle a disparu !

Elle est belle, et plus que belle ; elle est surprenante. En elle le noir abonde : et tout ce qu'elle inspire est nocturne et profond. Ses yeux sont deux antres où scintille vaguement le mystère, et son 10 regard illumine comme l'éclair : c'est une explosion dans les ténèbres.

Je la comparerais à un soleil noir, si l'on pouvait concevoir un astre noir versant la lumière et le bonheur. Mais elle fait plus volontiers penser à la lune, qui 15 sans doute l'a marquée de sa redoutable influence ; non pas la lune blanche des idylles, qui ressemble à une froide mariée, mais la lune sinistre et enivrante, suspendue au fond d'une nuit orageuse et bousculée par les nuées qui courent ; non pas la lune paisible et 20 discrète visitant le sommeil des hommes purs, mais la lune arrachée du ciel, vaincue et révoltée, que les Sorcières thessaliennes contraignent durement à danser sur l'herbe terrifiée !

Dans son petit front habitent la volonté tenace et 25

l'amour de la proie. Cependant, au bas de ce visage inquiétant, où des narines mobiles aspirent l'inconnu et l'impossible, éclate, avec une grâce inexprimable, le rire d'une grande bouche, rouge et blanche, et 30 délicieuse, qui fait rêver au miracle d'une superbe fleur éclose dans un terrain volcanique.

Il y a des femmes qui inspirent l'envie de les vaincre et de jouir d'elles ; mais celle-ci donne le désir de mourir lentement sous son regard.

XXXVII

LES BIENFAITS DE LA LUNE

La Lune, qui est le caprice même, regarda par la fenêtre pendant que tu dormais dans ton berceau, et se dit : « Cette enfant me plaît. »

Et elle descendit moelleusement son escalier de nuages et passa sans bruit à travers les vitres. Puis elle s'étendit sur toi avec la tendresse souple d'une mère, et elle déposa ses couleurs sur ta face. Tes prunelles en sont restées vertes, et tes joues extraordinairement pâles. C'est en contemplant cette visiteuse que tes yeux se sont si bizarrement agrandis ; et elle t'a si tendrement serrée à la gorge que tu en as gardé pour toujours l'envie de pleurer.

Cependant, dans l'expansion de sa joie, la Lune remplissait toute la chambre comme une atmosphère phosphorique, comme un poison lumineux ; et toute cette lumière vivante pensait et disait : « Tu subiras éternellement l'influence de mon baiser. Tu seras belle à ma manière. Tu aimeras ce que j'aime et ce qui m'aime : l'eau, les nuages, le silence et la nuit ; la mer immense et verte ; l'eau informe et multiforme ; le lieu où tu ne seras pas ; l'amant que tu ne connaîtras pas ; les fleurs monstrueuses ; les parfums qui font délirer ; les chats qui se pâment sur les pianos, et qui gémissent comme les femmes, d'une voix rauque et douce !

« Et tu seras aimée de mes amants, courtisée par mes courtisans. Tu seras la reine des hommes aux yeux verts dont j'ai serré aussi la gorge dans mes caresses nocturnes ; de ceux-là qui aiment la mer, la 30 mer immense, tumultueuse et verte, l'eau informe et multiforme, le lieu où ils ne sont pas, la femme qu'ils ne connaissent pas, les fleurs sinistres qui ressemblent aux encensoirs d'une religion inconnue, les parfums qui troublent la volonté, et les animaux 35 sauvages et voluptueux qui sont les emblèmes de leur folie. »

Et c'est pour cela, maudite chère enfant gâtée, que je suis maintenant couché à tes pieds, cherchant dans toute ta personne le reflet de la redoutable Divi- 40 nité, de la fatidique marraine, de la nourrice empoisonneuse de tous les *lunatiques*.

XXXVIII

LAQUELLE EST LA VRAIE ?

J'ai connu une certaine Bénédicta, qui remplissait l'atmosphère d'idéal, et dont les yeux répandaient le désir de la grandeur, de la beauté, de la gloire et de tout ce qui fait croire à l'immortalité.

Mais cette fille miraculeuse était trop belle pour vivre longtemps ; aussi est-elle morte quelques jours après que j'eus fait sa connaissance, et c'est moi-même qui l'ai enterrée, un jour que le printemps agitait son encensoir jusque dans les cimetières. C'est moi qui l'ai enterrée, bien close dans une bière d'un bois parfumé et incorruptible comme les coffres de l'Inde.

Et comme mes yeux restaient fichés sur le lieu où était enfoui mon trésor, je vis subitement une petite personne qui ressemblait singulièrement à la défunte, et qui, piétinant sur la terre fraîche avec une violence hystérique et bizarre, disait en éclatant de rire : « C'est moi, la vraie Bénédicta ! C'est moi, une fameuse canaille ! Et pour la punition de ta folie et de ton aveuglement, tu m'aimeras telle que je suis ! »

Mais moi, furieux, j'ai répondu : « Non ! non ! non ! » Et pour mieux accentuer mon refus, j'ai frappé si violemment la terre du pied que ma jambe s'est enfoncée jusqu'au genou dans la sépulture récente, et que, comme un loup pris au piège, je reste attaché, pour toujours peut-être, à la fosse de l'idéal.

XXXIX

UN CHEVAL DE RACE

Elle est bien laide. Elle est délicieuse pourtant!

Le Temps et l'Amour l'ont marquée de leurs griffes et lui ont cruellement enseigné ce que chaque minute et chaque baiser emportent de jeunesse et de fraîcheur.

Elle est vraiment laide; elle est fourmi, araignée, si vous voulez, squelette même; mais aussi elle est breuvage, magistère, sorcellerie! en somme, elle est exquise.

Le Temps n'a pu rompre l'harmonie pétillante de sa démarche ni l'élégance indestructible de son armature. L'Amour n'a pas altéré la suavité de son haleine d'enfant; et le Temps n'a rien arraché de son abondante crinière d'où s'exhale en fauves parfums toute la vitalité endiablée du Midi français: Nîmes, Aix, Arles, Avignon, Narbonne, Toulouse, villes bénies du soleil, amoureuses et charmantes!

Le Temps et l'Amour l'ont vainement mordue à belles dents; ils n'ont rien diminué du charme vague, mais éternel, de sa poitrine garçonnière.

Usée peut-être, mais non fatiguée, et toujours héroïque, elle fait penser à ces chevaux de grande race que l'œil du véritable amateur reconnaît, même attelés à un carrosse de louage ou à un lourd chariot.

Et puis elle est si douce et si fervente! Elle aime

comme on aime en automne; on dirait que les approches de l'hiver allument dans son cœur un feu nouveau, et la servilité de sa tendresse n'a jamais rien de fatigant.

XL

LE MIROIR

Un homme épouvantable entre et se regarde dans la glace.

«— Pourquoi vous regardez-vous au miroir, puisque vous ne pouvez vous y voir qu'avec déplaisir ?» 5

L'homme épouvantable me répond : «— Monsieur, d'après les immortels principes de 89, tous les hommes sont égaux en droits ; donc je possède le droit de me mirer ; avec plaisir ou déplaisir, cela ne regarde que ma conscience.» 10

Au nom du bon sens, j'avais sans doute raison ; mais, au point de vue de la loi, il n'avait pas tort.

XLI

LE PORT

Un port est un séjour charmant pour une âme fatiguée des luttes de la vie. L'ampleur du ciel, l'architecture mobile des nuages, les colorations changeantes de la mer, le scintillement des phares, sont un prisme merveilleusement propre à amuser les yeux sans jamais les lasser. Les formes élancées des navires, au gréement compliqué, auxquels la houle imprime des oscillations harmonieuses, servent à entretenir dans l'âme le goût du rythme et de la beauté. Et puis, surtout, il y a une sorte de plaisir mystérieux et aristocratique pour celui qui n'a plus ni curiosité ni ambition, à contempler, couché dans le belvédère ou accoudé sur le môle, tous ces mouvements de ceux qui partent et de ceux qui reviennent, de ceux qui ont encore la force de vouloir, le désir de voyager ou de s'enrichir.

XLII

PORTRAITS DE MAÎTRESSES

Dans un boudoir d'hommes, c'est-à-dire dans un fumoir attenant à un élégant tripot, quatre hommes fumaient et buvaient. Ils n'étaient précisément ni jeunes ni vieux, ni beaux ni laids; mais vieux ou jeunes, ils portaient cette distinction non méconnaissable des vétérans de la joie, cet indescriptible je ne sais quoi, cette tristesse froide et railleuse qui dit clairement: «Nous avons fortement vécu, et nous cherchons ce que nous pourrions aimer et estimer.»

L'un d'eux jeta la causerie sur le sujet des femmes. Il eût été plus philosophique de n'en pas parler du tout; mais il y a des gens d'esprit qui, après boire, ne méprisent pas les conversations banales. On écoute alors celui qui parle, comme on écouterait de la musique de danse.

«Tous les hommes, disait celui-ci, ont eu l'âge de Chérubin: c'est l'époque où, faute de dryades, on embrasse, sans dégoût, le tronc des chênes. C'est le premier degré de l'amour. Au second degré, on commence à choisir. Pouvoir délibérer, c'est déjà une décadence. C'est alors qu'on recherche décidément la beauté. Pour moi, messieurs, je me fais gloire d'être arrivé, depuis longtemps, à l'époque climatérique du troisième degré où la beauté elle-même ne suffit plus, si elle n'est assaisonnée par le parfum, la parure, et cætera. J'avouerai même que j'aspire quelquefois, comme à un bonheur inconnu, à un certain quatrième degré qui doit marquer le calme absolu. Mais, durant toute ma vie, excepté à l'âge de Chérubin, j'ai été plus sensible que tout autre à l'énervante sottise, à l'irritante médiocrité des femmes. Ce que j'aime surtout dans les animaux, c'est leur candeur. Jugez donc combien j'ai dû souffrir par ma dernière maîtresse.

« C'était la bâtarde d'un prince. Belle, cela va sans dire ; sans cela, pourquoi l'aurais-je prise ? Mais elle gâtait cette grande qualité par une ambition malséante et difforme. C'était une femme qui voulait toujours faire l'homme. « Vous n'êtes pas un homme ! Ah ! si j'étais un homme ! De nous deux, c'est moi qui suis l'homme ! » tels étaient les insupportables refrains qui sortaient de cette bouche d'où je n'aurais voulu voir s'envoler que des chansons. À propos d'un livre, d'un poème, d'un opéra pour lequel je laissais échapper mon admiration : « Vous croyez peut-être que cela est très fort ? disait-elle aussitôt ; est-ce que vous vous connaissez en force ? » et elle argumentait.

« Un beau jour elle s'est mise à la chimie ; de sorte qu'entre ma bouche et la sienne je trouvai désormais un masque de verre. Avec tout cela, fort bégueule. Si parfois je la bousculais par un geste un peu trop amoureux, elle se convulsait comme une sensitive violée...

— Comment cela a-t-il fini ? dit l'un des trois autres. Je ne vous savais pas si patient.

— Dieu, reprit-il, mit le remède dans le mal. Un jour je trouvai cette Minerve, affamée de force idéale, en tête-à-tête avec mon domestique, et dans une situation qui m'obligea à me retirer discrètement pour ne pas les faire rougir. Le soir je les congédiai tous les deux, en leur payant les arrérages de leurs gages.

— Pour moi, reprit l'interrupteur, je n'ai à me

plaindre que de moi-même. Le bonheur est venu habiter chez moi, et je ne l'ai pas reconnu. La destinée m'avait, en ces derniers temps, octroyé la jouissance d'une femme qui était bien la plus douce, la plus soumise et la plus dévouée des créatures, et toujours prête ! et sans enthousiasme ! « Je le veux bien, puisque cela vous est agréable. » C'était sa réponse ordinaire. Vous donneriez la bastonnade à ce mur ou à ce canapé, que vous en tireriez plus de soupirs que n'en tiraient du sein de ma maîtresse les élans de l'amour le plus forcené. Après un an de vie commune, elle m'avoua qu'elle n'avait jamais connu le plaisir. Je me dégoûtai de ce duel inégal, et cette fille incomparable se maria. J'eus plus tard la fantaisie de la revoir, et elle me dit, en me montrant six beaux enfants : « Eh bien ! mon cher ami, l'épouse est encore aussi *vierge* que l'était votre maîtresse. » Rien n'était changé dans cette personne. Quelquefois je la regrette : j'aurais dû l'épouser. »

Les autres se mirent à rire, et un troisième dit à son tour :

« Messieurs, j'ai connu des jouissances que vous avez peut-être négligées. Je veux parler du comique dans l'amour, et d'un comique qui n'exclut pas l'admiration. J'ai plus admiré ma dernière maîtresse que vous n'avez pu, je crois, haïr ou aimer les vôtres. Et tout le monde l'admirait autant que moi. Quand nous entrions dans un restaurant, au bout de quelques minutes, chacun oubliait de manger pour la contempler. Les garçons eux-mêmes et la dame du comptoir ressentaient cette extase contagieuse jusqu'à oublier leurs devoirs. Bref, j'ai vécu quelque temps en tête-à-tête avec un *phénomène* vivant. Elle mangeait, mâchait, broyait, dévorait, engloutissait, mais avec l'air le plus léger et le plus insouciant du monde. Elle m'a tenu ainsi longtemps en extase. Elle avait une manière douce, rêveuse, anglaise et romanesque de dire : « J'ai faim ! » Et elle répétait ces mots jour et nuit en montrant les plus jolies dents du monde, qui vous eussent attendris et égayés à la fois. — J'aurais pu faire ma fortune en la montrant dans les foires comme *monstre polyphage*. Je la nourrissais bien ; et cependant elle m'a quitté... — Pour un fournisseur aux vivres, sans doute ? — Quelque chose d'approchant, une espèce d'employé dans l'intendance qui, par quelque tour de bâton à lui connu, fournit peut-être à cette pauvre enfant la ration de plusieurs soldats. C'est du moins ce que j'ai supposé.

— Moi, dit le quatrième, j'ai enduré des souffrances atroces par le contraire de ce qu'on reproche en général à l'égoïste femelle. Je vous trouve mal venus, trop fortunés mortels, à vous plaindre des imperfections de vos maîtresses ! »

Cela fut dit d'un ton fort sérieux, par un homme d'un aspect doux et posé, d'une physionomie presque cléricale, malheureusement illuminée par des yeux d'un gris clair, de ces yeux dont le regard dit : « Je veux ! » ou : « Il faut ! » ou bien : « Je ne pardonne jamais ! »

« Si, nerveux comme je vous connais, vous, G..., lâches et légers comme vous êtes, vous deux, K... et J..., vous aviez été accouplés à une certaine femme de ma connaissance, ou vous vous seriez enfuis, ou vous seriez morts. Moi, j'ai survécu, comme vous voyez. Figurez-vous une personne incapable de commettre une erreur de sentiment ou de calcul ; figurez-vous une sérénité désolante de caractère ; un dévouement sans comédie et sans emphase ; une douceur sans faiblesse ; une énergie sans violence. L'histoire de mon amour ressemble à un interminable voyage sur une surface pure et polie comme un miroir, vertigineusement monotone, qui aurait réfléchi tous mes sentiments et mes gestes avec l'exactitude ironique de ma propre conscience, de sorte que je ne pouvais pas me permettre un geste ou un sentiment déraisonnable sans apercevoir immédiatement le reproche muet de mon inséparable spectre. L'amour m'apparaissait comme une tutelle. Que de sottises elle m'a empêché de faire, que je regrette de n'avoir pas commises ! Que de dettes payées malgré moi ! Elle me privait de tous les bénéfices que j'aurais pu tirer de ma folie personnelle. Avec une froide et infranchissable règle, elle barrait tous mes caprices. Pour comble d'horreur, elle n'exigeait pas de reconnaissance, le danger passé. Combien de fois ne me suis-je pas retenu de lui sauter à la gorge, en lui criant : « Sois donc imparfaite, misérable ! afin que je puisse t'aimer sans malaise et sans colère ! » Pendant plusieurs années, je l'ai admirée, le cœur plein de haine. Enfin, ce n'est pas moi qui en suis mort !

— Ah ! firent les autres, elle est donc morte ?

— Oui ! cela ne pouvait continuer ainsi. L'amour était devenu pour moi un cauchemar accablant. Vaincre ou mourir, comme dit la Politique, telle était l'alternative que m'imposait la destinée ! Un soir, dans un bois... au bord d'une mare..., après une mélancolique promenade où ses yeux, à elle, réfléchissaient la douceur du ciel, et où mon cœur, à moi, était crispé comme l'enfer...

— Quoi !

— Comment !

— Que voulez-vous dire ?

— C'était inévitable. J'ai trop le sentiment de l'équité pour battre, outrager ou congédier un serviteur irréprochable. Mais il fallait accorder ce sentiment avec l'horreur que cet être m'inspirait ; me débarrasser de cet être sans lui manquer de respect. Que vouliez-vous que je fisse d'elle, *puisqu'elle était parfaite* ? »

Les trois autres compagnons regardèrent celui-ci
175 avec un regard vague et légèrement hébété, comme
feignant de ne pas comprendre et comme avouant
implicitement qu'ils ne se sentaient pas, quant à eux,
capables d'une action aussi rigoureuse, quoique suffisamment expliquée d'ailleurs.

180 Ensuite on fit apporter de nouvelles bouteilles,
pour tuer le Temps qui a la vie si dure, et accélérer
la Vie qui coule si lentement.

XLIII

LE GALANT TIREUR

Comme la voiture traversait le bois, il la fit arrêter dans le voisinage d'un tir, disant qu'il lui serait agréable de tirer quelques balles pour *tuer* le Temps. Tuer ce monstre-là, n'est-ce pas l'occupation la plus ordinaire et la plus légitime de chacun ? — Et il offrit galamment la main à sa chère, délicieuse et exécrable femme, à cette mystérieuse femme à laquelle il doit tant de plaisirs, tant de douleurs, et peut-être aussi une grande partie de son génie.

Plusieurs balles frappèrent loin du but proposé ; l'une d'elles s'enfonça même dans le plafond ; et comme la charmante créature riait follement, se moquant de la maladresse de son époux, celui-ci se tourna brusquement vers elle, et lui dit : « Observez cette poupée, là-bas, à droite, qui porte le nez en l'air et qui a la mine si hautaine. Eh bien ! cher ange, *je me figure que c'est vous.* » Et il ferma les yeux et il lâcha la détente. La poupée fut nettement décapitée.

Alors s'inclinant vers sa chère, sa délicieuse, son exécrable femme, son inévitable et impitoyable Muse, et lui baisant respectueusement la main, il ajouta : « Ah ! mon cher ange, combien je vous remercie de mon adresse ! »

XLIV

LA SOUPE ET LES NUAGES

Ma petite folle bien-aimée me donnait à dîner, et par la fenêtre ouverte de la salle à manger je contemplais les mouvantes architectures que Dieu fait avec les vapeurs, les merveilleuses constructions de l'impalpable. Et je me disais, à travers ma contemplation: «— Toutes ces fantasmagories sont presque aussi belles que les yeux de ma belle bien-aimée, la petite folle monstrueuse aux yeux verts.»

Et tout à coup je reçus un violent coup de poing dans le dos, et j'entendis une voix rauque et charmante, une voix hystérique et comme enrouée par l'eau-de-vie, la voix de ma chère petite bien-aimée, qui disait: «— Allez-vous bientôt manger votre soupe, s... b... de marchand de nuages?»

XLV

LE TIR ET LE CIMETIÈRE

— *À la vue du cimetière, Estaminet.* — « Singulière enseigne, — se dit notre promeneur, — mais bien faite pour donner soif ! À coup sûr, le maître de ce cabaret sait apprécier Horace et les poètes élèves d'Épicure. Peut-être même connaît-il le raffinement profond des anciens Égyptiens, pour qui il n'y avait pas de bon festin sans squelette, ou sans un emblème quelconque de la brièveté de la vie. »

Et il entra, but un verre de bière en face des tombes, et fuma lentement un cigare. Puis, la fantaisie le prit de descendre dans ce cimetière, dont l'herbe était si haute et si invitante, et où régnait un si riche soleil.

En effet, la lumière et la chaleur y faisaient rage, et l'on eût dit que le soleil ivre se vautrait tout de son long sur un tapis de fleurs magnifiques engraissées par la destruction. Un immense bruissement de vie remplissait l'air, — la vie des infiniment petits, — coupé à intervalles réguliers par la crépitation des coups de feu d'un tir voisin, qui éclataient comme l'explosion des bouchons de champagne dans le bourdonnement d'une symphonie en sourdine.

Alors, sous le soleil qui lui chauffait le cerveau et dans l'atmosphère des ardents parfums de la Mort,

il entendit une voix chuchoter sous la tombe où il s'était assis. Et cette voix disait : « Maudites soient vos cibles et vos carabines, turbulents vivants, qui vous souciez si peu des défunts et de leur divin repos !
30 Maudites soient vos ambitions, maudits soient vos calculs, mortels impatients, qui venez étudier l'art de tuer auprès du sanctuaire de la Mort ! Si vous saviez comme le prix est facile à gagner, comme le but est facile à toucher, et combien tout est néant, excepté
35 la Mort, vous ne vous fatigueriez pas tant, laborieux vivants, et vous troubleriez moins souvent le sommeil de ceux qui depuis longtemps ont mis dans le But, dans le seul vrai but de la détestable vie ! »

XLVI

PERTE D'AURÉOLE

« Eh ! quoi ! vous ici, mon cher ? Vous, dans un mauvais lieu ! vous, le buveur de quintessences ! vous, le mangeur d'ambroisie ! En vérité, il y a là de quoi me surprendre.

— Mon cher, vous connaissez ma terreur des chevaux et des voitures. Tout à l'heure, comme je traversais le boulevard, en grande hâte, et que je sautillais dans la boue, à travers ce chaos mouvant où la mort arrive au galop de tous les côtés à la fois, mon auréole, dans un mouvement brusque, a glissé de ma tête dans la fange du macadam. Je n'ai pas eu le courage de la ramasser. J'ai jugé moins désagréable de perdre mes insignes que de me faire rompre les os. Et puis, me suis-je dit, à quelque chose malheur est bon. Je puis maintenant me promener incognito, faire des actions basses, et me livrer à la crapule, comme les simples mortels. Et me voici, tout semblable à vous, comme vous voyez !

— Vous devriez au moins faire afficher cette auréole, ou la faire réclamer par le commissaire.

— Ma foi ! non. Je me trouve bien ici. Vous seul, vous m'avez reconnu. D'ailleurs la dignité m'ennuie. Ensuite je pense avec joie que quelque mauvais poète la ramassera et s'en coiffera impudemment.

25 Faire un heureux, quelle jouissance! et surtout un heureux qui me fera rire! Pensez à X, ou à Z! Hein! comme ce sera drôle!»

XLVII

MADEMOISELLE BISTOURI

Comme j'arrivais à l'extrémité du faubourg, sous les éclairs du gaz, je sentis un bras qui se coulait doucement sous le mien, et j'entendis une voix qui me disait à l'oreille : « Vous êtes médecin, monsieur ? »

Je regardai ; c'était une grande fille, robuste, aux yeux très ouverts, légèrement fardée, les cheveux flottant au vent avec les brides de son bonnet.

« — Non ; je ne suis pas médecin. Laissez-moi passer. — Oh ! si ! vous êtes médecin. Je le vois bien. Venez chez moi. Vous serez bien content de moi, allez ! — Sans doute, j'irai vous voir, mais plus tard, *après le médecin*, que diable !... — Ah ! ah ! — fit-elle, toujours suspendue à mon bras, et en éclatant de rire, — vous êtes un médecin farceur, j'en ai connu plusieurs dans ce genre-là. Venez. »

J'aime passionnément le mystère parce que j'ai toujours l'espoir de le débrouiller. Je me laissai donc entraîner par cette compagne, ou plutôt par cette énigme inespérée.

J'omets la description du taudis ; on peut la trouver dans plusieurs vieux poètes français bien connus. Seulement, détail non aperçu par Régnier, deux ou trois portraits de docteurs célèbres étaient suspendus aux murs.

Comme je fus dorloté ! Grand feu, vin chaud,

cigares ; et en m'offrant ces bonnes choses et en allumant elle-même un cigare, la bouffonne créature me disait : « Faites comme chez vous, mon ami, mettez-vous à l'aise. Ça vous rappellera l'hôpital et le bon
30 temps de la jeunesse. — Ah çà ! où donc avez-vous gagné ces cheveux blancs ? Vous n'étiez pas ainsi, il n'y a pas encore bien longtemps, quand vous étiez interne de L... Je me souviens que c'était vous qui l'assistiez dans les opérations graves. En voilà un
35 homme qui aime couper, tailler et rogner ! C'était vous qui lui tendiez les instruments, les fils et les éponges. — Et comme, l'opération faite, il disait fièrement, en regardant sa montre : « Cinq minutes, messieurs ! » — Oh ! moi, je vais partout. Je connais
40 bien ces Messieurs. »

Quelques instants plus tard, me tutoyant, elle reprenait son antienne, et me disait : « Tu es médecin, n'est-ce pas, mon chat ? »

Cet inintelligible refrain me fit sauter sur mes
45 jambes. « Non ! criai-je furieux.

— Chirurgien, alors ?

— Non ! non ! à moins que ce ne soit pour te couper la tête ! S... s... c... de s... m... !

— Attends, reprit-elle, tu vas voir. »

50 Et elle tira d'une armoire une liasse de papiers, qui n'était autre chose que la collection des portraits des médecins illustres de ce temps, lithographiés par Maurin, qu'on a pu voir étalée pendant plusieurs années sur le quai Voltaire.

55 « Tiens ! le reconnais-tu celui-ci ?

— Oui ! c'est X. Le nom est au bas d'ailleurs ; mais je le connais personnellement.

— Je savais bien ! Tiens ! voilà Z., celui qui disait à son cours, en parlant de X. : « Ce monstre qui
60 porte sur son visage la noirceur de son âme ! » Tout cela, parce que l'autre n'était pas de son avis dans la même affaire ! Comme on riait de ça à l'École, dans

le temps ! Tu t'en souviens ? — Tiens, voilà K., celui qui dénonçait au gouvernement les insurgés qu'il soignait à son hôpital. C'était le temps des émeutes. Comment est-ce possible qu'un si bel homme ait si peu de cœur ? — Voici maintenant W., un fameux médecin anglais ; je l'ai attrapé à son voyage à Paris. Il a l'air d'une demoiselle, n'est-ce pas ? »

Et comme je touchais à un paquet ficelé, posé aussi sur le guéridon : « Attends un peu, dit-elle ; — ça, c'est les internes, et ce paquet-ci, c'est les externes. »

Et elle déploya en éventail une masse d'images photographiques, représentant des physionomies beaucoup plus jeunes.

« Quand nous nous reverrons, tu me donneras ton portrait, n'est-ce pas, chéri ?

— Mais, lui dis-je, suivant à mon tour, moi aussi, mon idée fixe, — pourquoi me crois-tu médecin ?

— C'est que tu es si gentil et si bon pour les femmes !

— Singulière logique ! me dis-je à moi-même.

— Oh ! je ne m'y trompe guère ; j'en ai connu un bon nombre. J'aime tant ces messieurs, que, bien que je ne sois pas malade, je vais quelquefois les voir, rien que pour les voir. Il y en a qui me disent froidement : « Vous n'êtes pas malade du tout ! » Mais il y en a d'autres qui me comprennent, parce que je leur fais des mines.

— Et quand ils ne te comprennent pas... ?

— Dame ! comme je les ai dérangés *inutilement*, je laisse dix francs sur la cheminée. — C'est si bon et si doux, ces hommes-là ! — J'ai découvert à la Pitié un petit interne, qui est joli comme un ange, et qui est poli ! et qui travaille, le pauvre garçon ! Ses camarades m'ont dit qu'il n'avait pas le sou, parce que ses parents sont des pauvres qui ne peuvent rien lui envoyer. Cela m'a donné confiance. Après tout, je

100 suis assez belle femme, quoique pas trop jeune. Je lui ai dit : « Viens me voir, viens me voir souvent. Et avec moi, ne te gêne pas ; je n'ai pas besoin d'argent. » Mais tu comprends que je lui ai fait entendre ça par une foule de façons ; je ne le lui ai pas dit tout crû-105 ment ; j'avais si peur de l'humilier, ce cher enfant ! — Eh bien ! croirais-tu que j'ai une drôle d'envie que je n'ose pas lui dire ? — Je voudrais qu'il vînt me voir avec sa trousse et son tablier, même avec un peu de sang dessus ! »

110 Elle dit cela d'un air fort candide, comme un homme sensible dirait à une comédienne qu'il aimerait : « Je veux vous voir vêtue du costume que vous portiez dans ce fameux rôle que vous avez créé. »

Moi, m'obstinant, je repris : « Peux-tu te souvenir 115 de l'époque et de l'occasion où est née en toi cette passion si particulière ? »

Difficilement je me fis comprendre ; enfin j'y parvins. Mais alors elle me répondit d'un air très triste, et même, autant que je peux me souvenir, en détour-120 nant les yeux : « Je ne sais pas... je ne me souviens pas. »

Quelles bizarreries ne trouve-t-on pas dans une grande ville, quand on sait se promener et regarder ? La vie fourmille de monstres innocents. — Seigneur, 125 mon Dieu ! vous, le Créateur, vous, le Maître ; vous qui avez fait la Loi et la Liberté ; vous, le souverain qui laissez faire, vous, le juge qui pardonnez ; vous qui êtes plein de motifs et de causes, et qui avez peut-être mis dans mon esprit le goût de l'horreur pour 130 convertir mon cœur, comme la guérison au bout d'une lame ; Seigneur, ayez pitié, ayez pitié des fous et des folles ! Ô Créateur ! peut-il exister des monstres aux yeux de Celui-là seul qui sait pourquoi ils existent, comment ils *se sont faits* et comment ils auraient 135 pu *ne pas se faire* ?

XLVIII

ANY WHERE OUT OF THE WORLD

N'IMPORTE OÙ HORS DU MONDE

Cette vie est un hôpital où chaque malade est possédé du désir de changer de lit. Celui-ci voudrait souffrir en face du poêle, et celui-là croit qu'il guérirait à côté de la fenêtre.

Il me semble que je serais toujours bien là où je 5 ne suis pas, et cette question de déménagement en est une que je discute sans cesse avec mon âme.

« Dis-moi, mon âme, pauvre âme refroidie, que penserais-tu d'habiter Lisbonne ? Il doit y faire chaud, et tu t'y ragaillardirais comme un lézard. Cette ville 10 est au bord de l'eau ; on dit qu'elle est bâtie en marbre, et que le peuple y a une telle haine du végétal, qu'il arrache tous les arbres. Voilà un paysage selon ton goût ; un paysage fait avec la lumière et le minéral, et le liquide pour les réfléchir ! » 15

Mon âme ne répond pas.

« Puisque tu aimes tant le repos, avec le spectacle du mouvement, veux-tu venir habiter la Hollande, cette terre béatifiante ? Peut-être te divertiras-tu dans cette contrée dont tu as souvent admiré l'image 20 dans les musées. Que penserais-tu de Rotterdam, toi qui aimes les forêts de mâts, et les navires amarrés au pied des maisons ? »

Mon âme reste muette.

« Batavia te sourirait peut-être davantage ? Nous y 25

trouverions d'ailleurs l'esprit de l'Europe marié à la beauté tropicale. »

Pas un mot. — Mon âme serait-elle morte ?

« En es-tu donc venue à ce point d'engourdissement que tu ne te plaises que dans ton mal ? S'il en est ainsi, fuyons vers les pays qui sont les analogies de la Mort. — Je tiens notre affaire, pauvre âme ! Nous ferons nos malles pour Tornéo. Allons plus loin encore, à l'extrême bout de la Baltique ; encore plus loin de la vie, si c'est possible ; installons-nous au pôle. Là le soleil ne frise qu'obliquement la terre, et les lentes alternatives de la lumière et de la nuit suppriment la variété et augmentent la monotonie, cette moitié du néant. Là, nous pourrons prendre de longs bains de ténèbres, cependant que, pour nous divertir, les aurores boréales nous enverront de temps en temps leurs gerbes roses, comme des reflets d'un feu d'artifice de l'Enfer ! »

Enfin, mon âme fait explosion, et sagement elle me crie : « N'importe où ! n'importe où ! pourvu que ce soit hors de ce monde ! »

XLIX

ASSOMMONS LES PAUVRES !

Pendant quinze jours je m'étais confiné dans ma chambre, et je m'étais entouré des livres à la mode dans ce temps-là (il y a seize ou dix-sept ans) ; je veux parler des livres où il est traité de l'art de rendre les peuples heureux, sages et riches, en vingt-quatre 5 heures. J'avais donc digéré, — avalé, veux-je dire, — toutes les élucubrations de tous ces entrepreneurs de bonheur public, — de ceux qui conseillent à tous les pauvres de se faire esclaves, et de ceux qui leur persuadent qu'ils sont tous des rois détrônés. — 10 On ne trouvera pas surprenant que je fusse alors dans un état d'esprit avoisinant le vertige ou la stupidité.

Il m'avait semblé seulement que je sentais, confiné au fond de mon intellect, le germe obscur d'une idée 15 supérieure à toutes les formules de bonne femme dont j'avais récemment parcouru le dictionnaire. Mais ce n'était que l'idée d'une idée, quelque chose d'infiniment vague.

Et je sortis avec une grande soif. Car le goût pas- 20 sionné des mauvaises lectures engendre un besoin proportionnel du grand air et des rafraîchissants.

Comme j'allais entrer dans un cabaret, un mendiant me tendit son chapeau, avec un de ces regards inoubliables qui culbuteraient les trônes, si l'esprit 25 remuait la matière, et si l'œil d'un magnétiseur faisait mûrir les raisins.

En même temps, j'entendis une voix qui chuchotait à mon oreille, une voix que je reconnus bien ; c'était
30 celle d'un bon Ange, ou d'un bon Démon, qui m'accompagne partout. Puisque Socrate avait son bon Démon, pourquoi n'aurais-je pas mon bon Ange, et pourquoi n'aurais-je pas l'honneur, comme Socrate, d'obtenir mon brevet de folie, signé du subtil Lélut et
35 du bien avisé Baillarger ?

Il existe cette différence entre le Démon de Socrate et le mien, que celui de Socrate ne se manifestait à lui que pour défendre, avertir, empêcher, et que le mien daigne conseiller, suggérer, persuader. Ce
40 pauvre Socrate n'avait qu'un Démon prohibiteur ; le mien est un grand affirmateur, le mien est un Démon d'action, un Démon de combat.

Or, sa voix me chuchotait ceci : « Celui-là seul est l'égal d'un autre, qui le prouve, et celui-là seul est
45 digne de la liberté, qui sait la conquérir. »

Immédiatement, je sautai sur mon mendiant. D'un seul coup de poing, je lui bouchai un œil, qui devint, en une seconde, gros comme une balle. Je cassai un de mes ongles à lui briser deux dents, et comme je ne
50 me sentais pas assez fort, étant né délicat et m'étant peu exercé à la boxe, pour assommer rapidement ce vieillard, je le saisis d'une main par le collet de son habit, de l'autre, je l'empoignai à la gorge, et je me mis à lui secouer vigoureusement la tête contre un
55 mur. Je dois avouer que j'avais préalablement inspecté les environs d'un coup d'œil, et que j'avais vérifié que dans cette banlieue déserte je me trouvais, pour un assez long temps, hors de la portée de tout agent de police.

60 Ayant ensuite, par un coup de pied lancé dans le dos, assez énergique pour briser les omoplates, terrassé ce sexagénaire affaibli, je me saisis d'une

grosse branche d'arbre qui traînait à terre, et je le battis avec l'énergie obstinée des cuisiniers qui veulent attendrir un beefsteak. 65

Tout à coup, — ô miracle ! ô jouissance du philosophe qui vérifie l'excellence de sa théorie ! — je vis cette antique carcasse se retourner, se redresser avec une énergie que je n'aurais jamais soupçonnée dans une machine si singulièrement détraquée, et, 70 avec un regard de haine qui me parut de *bon augure*, le malandrin décrépit se jeta sur moi, me pocha les deux yeux, me cassa quatre dents, et avec la même branche d'arbre me battit dru comme plâtre. — Par mon énergique médication, je lui avais donc rendu 75 l'orgueil et la vie.

Alors, je lui fis force signes pour lui faire comprendre que je considérais la discussion comme finie, et me relevant avec la satisfaction d'un sophiste du Portique, je lui dis : « Monsieur, *vous êtes mon égal !* 80 veuillez me faire l'honneur de partager avec moi ma bourse ; et souvenez-vous, si vous êtes réellement philanthrope, qu'il faut appliquer à tous vos confrères, quand ils vous demanderont l'aumône, la théorie que j'ai eu la *douleur* d'essayer sur votre dos. » 85

Il m'a bien juré qu'il avait compris ma théorie, et qu'il obéirait à mes conseils.

L

LES BONS CHIENS

À M. Joseph Stevens

Je n'ai jamais rougi, même devant les jeunes écrivains de mon siècle, de mon admiration pour Buffon ; mais aujourd'hui ce n'est pas l'âme de ce peintre de la nature pompeuse que j'appellerai à mon aide. Non.

Bien plus volontiers je m'adresserais à Sterne, et je lui dirais : « Descends du ciel, ou monte vers moi des champs Élyséens, pour m'inspirer en faveur des bons chiens, des pauvres chiens, un chant digne de toi, sentimental farceur, farceur incomparable ! Reviens à califourchon sur ce fameux âne qui t'accompagne toujours dans la mémoire de la postérité ; et surtout que cet âne n'oublie pas de porter, délicatement suspendu entre ses lèvres, son immortel macaron ! »

Arrière la muse académique ! je n'ai que faire de cette vieille bégueule. J'invoque la muse familière, la citadine, la vivante, pour qu'elle m'aide à chanter les bons chiens, les pauvres chiens, les chiens crottés, ceux-là que chacun écarte, comme pestiférés et pouilleux, excepté le pauvre dont ils sont les associés, et le poète qui les regarde d'un œil fraternel.

Fi du chien bellâtre, de ce fat quadrupède, danois,

king-charles, carlin ou gredin, si enchanté de lui-même qu'il s'élance indiscrètement dans les jambes ou sur les genoux du visiteur, comme s'il était sûr de plaire, turbulent comme un enfant, sot comme une lorette, quelquefois hargneux et insolent comme un domestique ! Fi surtout de ces serpents à quatre pattes, frissonnants et désœuvrés, qu'on nomme levrettes, et qui ne logent même pas dans leur museau pointu assez de flair pour suivre la piste d'un ami, ni dans leur tête aplatie assez d'intelligence pour jouer au domino !

À la niche, tous ces fatigants parasites !

Qu'ils retournent à leur niche soyeuse et capitonnée ! Je chante le chien crotté, le chien pauvre, le chien sans domicile, le chien flâneur, le chien saltimbanque, le chien dont l'instinct, comme celui du pauvre, du bohémien et de l'histrion, est merveilleusement aiguillonné par la nécessité, cette si bonne mère, cette vraie patronne des intelligences !

Je chante les chiens calamiteux, soit ceux qui errent, solitaires, dans les ravines sinueuses des immenses villes, soit ceux qui ont dit à l'homme abandonné, avec des yeux clignotants et spirituels : « Prends-moi avec toi, et de nos deux misères nous ferons peut-être une espèce de bonheur ! »

« *Où vont les chiens ?* » disait autrefois Nestor Roqueplan dans un immortel feuilleton qu'il a sans doute oublié, et dont moi seul, et Sainte-Beuve peut-être, nous nous souvenons encore aujourd'hui.

Où vont les chiens, dites-vous, hommes peu attentifs ? Ils vont à leurs affaires.

Rendez-vous d'affaires, rendez-vous d'amour. À travers la brume, à travers la neige, à travers la crotte, sous la canicule mordante, sous la pluie ruisselante, ils vont, ils viennent, ils trottent, ils passent sous les voitures, excités par les puces, la passion, le besoin ou le devoir. Comme nous, ils se sont levés de bon matin, et ils cherchent leur vie ou courent à leurs plaisirs.

Il y en a qui couchent dans une ruine de la banlieue et qui viennent, chaque jour, à heure fixe, réclamer la sportule à la porte d'une cuisine du Palais-Royal ; d'autres qui accourent, par troupes, de plus de cinq lieues, pour partager le repas que leur a préparé la charité de certaines pucelles sexagénaires, dont le cœur inoccupé s'est donné aux bêtes, parce que les hommes imbéciles n'en veulent plus.

D'autres qui, comme des nègres marrons, affolés d'amour, quittent, à de certains jours, leur département pour venir à la ville, gambader pendant une heure autour d'une belle chienne, un peu négligée dans sa toilette, mais fière et reconnaissante.

Et ils sont tous très exacts, sans carnets, sans notes et sans portefeuilles.

Connaissez-vous la paresseuse Belgique, et avez-vous admiré comme moi tous ces chiens vigoureux attelés à la charrette du boucher, de la laitière ou du boulanger, et qui témoignent, par leurs aboiements triomphants, du plaisir orgueilleux qu'ils éprouvent à rivaliser avec les chevaux ?

En voici deux qui appartiennent à un ordre encore plus civilisé. Permettez-moi de vous introduire dans la chambre du saltimbanque absent. Un lit, en bois peint, sans rideaux, des couvertures traînantes et souillées de punaises, deux chaises de paille, un poêle de fonte, un ou deux instruments de musique détraqués. Oh ! le triste mobilier ! Mais regardez, je vous prie, ces deux personnages intelligents, habillés de vêtements à la fois éraillés et somptueux, coiffés comme des troubadours ou des militaires, qui surveillent, avec une attention de sorciers, *l'œuvre sans nom* qui mitonne sur le poêle allumé, et au centre de laquelle une longue cuiller se dresse, plantée comme un de ces mâts aériens qui annoncent que la maçonnerie est achevée.

N'est-il pas juste que de si zélés comédiens ne se mettent pas en route sans avoir lesté leur estomac d'une soupe puissante et solide ? Et ne pardonnerez-vous pas un peu de sensualité à ces pauvres diables qui ont à affronter tout le jour l'indifférence du public et les injustices d'un directeur qui se fait la grosse part et mange à lui seul plus de soupe que quatre comédiens ?

Que de fois j'ai contemplé, souriant et attendri, tous ces philosophes à quatre pattes, esclaves complaisants, soumis ou dévoués, que le dictionnaire républicain pourrait aussi bien qualifier d'*officieux*, si la république, trop occupée du *bonheur* des hommes, avait le temps de ménager l'*honneur* des chiens !

Et que de fois j'ai pensé qu'il y avait peut-être quelque part (qui sait, après tout ?), pour récompenser tant de courage, tant de patience et de labeur, un paradis spécial pour les bons chiens, les pauvres chiens, les chiens crottés et désolés. Swedenborg affirme bien qu'il y en a un pour les Turcs et un pour les Hollandais !

Les bergers de Virgile et de Théocrite attendaient, pour prix de leurs chants alternés, un bon fromage, une flûte du meilleur faiseur ou une chèvre aux mamelles gonflées. Le poète qui a chanté les pauvres chiens a reçu pour récompense un beau gilet, d'une couleur, à la fois riche et fanée, qui fait penser aux soleils d'automne, à la beauté des femmes mûres et aux étés de la Saint-Martin.

Aucun de ceux qui étaient présents dans la taverne de la rue Villa-Hermosa n'oubliera avec quelle pétulance le peintre s'est dépouillé de son gilet en faveur du poète, tant il a bien compris qu'il était bon et honnête de chanter les pauvres chiens.

Tel un magnifique tyran italien, du bon temps,

135 offrait au divin Arétin soit une dague enrichie de pierreries, soit un manteau de cour, en échange d'un précieux sonnet ou d'un curieux poème satirique.

Et toutes les fois que le poète endosse le gilet du peintre, il est contraint de penser aux bons chiens, 140 aux chiens philosophes, aux étés de la Saint-Martin et à la beauté des femmes très mûres.

ÉPILOGUE

Le cœur content, je suis monté sur la montagne
D'où l'on peut contempler la ville en son ampleur,
Hôpital, lupanar, purgatoire, enfer, bagne,

Où toute énormité fleurit comme une fleur.
Tu sais bien, ô Satan, patron de ma détresse, 5
Que je n'allais pas là pour répandre un vain pleur ;

Mais comme un vieux paillard d'une vieille maîtresse,
Je voulais m'enivrer de l'énorme catin,
Dont le charme infernal me rajeunit sans cesse. 10

Que tu dormes encor dans les draps du matin,
Lourde, obscure, enrhumée, ou que tu te pavanes
Dans les voiles du soir passementés d'or fin,

Je t'aime, ô capitale infâme ! Courtisanes
Et bandits, tels souvent vous offrez des plaisirs 15
Que ne comprennent pas les vulgaires profanes.

Reliquat

[LISTES DE PROJETS]

[I]

Poèmes à faire

CHOSES PARISIENNES

1 Le vieux petit athée
2 La Cour des messageries
3 L'élégie des chapeaux
4 La poule noire
5 La fin du Monde
6 Du haut des Buttes Chaumont
7 Un mercredi des Cendres
8 Le poète et l'historien
9 Oreste et Pylade
10 Les deux ivrognes
11 Les aliénistes
12 Le philosophe au Carnaval
13 Les Reproches du portrait
14 Le poisson Rouge
15 Vol de Cavaliers
16 Chants d'Église
17 En l'honneur de mon patron (4 novembre)
18 L'autel de Moloch
19 Pour cinq sols
20 Le séduisant Croque-Mort
21 La salle des martyrs
22 L'homme aux Diamants
23 Le Vieil entreteneur

24 Avant d'être mûr
25 L'orgue de Barbarie
26 La Sourde muette
27 Distribution de vivres
? Un Lazzarone [*sic*] parisien
28 L'enfer au Théâtre
29 La douce visiteuse
30 Le choléra à l'Opéra
31 Melencholia [*sic*]
32 L'Auberge du Bocage
33 Nuits de noces
34 Auto-cocu ou incestueux

ONÉIROCRITIE

35 Symptômes de Ruine
36 Mes Débuts
37 Retour au Collège
.38 Appartements inconnus
39 Paysages sans arbres
40 Condamnation à mort
41 La Mort
42 La Souricière
43 Fête dans une ville déserte
44 Le palais sur la Mer
45 Les escaliers
46 Prisonnier dans un phare
47 Un désir

SYMBOLES ET MORALITÉS

48 L'ingratitude filiale
49 Une parole de Jean Hus
50 L'illusion sacrée
[51 *biffé*] Ni Remords ni Regrets
51 Le Sphinx Rococo
52 La grande prière
53 Les derniers chants de Lucain
54 La prière du pharisien

Le chapelet
N'offensons pas les Mânes

[II]

SPLEEN DE PARIS

à faire

[A[1] r°]

48 *bis* N'offensons pas les mânes
48 *ter* Le Chapelet
*48 Aux philosophes amateurs de bals masqués
49 Le Séduisant Croque mort
*50 La poule noire
*51 Le Cour des messageries
52 Les reproches du portrait (portrait de mon père)
*53 La fin du Monde
54 Les aliénistes. (Une mauvaise Communion. Chancellerie universelle)
*55 Le poisson rouge
56 La salle des Martyrs
57 L'homme aux diamants
58 Nuits de noces. (Les épreuves. Les Bottes neuves. La prière)
59 Le vieil entreteneur
60 Avant d'être mûr
*61 Les deux ivrognes
*62 L'orgue de Barbarie
*63 L'autel de Moloch.
64 La Sourde Muette.
*65 Vol de Cavaliers (collectionneurs. Maniaques. Cleptomanes portraits à lunettes)
*66 L'Élégie des Chapeaux.
*67 Un mercredi des Cendres [à la barrière St-Jacques: *biffé*]
*68 Distribution de vivres
69 Fête dans une ville déserte (Paris la Nuit, à l'époque de la guerre d'Italie)
70 Le vieux petit athée.
71 Chants d'Église (In exitû Israel... ponam inimicos tuos...)
72 Autococu ou incestueux?
73 Le prétendant Malgache (Souvenir revu à Paris, par une poupée de cire) (nouvelle)

74 Le boa (souvenir de l'Inde) (nouvelle)
*75 Oreste et Pylade.
76 Pour Cinq sols.
77 Une saute de vent.
78 Une rancune satisfaite (histoire de Feuchères, *peut-être une nouvelle*)
79 Le père qui attend (vêtements de fou et joujoux, *peut-être une nouvelle*)
*80 Le Lazzaronne [*sic*] (à Paris)

[A^2 r°]

*81 En l'honneur de mon Patron. (Le billard)
82 L'ingratitude filiale (Les oiseaux) (expérience)
83 Le Rêve avertisseur (*peut-être une nouvelle*)
84 L'auberge du Bocage (souvenir de jeunesse, par l'odeur, la couleur, et le vent frais)
*85 Le poète et l'historien (Carlyle et Tennyson)
*86 Symptômes de ruines.
*87 Mes débuts.
*88 Le Retour au Collège (consultation)
*89 Appartements inconnus. (Lieux connus et inconnus, mais reconnus. Appartements poudreux. Déménagements. Livres retrouvés)
90 Le palais sur la mer
91 Paysages sans arbres
92 La souricière
93 Les Escaliers. (Vertige. Grandes courbes. Hommes accrochés, une sphère, brouillard en haut et en bas)
94 Prisonnier dans un phare
95 Condamnation à mort. (Faute oubliée par moi, mais subitement retrouvée, depuis la Condamnation.)
96 La Mort
*97 L'illusion sacrée
98 Melencholia [*sic*]
*99 Un désir
100 Le rêve de Socrate
*101 Une parole de Jean Hus
102 Ni remords ni regrets (?)
103 Les derniers chants de Lucain
104 Le sphinx Rococo

CLASSEMENT
Choses parisiennes
Rêves
Symboles et Moralités
Autres classes à trouver

105 La Douce Visiteuse
*106 Le choléra au bal masqué
107 [La grande prière : *biffé*]
La statistique et le Théâtre
(L'enfer au Théâtre)
[108 Every where, out of the world : *biffé*]
Any
[109 La grande prière : *biffé*]
108 Any where, out of the world (fait)
109 La grande prière
110 Assommons les pauvres (fait)
111 Les bons chiens (fait)
112 La prière du pharisien

[III]

[A² v°]

[Liste entièrement raturée,
tous les titres légèrement soulignés en rouge.]

Poèmes faciles à faire

La cour des Messageries
L'Élégie des Chapeaux
Du haut des buttes Chaumont
La fin du Monde
L'autel de Moloch
Symptômes de Ruine.
Dernière parole de Jean Hus
[Le Rêve de Socrate : *biffé*]
La poule noire
Les aliénistes
Un mercredi des Cendres
Auto-cocu ou incestueux ?
Le vieux petit athée
Pour Cinq Sols
Oreste et Pylade
Le poète et l'historien
L'illusion sacrée [17 *surchargé en*] 16

[PLANS ET NOTES]

[A] POÈMES EN PROSE

Jean Hus. (analyse de ses dernières paroles.)
La grande Veuve mélancolique devant le jardin de Musard.
Les pauvres devant un Café neuf.
Mes rêves.
La Comédie en province. 5
Le collège.
La mort.
Le vide. (Sentiment du vide infini.)
Condamnation à mort pour une faute oubliée. (Sentiment d'effroi. Je ne discute pas l'accusation. Grande faute non 10 expliquée dans le rêve.)
Appartements inconnus, pauvres mais nobles et poétiques.
Le Vieux Saltimbanque.
L'élégie des chapeaux. Fleurs dans le désert. Les vers de Thomas Gray. 15

[B]

POÈMES EN PROSE

(Pour la guerre Civile)
Le Canon Tonne..... les membres volent,..... des gémissements de victimes et des Hurlements de sacrificateurs se font entendre..... C'est l'Humanité qui cherche le bonheur.

[C]

POÈMES NOCTURNES

LA LETTRE D'UN FAT.

Mélange d'emphase sincère et d'emphase ironique. Il y a des jours où je me sens si puissant que.....
La Mappemonde

[D]

Symptômes de ruine. Bâtiments immenses. Plusieurs, l'un sur l'autre, des appartements, des chambres, des *temples*, des galeries, des escaliers, des cœcums, des belvéders, des lanternes, des fontaines, des statues. — *Fissures, lézardes. Humi-*
5 *dité provenant d'un réservoir situé près du ciel.* — Comment avertir les gens, les nations —? avertissons à l'oreille les plus intelligents.

Tout en haut, une colonne [se: *biffé*] craque et ses deux extrémités se déplacent. Rien n'a encore croulé. Je ne peux
10 plus retrouver l'issue. Je descends, puis je remonte. *Une tour-labyrinthe. Je n'ai jamais pu sortir. J'habite pour toujours un bâtiment qui va crouler, un bâtiment travaillé par une maladie secrète.* — Je calcule, en moi-même, pour m'amuser, si une si prodigieuse masse de pierres, de marbres, de statues, de murs,
15 qui vont se choquer réciproquement, seront très souillés par cette multitude de cervelles, de chairs humaines et d'ossements concassés. — Je vois de si terribles choses en rêve, que je voudrais quelquefois ne plus dormir, si j'étais sûr de n'avoir pas trop de fatigue.

[E] Notes pour l'*Élégie des Chapeaux*

[r°]

un chapeau. Surface lisse.

une capote. Surface plissée ou bouillonnée.

La passe (à partir de l'endroit qui ne pose [pas *surchargé en*] plus sur la tête).

5 La partie postérieure s'appelle fond ou Calotte, *coiffe*, quand elle est tuyautée.

brides. attaches ou petites brides.

Plumes, marabouts, aigrettes.
Tours de tête, en plumes ou en fleurs.
Une *maintenon*, espèce de fanchon en dentelle, adaptée au chapeau, nouée par-dessus les brides.
Une *Marie Stuart*, forme avec pointe surbaissée, forme sarrazine, forme ogivale.
Chapeau *Lavallière* (passé de mode) avec deux plumes se réunissant par derrière.
Chapeau russe. une aigrette.
Le *Toquet* porte un pompon ou une aile.
Une fleur (rose) posée en *Marie Louise*.
Chapeau *à la Marinière*, avec bouquet.
Chapeau *Longueville*, est un chapeau Lavallière à une seule plume traînante et battant l'espace.
Bonnet écossais, en popeline à carreaux, avec cocarde, agraffe [*sic*] d'argent et plume d'aigle ou de Corbeau.
Ornements : Bouillons, ruches, biais, lisérés.

[V°]

Mobilier d'un magasin de modes :
Rideaux de Mousseline ou de soie blanche unie. Divans. Psyché, surface polie mobile. Miroirs ovales et inclinés. Grande table ovale, avec Champignon à longs pieds. Laboratoire des fées. Besogne propre.

aspect général : fraîcheur, clarté, blancheur, vivacité de couleur d'un parterre.
Rubans, fanfreluches, tulle, gazes, mousseline, plumes, etc...
Les chapeaux font penser aux têtes, et ont l'air d'une galerie de têtes. Car chaque chapeau, par son caractère, appelle une tête et la fait voir aux yeux de l'esprit. Têtes coupées.

quelle tristesse dans la frivolité solitaire ! Sentiment navrant de la ruine folâtre. Un monument de gaieté dans le désert. La frivolité dans l'abandon.
La modiste du faubourg, pâle, chlorotique, café au lait, comme une vieille buraliste.

Sentiment navrant

[F] *La cour des messageries*

Au milieu d'un groupe de différentes personnes descendant d'une diligence, une femme entourée de ses enfants, se jette au cou d'un voyageur, en bonnet de coton. Jour froid de Paris. Un petit se hausse sur les pieds pour être embrassé.

5 Plus loin, un autre voyageur charge ses paquets sur les crochets d'un commissionnaire.

Au premier plan à gauche, un mendiant tend son chapeau à un militaire à plumet jaune, [maigr. : *biffé*] un officier de fortune, maigre comme Bonaparte, et un garde national cherche 10 à embrasser une succulente bouquetière qui [se défend : *biffé*] porte un éventaire [peut-être : *biffé*] elle se défend mollement.

À droite, un monsieur, le chapeau à la main, parle à une femme tenant un enfant ; près de ce groupe, deux chiens qui se battent. Boilly. 1803.

[G]

Der Tod als Erwürger.
Erster Auftritt der Cholera auf einem Maskenball in
Paris, 1831.
Der Tod als Freund.
La mort comme bourreau.
Première apparition du Choléra à un bal masqué à
Paris, 1831.
La mort comme ami.

[H]

Spleen de Paris.
Singulière conversation.
N'offensons pas les mânes.
Le chapelet.

DOSSIER

CHRONOLOGIE

1821. *9 avril.* Naissance de Charles Baudelaire, à Paris. Son père, François Baudelaire, a soixante-deux ans. Ordonné prêtre en 1784, il avait été précepteur dans la famille de Choiseul-Praslin avant de renoncer à ses fonctions sacerdotales (1793) et d'épouser, en 1797, Rosalie Janin. Sous le Consulat, il était entré dans l'administration et fut affecté, sous l'Empire, à la préture du Sénat. En 1805, naissance d'un fils, Alphonse Baudelaire, demi-frère du poète. Rosalie meurt en 1814 et François Baudelaire se remarie en 1819 avec Caroline Dufays, alors âgée de vingt-sept ans, et qui avait été élevée par la famille Pérignon. Charles passe ses premières années dans l'appartement familial, rue Hautefeuille. «*Enfance*: vieux mobilier Louis XVI, antiques, consulat, pastels, société dix-huitième siècle. [...] Goût permanent depuis l'enfance de toutes les images et de toutes les représentations plastiques» (note autobiographique).

L'année de naissance de Baudelaire est aussi celle de la naissance de Flaubert et de Dostoïevski, ainsi que celle de la mort de Joseph de Maistre et de la publication des *Soirées de Saint-Pétersbourg*. Parution du *Solitaire* d'Arlincourt, un des plus grands succès romantiques (douze rééditions la première année, des traductions dans une dizaine de langues, une quinzaine d'adaptations à la scène et une demi-douzaine de transpositions lyriques).

1827. *10 février.* Mort de François Baudelaire. Le poète rappellera plus d'une fois à sa mère le temps du veuvage: «Il y a eu dans mon enfance une époque d'amour passionné pour toi; [...] de longues promenades, des tendresses perpétuelles! Je me souviens des quais, qui étaient si tristes le soir. Ah! ç'a été pour moi le bon temps des tendresses maternelles. Je te demande pardon d'appeler *bon temps* celui qui a été sans doute mauvais pour toi» (6 mai 1861).

Stendhal publie *Armance* et Victor Hugo *Cromwell* (avec sa préface). Publication de la traduction du *Faust* de Goethe par Nerval (en novembre, avec la date de 1828). Au Salon de cette année, Ingres expose l'*Apothéose d'Homère* et Delacroix *La Mort de Sardanapale*, tableaux-manifestes à propos desquels classiques et romantiques se déchirent; opposition qui durera plus de vingt ans et que Baudelaire surmontera.

1828. *8 novembre.* Un an et dix mois après la mort de son mari, la mère de Baudelaire se remarie avec le commandant Aupick, âgé de trente-neuf ans. Un mois plus tard, elle accouche d'une fille mort-née.

Sainte-Beuve publie son *Tableau historique et critique de la poésie française et du théâtre français au* XVI*e siècle* (dans lequel il reprend, profondément remaniés dans un sens romantique, des articles publiés en 1827 et 1828). En avril de l'année suivante paraît anonymement *Vie, poésies et pensées de Joseph Delorme* du même Sainte-Beuve; le recueil, réédité dès l'année suivante, a connu un vif succès (3e et 4e éd. 1840 et 1845).

1832-1835. Aupick est nommé chef d'état-major de la 7e division militaire, à Lyon, où l'on venait de réprimer la première insurrection des canuts. Il participera à la répression de la nouvelle révolte des canuts en avril 1834. Charles est élève du collège royal de la sixième à la seconde. «Après 1830, le collège de Lyon, coups, batailles avec les professeurs et les camarades, lourdes mélancolies» (note autobiographique).

1836-1838. Aupick est nommé à l'état-major de la 1re division militaire, à Paris. Charles entre au collège Louis-le-Grand, où il est inscrit en troisième (le niveau des études à Paris étant considéré comme supérieur à celui de la province). Il se distingue en grec, en latin, en dessin, en français et en anglais, mais son caractère est parfois jugé sévèrement, ainsi par l'un de ses maîtres d'études: «De la fausseté, des mensonges. Manières quelquefois cavalières et quelquefois choquantes à force d'affectation.» Charles est un grand lecteur: «Je n'ai lu qu'ouvrages modernes, mais de ces ouvrages dont on parle partout, qui ont une réputation, que tout le monde lit, enfin ce qu'il y a de meilleur; eh bien, tout cela est faux, exagéré, extravagant, boursouflé. C'est surtout à Eugène Sue que j'en veux, je n'ai lu de lui qu'un livre, il m'a ennuyé à mourir. Je suis dégoûté de tout cela: il n'y a que les drames, les poésies de Victor Hugo et un livre de Sainte-Beuve (*Volupté*) qui m'aient amusé» (à sa mère, 3 août 1838). En été 1838, il fait avec ses parents un séjour à Barèges; il évoquera le paysage des Pyrénées dans des vers influencés par Lamartine et Victor Hugo («Tout là-haut...»). Retour par Tarbes, Bordeaux, Nantes (où il est impressionné par le musée).

Publication de *La Comédie de la mort* de Gautier, le futur dédicataire des *Fleurs du Mal*. Inauguration du Théâtre de la Renaissance avec *Ruy Blas*. À New York et à Londres paraît simultanément *The Narrative of Arthur Gordon Pym* d'Edgar Poe que Baudelaire traduira vingt ans plus tard.

1839. Plus préoccupé de poésie que de mathématiques ou d'histoire, Charles est renvoyé du collège Louis-le-Grand pour mauvaise conduite, mais continue à suivre les cours comme externe. Il a comme répétiteur Charles Lasègue, le futur aliéniste. Il est reçu bachelier le 12 août, le jour même où Aupick est nommé général de brigade. «Voici donc la dernière année finie — écrit-il dix jours plus tard à son demi-frère Alphonse —, et je vais commencer un autre genre de vie; cela me paraît singulier, et parmi les inquiétudes qui me prennent, la plus forte est le choix d'une profession à venir. Cela me préoccupe déjà, me tourmente d'autant plus que je ne me sens de vocation à rien, et que je me sens bien des goûts divers qui prennent alternativement le dessus.» En novembre, il prend sa première inscription à l'École de droit, mais se plaît à mener une vie libre. C'est par les lettres adressées à son demi-frère que nous savons qu'il a contracté, vers la même époque, une affection vénérienne.

Lamartine publie les *Recueillements*, Stendhal *La Chartreuse de Parme*, Pétrus Borel *Madame Putiphar*, Balzac *Béatrix* et *Un grand homme de province à Paris.*

1840. Baudelaire se réinscrit en droit; Aupick est nommé commandant de la 2e brigade d'infanterie de la garnison de Paris.
Février. Il assiste à une représentation de *Marion Delorme* et communique à Victor Hugo son admiration: «Je vous aime comme j'aime vos livres; [...] J'imagine qu'auprès de vous, Monsieur, j'apprendrais une foule de choses bonnes et grandes.» Il rencontre Édouard Ourliac, Nerval, Latouche, Louis Ménard, se lie avec Ernest Prarond, Gustave Le Vavasseur, Philippe de Chennevières, Jules Buisson, qui, à la pension Bailly, place de l'Estrapade, constituent l'«école normande». Il fait la connaissance de Sarah, dite la Louchette («Je n'ai pas pour maîtresse une lionne illustre...»).
15 décembre. Baudelaire assiste, avec Le Vavasseur, au retour des cendres de l'Empereur.

Hugo publie *Les Rayons et les ombres*, Musset et Sainte-Beuve réunissent leurs *Poésies complètes*. Premier tome du *Port-Royal* de Sainte-Beuve (le dernier paraîtra en 1859). Proudhon: *Qu'est-ce que la propriété?* Poe: *Tales of the Grotesque and Arabesque.*

1841. *Janvier.* Charles adresse l'état de ses dettes à son demi-frère; le général Aupick s'émeut et envisage d'envoyer Charles faire un voyage. Il réunit le conseil de famille qui décide d'expédier le jeune homme aux Indes.
9 juin. Embarqué à Bordeaux sur le *Paquebot-des-Mers-du-Sud* qui fait voile pour Calcutta, Baudelaire, après avoir subi une violente tempête, arrive à l'île Maurice le 1er septembre et à l'île Bourbon (aujourd'hui île de la Réunion) le 18. Refusant d'aller plus loin, il rentre en France à bord d'un autre bateau, l'*Alcide*, et arrive à Bordeaux le 15 février 1842.
20 octobre. Adresse à Mme Autard de Bragard par l'intermédiaire de son mari un sonnet *À une dame créole* (qui sera la première poésie de Baudelaire publiée sous son nom dans *L'Artiste* du 25 mai 1845).

Delacroix expose au Salon *L'Entrée des croisés à Constantinople* et Victor Hugo entre à l'Académie française

1842. *16 février.* Baudelaire écrit à son beau-père : « Me voici revenu de ma longue promenade. [...] Je ne rapporte pas un sou et *j'ai souvent manqué des choses nécessaires.* [...] Je crois que je reviens avec la sagesse en poche. »

9 avril. Baudelaire devient majeur et demande à entrer en possession de la fortune qui lui vient de son père (environ 100 000 francs or, l'équivalent de quelque 350 000 euros en 2006). Il habite alors au 10, quai de Béthune, dans l'île Saint-Louis. C'est l'époque où il fait connaissance avec Jeanne Duval (ou Lemer ou Prosper), qui, en 1838-1839, avait joué de petits rôles au Théâtre de la Porte-Saint-Antoine sous le nom de Berthe (et était alors la maîtresse de Nadar). Baudelaire se lie également d'amitié avec le peintre Émile Deroy qui fait son portrait (conservé au musée d'Orsay), ainsi qu'avec Banville.

11 novembre. Aupick est nommé commandant du département de la Seine et de la place de Paris. Il s'installe à l'hôtel de Créqui, 7, place Vendôme.

Banville remporte ses premiers succès avec *Les Cariatides.* Publication posthume par Victor Pavie de *Gaspard de la Nuit* d'Aloysius Bertrand (que Baudelaire saluera comme un précurseur dans la lettre-dédicace à Arsène Houssaye de ses *Petits Poèmes en prose*), avec une préface de Sainte-Beuve. Eugène Sue commence à publier *Les Mystères de Paris* dans le *Journal des Débats.* Balzac rédige l'avant-propos de *La Comédie humaine* et fait jouer *Les Ressources de Quinola* à l'Odéon.

1843. *Mai.* Le Vavasseur, Prarond et Auguste Dozon publient un recueil de *Vers* auquel Baudelaire a peut-être collaboré (sous le nom de Prarond). À en croire Prarond, interrogé bien après la mort de Baudelaire par Eugène Crépet, nombre de poèmes des futures *Fleurs du Mal* étaient alors composés, dont *L'Albatros, Don Juan aux enfers, Une charogne,* « Une nuit que j'étais près d'une affreuse Juive... ». Projet d'un drame, *Ideolus,* en collaboration avec Prarond. Baudelaire s'installe à l'hôtel Pimodan (quai d'Anjou) ; l'île Saint-Louis était alors principalement habitée par la bohème (Daumier y avait son atelier). Il achète, chez Arondel, brocanteur habitant le même hôtel, de faux tableaux de maîtres : Zuccari, Bassan, Poussin, Vélasquez, Corrège, et contracte des dettes qui inquiètent la famille.

Reprise de *Phèdre* à la Comédie-Française avec Rachel (24 janvier) ; échec des *Burgraves* de Victor Hugo (7 mars) ; succès, assuré en partie par la jeunesse des écoles, de la *Lucrèce* de Ponsard (22 avril) ; Marceline Desbordes-Valmore publie *Bouquets et prières* et Sainte-Beuve le *Livre d'amour*. *Les Mystères de Paris* continuent à paraître dans le *Journal des Débats* avant d'être portés avec un immense succès à la scène du Théâtre de la Porte-Saint-Martin (13 février 1844).

1844. Baudelaire collabore aux *Mystères galans des Théâtres de Paris*, recueil anonyme de ragots et d'anecdotes. Il y éreinte Ponsard. Effrayée par les dettes contractées par son fils, qui a dépensé près de la moitié de son héritage en deux ans, Mme Aupick, poussée par son mari, engage une procédure afin de doter Baudelaire d'un conseil judiciaire. Le tribunal désigne Me Narcisse-Désiré Ancelle, notaire à Neuilly, qui gardera cette charge jusqu'à la mort du poète et lui versera 200 francs de rente mensuelle (représentant les intérêts du capital restant), auxquels s'ajouteront les nombreuses dettes contractées par Baudelaire auprès de sa mère (estimées à 20 000 francs or sur vingt ans) et quelques maigres droits d'auteur (environ 14 000 francs or tout au long de sa carrière dont 9 000 francs or pour les traductions de Poe). Sa vie durant, Baudelaire a ressenti cette tutelle qui le rendait mineur devant la loi en matière financière, comme une profonde humiliation. Le jeune poète adresse une épître admirative à Sainte-Beuve (« Tous imberbes alors... ») ; il se voit en frère d'Amaury (le héros de *Volupté*) et de Joseph Delorme.

Mort de Nodier. Publication des *Trois Mousquetaires* et de *Monte-Cristo* de Dumas en feuilleton dans *Le Siècle* et le *Journal des Débats*, du *Juif errant* de Sue dans *Le Constitutionnel*. Nerval, *Le Christ aux Oliviers* (*L'Artiste*, 31 mars). Vigny : *La Maison du berger* (*Revue des Deux Mondes*, 15 juillet). Mérimée et Sainte-Beuve entrent à l'Académie française.

1845. *Mai.* Publication du *Salon de 1845*; le deuxième plat de la couverture annonce comme étant «sous presse»: *De la peinture moderne,* et «pour paraître prochainement»: *De la caricature* (projet auquel il faut rattacher *De l'essence du rire* et deux articles sur *Les Caricaturistes*) et *David, Guérin et Girodet.* Baudelaire commence donc sa carrière d'écrivain comme critique d'art.
30 juin. Il annonce à Ancelle son intention de se tuer: «Je me *tue* — sans *chagrin.* — Je n'éprouve aucune de ces perturbations que les hommes appellent *chagrin.* — Mes dettes n'ont jamais été un *chagrin.* Rien n'est plus facile que de dominer ces choses-là. Je me tue parce que je ne puis plus vivre, que la fatigue de m'endormir et la fatigue de me réveiller me sont insupportables. Je me tue parce que je suis inutile aux autres — *et dangereux à moi-même.* — Je me *tue* parce que je me crois immortel, et que *j'espère.*» Après son acte manqué, il va vivre chez Jeanne, puis chez ses parents place Vendôme. Baudelaire collabore au *Corsaire-Satan,* petit journal satirique auquel il donne des articles de critique littéraire et quelques réflexions amusantes telle *Comment on paie ses dettes quand on a du génie.* Sur la couverture d'une satire de Pierre Dupont, *L'Agiotage,* on annonce «pour paraître incessamment»: *Les Lesbiennes,* annonce répétée sur d'autres couvertures en 1846 et 1847; c'est le premier titre connu des futures *Fleurs du Mal.*

Mérimée: *Carmen*; Vigny entre à l'Académie française; Moreau de Tours: *Du hachisch et de l'aliénation mentale* (un des premiers ouvrages de psycho-pharmacologie établissant l'analogie entre rêve et délire et utilisant le témoignage d'écrivains, dont Gautier). Publication des *Poésies complètes* de Gautier, du *Raven* de Poe, des *Suspiria de profundis* de Thomas de Quincey. Création de *Tannhäuser* de Wagner à Dresde. Au Salon, Delacroix expose quatre tableaux, dont *Les Dernières Paroles de Marc-Aurèle* (musée de Lyon), *Le Sultan du Maroc entouré de sa garde* (musée des Augustins, Toulouse), *L'Éducation de la Vierge* ayant été refusé par le jury.

1846. *21 janvier.* Publication dans *Le Corsaire-Satan* du *Musée classique du bazar Bonne-Nouvelle,* texte suivi, le 3 mars, d'un *Choix de maximes consolantes sur l'amour,* et le

15 avril de *Conseils aux jeunes littérateurs* (dans *L'Esprit public*.)
Février. *Le Jeune Enchanteur*, nouvelle anglaise due au Révérend Croly, publiée dans un *keepsake* très répandu, *Forget me not* (1836), paraît en français dans *L'Esprit public* sous la signature de Baudelaire.
Mai. *Salon de 1846*, où Baudelaire fait l'éloge de Delacroix, démolit Horace Vernet (membre de l'Institut et directeur de l'Académie de France à Rome) et appelle de ses vœux un peintre de la vie moderne : « La vie parisienne est féconde en sujets poétiques et merveilleux. Le merveilleux nous enveloppe et nous abreuve comme l'atmosphère ; mais nous ne le voyons pas. [...] Car les héros de l'*Iliade* ne vont qu'à votre cheville, ô Vautrin, ô Rastignac, ô Birotteau. » Le deuxième plat de la couverture annonce : « Pour paraître prochainement *Les Lesbiennes*, poésies par Baudelaire-Dufays. »
Deux poèmes publiés sous son nom dans *L'Artiste* (*Don Juan aux Enfers*, *À une Malabaraise*).

Banville : *Les Stalactites* ; Nerval : *Voyage en Orient* (dans la *Revue des Deux Mondes*) ; Sainte-Beuve : *Portraits contemporains* ; Proudhon : *Philosophie de la misère*. Berlioz : *La Damnation de Faust*. Émile Daurand-Forgues rend compte des *Tales* de Poe dans la *Revue des Deux Mondes* et publie la traduction de deux nouvelles dans la *Revue britannique* et dans *Le Commerce*. Au Salon, Delacroix expose une aquarelle et trois tableaux, dont *L'Enlèvement de Rébecca* (New York, Metropolitan Museum of Art) et *Les Adieux de Roméo et Juliette*.

1847. *Janvier*. *La Fanfarlo* (nouvelle) paraît dans le *Bulletin de la Société des gens de lettres*. Le 27 du même mois, Isabelle Meunier donne, dans *La Démocratie pacifique* (journal fouriériste), une traduction du *Chat noir* de Poe qui, selon Charles Asselineau, révéla le conteur américain à Baudelaire : « En 1846 ou 47, j'eus connaissance de quelques fragments d'Edgar Poe ; j'éprouvai une commotion singulière. [...] Je trouvai [...] des poèmes et des nouvelles dont j'avais eu la pensée, mais vague et confuse, mal ordonnée, et que Poe avait su combiner et mener à la perfection » (à Armand Fraisse, 18 février 1860).
Avril. Aupick est nommé général de division et prend,

en novembre, le commandement de l'École polytechnique. Baudelaire se lie avec Champfleury (né en 1821) et Courbet (né en 1819) qui fait le portrait du poète (conservé au musée de Montpellier). Il fait également la connaissance de Marie Daubrun, qui débute à la Porte Saint-Martin dans une féerie des frères Cogniard, *La Belle aux cheveux d'or*.

Michelet : *Histoire de la Révolution* (premier tome) ; Louis Blanc : *Histoire de la Révolution* (premier tome) ; Lamartine : *Histoire des Girondins* ; Murger publie les *Scènes de la vie de bohème* dans *Le Corsaire*, réunies avec beaucoup de succès en volume (1851) après avoir été adaptées au théâtre (1849) ; Clésinger expose la *Femme piquée par un serpent* (aujourd'hui au Musée d'Orsay) dont le modèle est Apollonie Sabatier, la Présidente.

1848. *24 février*. Jules Buisson rencontre Baudelaire au carrefour Buci, au milieu d'une foule qui venait de piller une boutique d'armurier : « Il portait un beau fusil à deux coups luisant et vierge, et une superbe cartouchière de cuir jaune tout aussi immaculée ; je le hélai, il vint à moi simulant une grande animation : "Je viens de faire le coup de fusil !" me dit-il [...]. Il criait beaucoup ; et toujours son refrain : il fallait aller fusiller le général Aupick. »
27 février et 1er ou 2 mars. Baudelaire, Champfleury et Charles Toubin publient deux numéros d'une feuille éphémère : *Le Salut public ;* Courbet dessine la vignette du deuxième numéro.
Du 10 avril au 6 mai. Baudelaire est secrétaire de la rédaction de *La Tribune nationale*, journal modérément socialiste.
13 avril. Aupick est nommé ambassadeur à Constantinople où il restera jusqu'en 1851. Baudelaire participe aux journées de juin : « Les horreurs de Juin. Folie du peuple et folie de la bourgeoisie. Amour naturel du crime » (*Mon cœur mis à nu*).
15 juillet. *La Liberté de penser* publie *Révélation magnétique*, première traduction de Poe par Baudelaire.
Août. Le poète essaie d'approcher Proudhon pour le mettre en garde contre ses ennemis politiques. « Je l'ai beaucoup lu, et un peu connu », dira-t-il à Sainte-Beuve bien plus tard (2 janvier 1866).

Octobre. Baudelaire est épisodiquement rédacteur en chef d'un journal réactionnaire, *Le Représentant de l'Indre*, à Châteauroux. «Je n'ai pas de convictions, comme l'entendent les gens de mon siècle, parce que je n'ai pas d'ambition. [...] Je comprends qu'on déserte une cause pour savoir ce qu'on éprouvera à en servir une autre» (*Mon cœur mis à nu*).
Novembre. L'Écho des marchands de vin publie *Le Vin de l'assassin* et annonce la prochaine publication, chez Michel Lévy, d'un recueil intitulé *Les Limbes* (deuxième titre connu des futures *Fleurs du Mal*).

Mort de Chateaubriand (4 juillet), les *Mémoires d'outre-tombe* paraissent en feuilleton dans *La Presse*. Dumas fils: *La Dame aux camélias* (porté à la scène en 1852 pour devenir le plus grand succès dramatique de l'époque).

1849. Baudelaire se lie avec Gautier qu'il a peut-être déjà croisé en 1843 ou en 1845. Dans une lettre du 13 juillet, dont le destinataire est inconnu, il exprime son admiration pour Wagner (sur lequel son attention a peut-être été attirée par l'article de Liszt sur *Tannhäuser* dans le *Journal des Débats* du 18 mai 1849).
7 octobre. Mort d'Edgar Poe à Baltimore.
Décembre. Séjour à Dijon où Baudelaire espère travailler comme journaliste. Avant de partir, il remet à un copiste des manuscrits à mettre au propre; une bonne partie des futures *Fleurs du Mal* pourrait avoir été écrite avant cette date.

Vigny achève *Les Destinées*. Sainte-Beuve publie ses premiers *Lundis* dans *Le Constitutionnel*. Au Salon, Delacroix expose *Femmes d'Alger dans leur intérieur* (Montpellier, musée Fabre; réplique du tableau exposé en 1834 et qui est au Louvre).

1850. Baudelaire se lie avec Poulet-Malassis. Il loge avec Jeanne à Neuilly.
Juin. Le Magasin des familles publie *Châtiment de l'orgueil* et *Le Vin des honnêtes gens* [*L'Âme du vin*] et annonce une nouvelle fois la prochaine sortie des *Limbes*.
13 juillet. Lesbos paraît dans l'anthologie des *Poètes de l'Amour* publiée par Julien Lemer.

Novembre et décembre. Flaubert et Maxime Du Camp, qui parcourent l'Orient, rendent visite à l'ambassadeur de France à Constantinople, le général Aupick. Le 4 décembre, Flaubert écrit à sa mère : « Nous dînons après-demain à l'ambassade chez le général. Ce brave général se tient peu à la tenue diplomatique ; dans l'intimité il donne de grands coups de poing dans le dos de Maxime en l'appelant sacré farceur. »

Mort de Balzac (18 août). Nisard entre à l'Académie française. Delacroix entreprend la décoration de la galerie d'Apollon au Louvre et expose au Salon de 1850-1851 : *Le Bon Samaritain, La Résurrection de Lazare, Le Giaour poursuivant les ravisseurs de sa maîtresse, Lady Macbeth, Le Lever* ; de Courbet ont été acceptés *Le Retour de la foire, Les Casseurs de pierre* (tous deux disparus), *Un enterrement à Ornans* ; de Millet, *Le Semeur.*

1851. *Février.* Aupick est nommé ambassadeur à Londres, poste qu'il refuse pour ne pas retrouver la famille d'Orléans qu'il a servie. Il est donc nommé à Madrid en juin et y reste jusqu'en avril 1853.
Mars. Le Messager de l'Assemblée publie *Du vin et du hachisch.*
9 avril. Le même périodique insère onze poèmes des *Fleurs du Mal* sous le titre général *Les Limbes* (Baudelaire a trente ans et met fin à la légende du poète inédit).
Août. Notice sur Pierre Dupont en tête de la vingtième livraison des *Chants et chansons* : « Combien de natures révoltées ont pris vie auprès d'un cruel et ponctuel militaire de l'Empire ! Fécondante discipline, combien nous te devons de chants de liberté ! »
Octobre. Baudelaire fait demander à Londres les *Œuvres* d'Edgar Poe.
27 novembre. Publication dans *La Semaine théâtrale* de l'article *Les Drames et les romans honnêtes.*
2 décembre. Coup d'État : « En somme, devant l'histoire et devant le peuple français, la grande gloire de Napoléon III aura été de prouver que le premier venu peut, en s'emparant du télégraphe et de l'Imprimerie nationale, gouverner une grande nation » (*Mon cœur mis à nu*).

Exil de Victor Hugo (en décembre) ; Barbey d'Aurevilly : *Une vieille maîtresse ;* Sainte-Beuve : premier volume des *Causeries du lundi* (la publication s'étagera jusqu'en 1862). Pose de la première pierre des halles de Baltard.

1852. *22 janvier. L'École païenne,* étude visant Banville et, peut-être, Louis Ménard, Gautier, Leconte de Lisle et Victor de Laprade, publiée dans *La Semaine théâtrale.*
Février. Élections au Corps législatif. « Vous ne m'avez pas vu au vote — écrit Baudelaire à Ancelle le 5 mars —, c'est un parti pris chez moi. Le 2 DÉCEMBRE m'a *physiquement dépolitiqué. Il n'y a plus d'idées générales.* Que *tout Paris* soit *orléaniste,* c'est un fait, mais cela ne me regarde pas. Si j'avais voté, je n'aurais pu voter que pour moi. Peut-être l'avenir appartient-il aux hommes *déclassés* ? »
Mars. Baudelaire essaie de se séparer de Jeanne : « *Vivre avec un être* qui ne vous sait aucun gré de vos efforts, qui les contrarie par une maladresse ou une méchanceté permanente, qui ne vous considère que comme son domestique et sa propriété, avec qui il est impossible d'échanger une parole politique ou littéraire, une créature qui ne *veut rien apprendre,* quoique vous lui ayez proposé de lui donner vous-même des leçons, une créature QUI NE M'ADMIRE PAS, et qui ne s'intéresse même pas à mes études, qui jetterait mes manuscrits au feu si cela lui rapportait plus d'argent que de les laisser publier [...] — enfin est-ce possible cela ? » (à Mme Aupick, 27 mars).
Mars et avril. Publication dans la *Revue de Paris* de la première étude sur *Edgar Allan Poe, sa vie et ses ouvrages,* article qui procède pour les deux tiers d'un compte rendu des *Œuvres* de Poe publié par John M. Daniel dans le *Southern Literary Messenger* (1850).
Décembre. Baudelaire envoie anonymement à Mme Sabatier *À celle qui est trop gaie.* Il connaît la Présidente depuis quelque temps et participe à ses dîners qui réunissent Gautier, Sainte-Beuve, Flaubert, Maxime Du Camp, Ernest Feydeau, Henry Monnier et d'autres. Ces envois anonymes se poursuivent jusqu'en 1854.

Hugo : *Napoléon le Petit* ; Henry Monnier : *Grandeur et décadence de Joseph Prudhomme* ; Gautier : *Émaux et camées* ; Nerval : *Lorely* ; Leconte de Lisle : *Poèmes antiques*. Charles Méryon : recueil des *Eaux-fortes sur Paris*.

1853. Année difficile ; les dettes s'accumulent et plusieurs projets tournent court, dont celui d'écrire un livret ou un drame sur *La Fin de Don Juan*. Baudelaire publie néanmoins plusieurs traductions de Poe : *Le Corbeau* (dans *L'Artiste*, 1er mars), *Philosophie de l'ameublement* (dans *Le Monde littéraire*, 27 mars), *Le Chat noir* et *Morella* (dans *Paris*, 13 et 15 novembre) ; il continue à envoyer, sous l'anonymat, des poèmes à Mme Sabatier (*Réversibilité, Confession, L'Aube spirituelle*).
8 mars. Aupick est nommé sénateur de l'Empire.

Hugo : *Châtiments* ; Champfleury : *Les Aventures de Mademoiselle Mariette* ; Nerval : *Sylvie* ; Michelet achève l'*Histoire de la Révolution*.

1854. *Janvier*. Baudelaire projette d'écrire un drame, *L'Ivrogne*, qu'il destine à l'acteur Tisserant pour le Théâtre de l'Odéon. Encore un projet de théâtre qui n'aboutira pas.
Juillet-août. La traduction des *Histoires extraordinaires* et des *Nouvelles histoires extraordinaires* paraît en feuilleton dans *Le Pays*. Baudelaire s'emploie pour Marie Daubrun auprès de Gautier et de Paul de Saint-Victor (critique dramatique au *Pays*).
4 décembre. À sa mère : « Je rentrerai dans le concubinage, et si je ne suis pas installé le 9 janvier chez Mlle Lemer, je serai chez *l'autre* [probablement Marie Daubrun]. Il me faut à tout prix *une famille* ; c'est la seule manière de travailler et de dépenser moins. » Baudelaire reprend en fait sa vie avec Jeanne, mais il est, selon sa propre expression, « ballotté d'hôtel en hôtel ».

Vigny publie *La Bouteille à la mer* (*Revue des Deux Mondes*, 1er février) ; Nerval : *Les Filles du feu* ; Augier et Sandeau : *Le Gendre de M. Poirier* (comédie remportant un vif succès) ; début de l'*Histoire de ma vie* de George Sand ; Dumas : *Les Mohicans de Paris*.

1855. *26 janvier*. Nerval est trouvé pendu rue de la Vieille-Lanterne ; *Aurélia* paraît dans la *Revue de Paris* le 1er janvier et le 15 février.
Mai-août. Baudelaire rend compte des beaux-arts à l'Exposition universelle dans *Le Pays* et *Le Portefeuille*

(trois articles). Courbet, dont *L'Atelier* avait été refusé par le jury, organise sa propre exposition dans le « Pavillon du Réalisme ». Baudelaire, dans un texte non achevé, « Puisque réalisme il y a », prend ses distances : « La Poésie est ce qu'il y a de plus réel, c'est ce qui n'est complètement vrai que dans *un autre monde*. »

1er juin. La *Revue des Deux Mondes* publie, sous le titre *Les Fleurs du Mal*, qui apparaît pour la première fois, dix-huit poèmes, fort mal accueillis par le *Figaro*. Le 4 novembre paraît, dans le même journal, un éreintement de Louis Goudall : « Pendant dix ans [...], M. Baudelaire a réussi à se faire passer dans le monde des lettres pour un poète de génie, il récitait quelques-uns de ses vers à un petit nombre d'initiés, mais il se gardait bien de les publier. [...] Nous retrouvons partout la même inspiration puérilement prétentieuse, et se battant les flancs jusqu'à étouffer ; partout le même entassement d'allégories ambitieuses pour dissimuler l'absence d'idées ; la même langue ignorante, glaciale, sans couleur [...]. Et c'est cette poésie scrofuleuse, écœurante, que la *Revue des Deux Mondes* nous offre comme l'expression de certaines défaillances, de certaines douleurs morales, particulières à notre temps ! [...] Mais de bonne foi, pouvons-nous accepter la poésie de M. Baudelaire, cette poésie de charnier et d'abattoir comme l'expression, même incomplète, des souffrances du temps présent ? »

8 juillet. De l'essence du rire paraît dans *Le Portefeuille*, qui indique que ces pages sont extraites d'un livre à paraître chez Michel Lévy, *Peintres, statuaires et caricaturistes*.

Rédaction des premières *Fusées* et publication des premiers *Poèmes en prose* (*Le Crépuscule du soir* et *La Solitude* dans l'*Hommage à Denecourt* à la suite de deux poèmes en vers).

Maxime Du Camp publie *Les Chants modernes*, célébrant en octosyllabes et alexandrins le gaz et la vapeur, Champfleury *Les Bourgeois de Molinchart* (roman réaliste provincial), les Goncourt leur *Histoire de la société française sous le Directoire*, ainsi qu'un compte rendu de l'exposition de peinture à l'Exposition universelle, exercice auquel se livrent également Gautier, Champfleury, Thoré-Bürger et bien d'autres. Louis Hachette lance la « Bibliothèque des chemins de fer ».

1856. *25 février.* Publication, dans *Le Pays*, de la préface aux *Histoires extraordinaires*, dans laquelle Baudelaire présente Poe à la fois comme un poète maudit poursuivi par le guignon et comme un créateur d'une extrême lucidité. Le volume paraît en mars, connaît deux réimpressions l'année suivante et en sera à sa cinquième édition en 1864. Ce sera le plus grand succès de librairie de Baudelaire de son vivant.
Septembre. Nouvelle rupture avec Jeanne.
Décembre. Les difficultés avec Michel Lévy font que Baudelaire signe avec Poulet-Malassis et De Broise pour *Les Fleurs du Mal* et *Bric-à-brac esthétique* (réunissant approximativement les articles qui constitueront les *Curiosités esthétiques*).

Hugo : *Les Contemplations* ; Tocqueville : *L'Ancien Régime et la Révolution* ; Flaubert : *Madame Bovary* dans la *Revue de Paris* (octobre à décembre) ; Fromentin : *Un été dans le Sahara* ; début du *Cours familier de littérature* de Lamartine.

1857. *7 février.* Flaubert, qui avait été inculpé pour outrage à la morale publique et aux bonnes mœurs, est acquitté. *Madame Bovary* paraît en volume en avril.
Février-avril. Le Moniteur universel publie en feuilleton la traduction d'*Arthur Gordon Pym*.
Mars. Publication des *Nouvelles histoires extraordinaires*, précédées des *Notes nouvelles sur Edgar Poe* (quatrième édition en 1865).
27 avril. Mort du général Aupick. Sa femme se retire à Honfleur dans la Maison-Joujou qu'Aupick avait achetée en 1853 et qui est aujourd'hui détruite.
16 juin. Le ministère de l'Instruction publique octroie à Baudelaire une indemnité de 200 francs pour la traduction des *Histoires extraordinaires* (il en percevra huit autres jusqu'à la fin de sa vie).
25 juin. Mise en vente des *Fleurs du Mal*, le volume comporte cinquante-deux poèmes inédits (sur un total de cent).
5 juillet. Gustave Bourdin dénonce dans *Le Figaro* l'immoralité du volume : « L'odieux y coudoie l'ignoble ; le

repoussant s'y allie à l'infect. [...] Ce livre est un hôpital ouvert à toutes les démences de l'esprit, à toutes les putridités du cœur. » Deux jours plus tard, la direction de la Sûreté publique (qui correspond au ministère de l'Intérieur) saisit le parquet : *Les Fleurs du Mal* constituent « un défi jeté aux lois qui protègent la religion et la morale ».
14 juillet. Article élogieux d'Édouard Thierry dans *Le Moniteur.*
20 août. L'auteur et l'éditeur sont condamnés pour outrage à la morale publique et aux bonnes mœurs ; le tribunal ordonne la suppression de six poèmes (*Les Bijoux, Le Lethé, À celle qui est trop gaie, Femmes damnées* [*Delphine et Hippolyte*], *Lesbos, Les Métamorphoses du vampire*).
24 août. Le Présent publie sous le titre de *Poèmes nocturnes* six poèmes en prose.
Fin août. Mme Sabatier a-t-elle voulu consoler Baudelaire de sa mésaventure ? Il lui écrit le 31 : « Il y a quelques jours, tu étais une divinité, ce qui est si commode, ce qui est si beau, si inviolable. Te voilà femme maintenant. — Et si par malheur pour moi j'acquiers le droit d'être jaloux ! ah ! quelle horreur seulement d'y penser ! mais avec une personne telle que vous, dont les yeux sont pleins de sourires et de grâces pour tout le monde, on doit souffrir le martyre. »
Les Fleurs du Mal valent à Baudelaire des lettres d'encouragement de Flaubert, de Sainte-Beuve, de Victor Hugo, entre autres.
Septembre-octobre. Publication dans *Le Présent* de *De l'essence du rire* ainsi que des articles sur les caricaturistes français et étrangers.
Décembre. Dépression profonde. « Je suis tombé depuis *plusieurs mois* dans une de ces affreuses langueurs qui interrompent tout » (à sa mère, le 25 décembre).

Banville : *Odes funambulesques* ; Dumas fils : *La Question d'argent* ; Ponsard : *La Bourse* ; Michelet : *L'Insecte.* Mort de Musset, de Béranger et d'Eugène Sue, trois auteurs méprisés par Baudelaire.

1858. *Janvier.* Douleurs aux jambes, étouffements, troubles digestifs que Baudelaire soigne par l'éther et l'opium. Il

rêve de se retirer à Honfleur pour y travailler au calme, comme Flaubert à Croisset.
13 mai. Publication en volume des *Aventures d'Arthur Gordon Pym* (deuxième édition en 1862), saluée dans *Le Réveil* (15 mai 1858) par un grand article de Barbey d'Aurevilly qui, pourtant, n'avait pas l'heur de plaire à Baudelaire (« Nous ne croyons pas que l'Art est le but principal de la vie et que l'esthétique doive un jour gouverner le monde »).
20 septembre. Republication dans *L'Artiste* de *Quelques caricaturistes étrangers.*
30 septembre. La première partie des *Paradis artificiels* paraît dans la *Revue contemporaine.*
Octobre. Bref séjour de Baudelaire auprès de sa mère à Honfleur.
24 et 31 octobre. Republication dans *L'Artiste* de *Quelques caricaturistes français.*
Novembre. Baudelaire quitte l'hôtel Voltaire et se réinstalle chez Jeanne.
Décembre. Séjour chez Poulet-Malassis à Alençon.

Leconte de Lisle : *Poésies complètes* ; Offenbach : *Orphée aux enfers* ; Ernest Feydeau : *Fanny* (roman que les contemporains comparaient à *Madame Bovary* et qui avait reçu les éloges de Sainte-Beuve).

1859. Année très féconde. Baudelaire fait plusieurs séjours à Honfleur auprès de sa mère (janvier-février, mai-juin, décembre). Il publie de nombreux poèmes nouveaux dans la *Revue française* et dans la *Revue contemporaine,* ainsi qu'une série d'articles sur Asselineau, Théophile Gautier, ou l'acteur Rouvière dans *L'Artiste.* Il continue à traduire Poe (*Le Corbeau* et *Méthode de composition*) et commence à prendre des notes en vue d'une sorte d'autobiographie (*Mon cœur mis à nu*).
5 avril. Jeanne Duval, frappée de paralysie, entre à l'hôpital Dubois, où elle séjourne jusqu'au 19 mai.
Juin-juillet. La *Revue française* publie en quatre livraisons le *Salon de 1859* ; Baudelaire y précise sa théorie de l'imagination : « L'artiste, le vrai artiste, le vrai poète, ne doit peindre que selon qu'il voit et qu'il sent. Il doit être *réellement* fidèle à sa propre nature. [...] C'est l'imagination qui a enseigné à l'homme le sens moral de la couleur, du contour, du son et du parfum.

Elle a créé, au commencement du monde, l'analogie et la métaphore. »

Début août. Baudelaire s'installe à l'hôtel de Dieppe, rue d'Amsterdam ; il y restera — à l'exception d'un séjour à Neuilly, avec Jeanne, en décembre 1860 et janvier 1861 — jusqu'à son départ pour la Belgique en avril 1864.

Fin novembre. Republication de l'étude sur Gautier en plaquette, précédée d'une lettre de Victor Hugo : « Que faites-vous quand vous écrivez ces vers saisissants : *Les Sept Vieillards* et *Les Petites Vieilles,* que vous me dédiez, et dont je vous remercie ? Que faites-vous ? Vous marchez. Vous allez en avant. Vous dotez le ciel de l'art d'on ne sait quel rayon macabre. Vous créez un frisson nouveau. »

Amnistie accordée par Napoléon III aux condamnés politiques. Hugo n'en profite pas. Publication de la première série de *La Légende des siècles* ; François-Victor Hugo entreprend la traduction de Shakespeare, qui l'occupera jusqu'en 1866 ; mort de Thomas de Quincey, de Pétrus Borel et de Marceline Desbordes-Valmore. Delacroix exécute ses peintures murales à Saint-Sulpice (il avait été pressenti dès 1847). Charles Blanc (frère de Louis) fonde la *Gazette des Beaux-Arts.*

1860. *Janvier.* Première crise cérébrale : « Je crois que j'ai eu quelque chose comme une congestion cérébrale. [...] Des nausées, et une faiblesse telle, avec vertiges, que je ne pouvais pas monter une marche de l'escalier sans croire que j'allais m'évanouir » (à sa mère, 15 janvier). Mais Baudelaire continue à travailler beaucoup. Il signe avec Poulet-Malassis et De Broise pour une deuxième édition des *Fleurs du Mal* augmentée de vingt-cinq pièces nouvelles. *Les Paradis artificiels,* les *Curiosités esthétiques* et un volume de *Notices littéraires.* Il projette un essai sur *Le Dandysme littéraire ou la Grandeur sans convictions* consacré à Chateaubriand, Joseph de Maistre, Custine, Giuseppe Ferrari, Paul de Molènes, Barbey d'Aurevilly. Il rêve en outre d'écrire des textes accompagnant les *Eaux-fortes sur Paris* de Charles Méryon. Il découvre le *Tannhäuser* de Wagner et communique aussitôt son enthousiasme au compositeur avant de prendre publiquement sa défense.

Février et mars. Le ministère accorde deux nouvelles indemnités de 300 francs à Baudelaire (pour ses articles sur l'art et la traduction de la *Méthode de composition*).
Fin mai. Mise en vente des *Paradis artificiels* ; à Flaubert qui lui reproche d'avoir trop insisté sur l'*Esprit du Mal*, il répond : « J'ai été frappé de votre observation, et étant descendu très sincèrement dans le souvenir de mes rêveries, je me suis aperçu que de tout temps j'ai été obsédé par l'impossibilité de me rendre compte de certaines actions ou pensées soudaines de l'homme sans l'hypothèse de l'intervention d'une force méchante extérieure à lui » (26 juin).
Décembre. Baudelaire s'installe avec Jeanne, hémiplégique, à Neuilly, mais retourne quelques semaines plus tard à l'hôtel de Dieppe.

Cette année-là, Manet expose *Le Buveur d'absinthe* et Millet son *Angélus* ; Carjat fonde un atelier de photographie à Paris et Labiche donne *Le Voyage de Monsieur Perrichon*. Les Goncourt publient *Les Hommes de lettres* (roman satirique sur les milieux littéraires parisiens).

1861. Dernière année d'intense création, malgré de nouvelles manifestations de la syphilis en avril et en mai et des moments de découragement. Baudelaire publie (début février) la deuxième édition des *Fleurs du Mal* (tirée à 1 500 exemplaires), son étude sur Wagner (en avril et mai), des *Réflexions* sur Victor Hugo, Auguste Barbier, Marceline Desbordes-Valmore, Pétrus Borel, Théodore de Banville, Leconte de Lisle et d'autres contemporains (de juin à août), un article sur les peintures murales de Delacroix (septembre), ainsi qu'une série de neuf poèmes en prose (dont trois seulement sont inédits, novembre). Il projette en outre de poursuivre son livre autobiographique *Mon cœur mis à nu*, où il entassera toutes ses colères et à côté duquel les *Confessions* de Rousseau paraîtront pâles. Il termine enfin une première série de *Poèmes en prose* qu'il adresse à la fin de l'année à Houssaye. Baudelaire s'impose non pas au grand public, certes, mais aux milieux littéraires. « Lorsque paraît la seconde édition des *Fleurs du Mal*, note Asselineau, on peut dire qu'il était en pleine possession de la renommée. » Il songe même à se présenter à l'Académie française (au fauteuil de Lacordaire) et fait des visites à Vigny, Lamartine, Villemain.

Mort de Murger, de Scribe ; échec de *Tannhäuser* à l'Opéra de Paris ; Sainte-Beuve publie *Chateaubriand et son groupe littéraire sous l'Empire* ; Manet expose *Le Joueur de guitare espagnol* et Delacroix termine ses fresques à Saint-Sulpice.

1862. *12 janvier. Le Boulevard* publie une série de nouveaux poèmes (*La Prière d'un païen, Le Rebelle, Recueillement, Le Couvercle, L'Avertisseur, Épigraphe pour un livre condamné, Le Coucher du soleil romantique*).
Fin janvier. Nouvelle manifestation de l'affection syphilitique. « J'ai cultivé mon hystérie avec jouissance et terreur. Maintenant, j'ai toujours le vertige, et aujourd'hui, 23 janvier 1862, j'ai subi un singulier avertissement, j'ai senti passer sur moi *le vent de l'aile de l'imbécillité* » (*Fusées*).
10 février. La candidature académique de Baudelaire tourne court ; sur les conseils de Sainte-Beuve, le poète se désiste.
1er mars. L'Artiste publie *La Voix, Le Gouffre, La Lune offensée.*
14 avril. Mort du demi-frère du poète, Alphonse Baudelaire, à la suite d'une hémorragie cérébrale accompagnée d'hémiplégie.
20 avril. Article élogieux sur *Les Misérables* de Victor Hugo dans *Le Boulevard* ; Baudelaire exprime des sentiments assez différents devant sa mère.
12, 19, 26 juillet, 2 août. Traduction du *Joueur d'échecs de Maelzel* de Poe dans *Le Monde illustré.*
2 août. Publication du tome IV des *Poètes français*, anthologie préparée par Eugène Crépet, contenant sept poèmes de Baudelaire (*L'Albatros, Réversibilité, Le Crépuscule du Matin, La Cloche fêlée, Le Guignon, Les Hiboux, Les Petites Vieilles*) précédés d'une notice de Théophile Gautier. Baudelaire a fourni les notices sur Victor Hugo, Marceline Desbordes-Valmore, Gautier, Banville, Pierre Dupont, Leconte de Lisle, Gustave Le Vavasseur.
26 et 27 août, 24 septembre. Publication dans *La Presse* des vingt premiers poèmes en prose destinés à un

recueil devant faire «pendant» aux *Fleurs du Mal* et précédés de la lettre-dédicace à Arsène Houssaye.
6 septembre. Article enthousiaste de Swinburne sur Baudelaire dans *The Spectator.*
Novembre. Faillite de Poulet-Malassis.

Flaubert : *Salammbô* ; Leconte de Lisle : *Poèmes barbares* ; Hugo : *Les Misérables.* Manet : *Lola de Valence.*

1863. Baudelaire, qui, selon ses propres calculs, doit déjà 23 000 francs à sa mère, continue à emprunter où il peut, essaie de vendre ses textes plutôt deux fois qu'une et rêve même de prendre la direction d'un théâtre subventionné. Poulet-Malassis, quant à lui, est condamné pour dettes à plusieurs mois de prison ; par la suite, il s'exilera en Belgique où il publiera des livres libertins et des pamphlets contre l'Empire. Baudelaire pense également à la Belgique et demande une subvention qui lui permettrait de visiter des collections particulières, de faire des conférences et de trouver un nouvel éditeur.
Juin. Nouveaux poèmes en prose dans la *Revue nationale et étrangère* et *Le Boulevard.*
13 août. Mort d'Eugène Delacroix ; Baudelaire lui consacre un grand article nécrologique dans *L'Opinion nationale,* où il réutilise nombre de pages écrites pour le *Salon de 1859.*
Novembre. Mise en vente de la traduction d'*Eureka* chez Michel Lévy, à qui Baudelaire a cédé pour 2 000 francs la totalité de ses cinq volumes de traductions de Poe.
Novembre et décembre. Le Figaro publie *Le Peintre de la vie moderne,* essai consacré à Constantin Guys, dont la rédaction remonte sans doute aux années 1859-1860.
Octobre et décembre. La *Revue nationale et étrangère* publie de nouveaux poèmes en prose.

Mort de Vigny ; première livraison du dictionnaire de Littré. Boudin : *Le Port de Honfleur* ; Courbet : *La Chasse au renard.* En réponse aux protestations contre le jury du Salon, l'Empereur fait organiser un Salon des Refusés ; Manet y présente *Le Déjeuner sur l'herbe* qui fait scandale.

1864. Baudelaire se rend en avril à Bruxelles pour faire des conférences et négocier la vente de ses œuvres ; il descend à l'hôtel du Grand Miroir, où il restera jusqu'à ce que, hémiplégique, il soit ramené à Paris en juillet 1866. Les conférences sur Delacroix, Gautier, *Les Paradis artificiels*, sont un échec et les éditeurs Lacroix et Verboeckhoven refusent de s'intéresser aux œuvres de Baudelaire. Exaspéré, le poète accumule les notes vengeresses sur la Belgique : « Ce livre sur la Belgique est [...] un essayage de mes griffes. Je m'en servirai plus tard contre la France. J'exprimerai patiemment toutes les raisons de mon dégoût du genre humain. Quand je serai *absolument seul*, je chercherai une religion (thibétaine ou japonaise), car je méprise trop le *Koran*, et au moment de la mort, j'abjurerai cette dernière religion pour bien montrer mon dégoût de la sottise universelle » (à Ancelle, 13 novembre). Des revues publient de rares poèmes en prose, mais l'activité créatrice de Baudelaire est fortement diminuée. Il fait des excursions en province pour visiter les églises baroques.

Champfleury : *Histoire de la caricature antique* ; Taine : *Histoire de la littérature anglaise* ; publication posthume des *Destinées* de Vigny.

1865. L'état de Baudelaire continue à se détériorer : névralgies, troubles digestifs. Il cherche néanmoins à réunir ses *Œuvres complètes* et essaie, vainement, de faire de Julien Lemer son agent littéraire à Paris. En mars, Michel Lévy met en vente le cinquième et dernier volume des traductions de Poe, *Histoires grotesques et sérieuses*, qui apporte toute une série de textes inédits. Impossible d'éviter, à Bruxelles, la famille Hugo : « J'ai été *contraint* de dîner hier chez Mme Hugo, avec ses fils. (Il a fallu emprunter une chemise.) — Mon Dieu ! qu'une ancienne belle femme est donc ridicule quand elle laisse voir son regret de ne plus être adulée. — Et ces petits messieurs, que j'ai connus tout petits, et qui veulent diriger le monde ! Aussi bêtes que leur mère, et tous les trois, mère et fils, aussi bêtes, aussi sots que le père ! » (à sa mère, 8 mai).

Mallarmé et Verlaine témoignent leur admiration à Baudelaire, le premier dans *Symphonie littéraire* (*L'Artiste*, 1er février), le second dans une série d'articles dans *L'Art* (novembre et décembre). L'intéressé s'en montre plus inquiet que ravi : « Il y a du talent chez ces jeunes gens ; mais que de folies ! Quelles exagérations et quelle infatuation de jeunesse! depuis quelques années je surprenais, çà et là, des imitations et des tendances qui m'alarmaient. Je ne connais rien de plus compromettant que les imitateurs et je n'aime rien tant que d'être seul. Mais ce n'est pas possible; et il paraît que *l'école Baudelaire* existe» (à sa mère, 5 mars 1866).

Mort de Proudhon; Courbet: *Proudhon et sa famille*; Manet: *Olympia*; Barbey d'Aurevilly: *Un prêtre marié*; Hugo: *Chansons des rues et des bois*; Champfleury: *Histoire de la caricature moderne*.

1866. *Janvier*. Baudelaire veut se remettre au *Spleen de Paris* et espère montrer un jour «un nouveau Joseph Delorme». Vague projet d'une étude sur Sainte-Beuve.
Début février. Baudelaire consulte sa mère et Asselineau sur les troubles qu'il ressent chaque jour avec plus d'acuité.
Fin février. Publication à Bruxelles des *Épaves*, qui recueillent notamment les pièces condamnées et des vers de circonstance.
Mi-mars. Chute de Baudelaire dans l'église Saint-Loup, à Namur, qu'il visitait avec Félicien Rops. Premiers symptômes d'aphasie et d'hémiplégie.
31 mars. Publication dans *Le Parnasse contemporain* de quinze poèmes sous le titre *Nouvelles Fleurs du Mal*.
2 juillet. Baudelaire, qui n'a pas recouvré la parole, mais qui a gardé son intelligence intacte, est ramené à Paris par sa mère et le peintre Arthur Stevens. Il est admis à la maison de santé du docteur Duval près de l'Étoile où il recevra les visites de Sainte-Beuve, Maxime Du Camp, Banville, Leconte de Lisle, Nadar; Mme Paul Meurice vient lui jouer du Wagner.

Mort de Gavarni; Manet: *Le Fifre* (refusé au Salon); articles de Zola sur Manet dans *L'Événement*; Verlaine: *Poèmes saturniens*; Hugo: *Les Travailleurs de la mer*; premier recueil du *Parnasse contemporain* où l'on retrouve les poèmes insérés dans la cinquième et la dix-huitième livraison.

1867. *31 août*. Mort de Baudelaire; le poète est inhumé au cimetière Montparnasse, dans le caveau familial, près du général Aupick. Asselineau et Banville prononcent quelques mots devant une assistance clairsemée. «Continuant, quoique novateur, la tradition antique, Victor Hugo a toujours transfiguré l'homme et la nature à l'image d'un certain idéal voulu ; au contraire, Baudelaire, comme Balzac, comme Daumier, comme Eugène Delacroix, accepte tout l'homme moderne, avec ses défaillances, avec sa grâce maladive, avec ses aspirations impuissantes, avec ses triomphes mêlés de tant de découragement et tant de pleurs ! » (Banville). Dans la presse, une série d'articles et de notices, généralement brefs, alimentent la légende baudelairienne. Jules Vallès : « Il y avait en lui du prêtre, de la vieille femme et du cabotin. [...] Il n'était pas le poète d'un enfer terrible, mais le damné d'un enfer burlesque. [...] S'il n'eût fait que des vers et point de farces, il eût été simplement le Siméon Pécontal de la pornographie, mais il grimaça et se disloqua » (*La Situation*, 5 septembre). Le même jour, la *Revue nationale et étrangère* commence la publication d'une dernière série de *Petits poèmes en prose*.

868-1869. Publication, par Asselineau et Banville, des *Œuvres complètes* de Baudelaire. La préface de Théophile Gautier, qui sera constamment réimprimée en tête des *Fleurs du Mal* jusqu'en 1917, fait de Baudelaire l'exemple même du poète de la décadence. C'est dans cette édition que Barrès, Bourget, Nietzsche, Gide, Stefan George, Proust, Valéry, Walter Benjamin et bien d'autres liront Baudelaire. Publication de la première bibliographie baudelairienne (La Fizelière et Decaux) et de la première biographie (Asselineau). Au lendemain de sa mort, Baudelaire est devenu une référence incontournable.

1870. Nadar aperçoit pour la dernière fois Jeanne Duval qui, appuyée sur des béquilles, traîne sur les boulevards.

1871. Mort de la mère de Baudelaire.

1887. Publication par Eugène Crépet des *Œuvres posthumes et correspondances inédites* (Quantin) révélant les *Journaux intimes*, un choix de notes sur la Belgique, un choix de lettres, dont l'échange avec Richard Wagner au moment de *Tannhäuser* à Paris. Nietzsche, qui avait lu Baudelaire quelques années auparavant à travers Bourget et Gautier, trouve la confirmation de ce qui n'était qu'une intuition : Baudelaire est le génie le plus proche de Wagner, le seul qui ait compris le compositeur... avant Nietzsche lui-même.

1890. Mort de Mme Sabatier.

1892. *La Plume*, revue artistique et littéraire, lance une souscription pour une statue de Baudelaire.

1896. Publication du *Tombeau de Baudelaire* réunissant les réponses des écrivains contemporains à propos du projet de statue, parmi eux Mallarmé, Coppée, Léon Dierx, Rodenbach, Vielé-Griffin, Stefan George.

1901. Mort de Marie Daubrun.

1906. Publication d'un volume de *Lettres (1841-1866)* au Mercure de France par Féli Gautier et de la biographie d'Eugène Crépet et de son fils Jacques (Messein) qui est la réédition très augmentée de la biographie parue en tête des *Œuvres posthumes*.

1910. Inauguration de la rue Baudelaire dans le XIIe arrondissement de Paris.

1917. Les œuvres de Baudelaire tombent dans le domaine public. La célébration du cinquantenaire de la mort de Baudelaire donne lieu à une série de manifestations et de publications.

1922-1953. Publication par Jacques Crépet de la grande édition critique et commentée en 19 volumes (Conard). Aucun autre auteur français du XIXe siècle ne bénéficie à la même époque d'un tel luxe de commentaires et d'éclaircissements.

1931. Les *Œuvres poétiques* de Baudelaire constituent le premier volume dans la « Bibliothèque de la Pléiade » ; ses traductions de Poe forment le deuxième, ses *Œuvres critiques* le septième volume de la célèbre collection. Le poète maudit est devenu un classique.

1949. Réhabilitation de Baudelaire par la Cour de cassation qui invalide le jugement de 1857. Les six pièces condamnées, qui circulent depuis de nombreuses années sans encourir la moindre sanction, peuvent désormais être publiées légalement. La justice ne fait donc qu'enregistrer un état de fait.

NOTICE

TEXTE ET VARIANTES

Deux livres de Baudelaire seulement ont vu le jour du vivant de leur auteur : *Les Fleurs du Mal* et *Les Paradis artificiels*. Les *Petits Poèmes en prose* n'ont été réunis en volume qu'après la mort de l'auteur. Leur sort est comparable à celui des autres recueils posthumes, tels *L'Art romantique* et *Curiosités esthétiques* ; mais il n'est pas tout à fait le même.

Durant les dernières années de sa vie, Baudelaire a plusieurs fois songé à une édition de ses œuvres complètes qui lui aurait permis de rassembler aussi bien les poèmes devant former *Le Spleen de Paris* que les textes de critique artistique et littéraire. Toutefois, les forces lui manquèrent pour exécuter un projet auquel les éditeurs ne s'intéressaient guère. Ce furent Asselineau et Banville qui le réalisèrent, en publiant l'édition dite « définitive » des œuvres de Baudelaire chez Michel Lévy frères (1868-1869). Ils disposèrent pour leur travail d'éléments et d'indications laissés par Baudelaire. Les données concernant les articles de critique littéraire et artistique étaient fort incomplètes et le parti qu'en ont tiré Asselineau et Banville est contestable. C'est pourquoi la plupart des éditeurs modernes rejettent les assemblages de textes publiés sous le titre d'*Art romantique* et de *Curiosités esthétiques* ; comme ils rejettent la version des *Fleurs du Mal* publiée dans le cadre de cette édition. En revanche, l'édition « définitive » mérite de conserver son autorité dans le domaine des *Petits Poèmes en prose*, à la fois pour le contenu du recueil et pour le texte des différents poèmes, même si cette autorité doit être contestée sur des points de détail.

L'ensemble du recueil, tel qu'il a été composé par Asselineau et Banville, correspond à un sommaire autographe établi par Baudelaire vers 1865. Ce document, qui ne porte pas de titre collectif, est conservé à la Bibliothèque littéraire Jacques Doucet ; il énumère les cinquante poèmes dans l'ordre suivi par les éditeurs posthumes. Manquent la dédicace à Arsène Houssaye et l'*Épilogue* en vers : celui-ci n'appartient pas aux *Poèmes en prose*, mais aux *Fleurs du Mal* ; celle-là n'aurait peut-être pas été conservée sous la forme que nous lui connaissons (voir les commentaires respectifs).

Pour établir le texte des différents poèmes, Asselineau et Banville n'ont pas seulement disposé des versions préoriginales parues en revue, mais d'un dossier constitué par Baudelaire en vue d'une éventuelle publication du *Spleen de Paris*. Ce dossier contenait notamment les quatre feuilletons de *La Presse*, corrigés par la main de Baudelaire. Seuls les trois premiers de ces feuilletons avaient paru ; le quatrième, supprimé par Arsène Houssaye, était resté à l'état d'épreuve.

Ainsi, c'est bien l'édition « définitive », appelée *Édition posthume*, qu'il convient d'adopter comme texte de base. Pour chaque poème, on trouvera d'abord, dans l'ordre chronologique, les différents états du texte, puis un choix restreint de variantes significatives, établies par rapport au texte de 1869.

COMMENTAIRES

Ils comportent, en principe, deux parties : généralités (genèse du poème, thématique, rapprochements) ; annotation de détail (expressions, allusions, images).

À remarquer : aucun des rapprochements avec d'autres œuvres ne prétend dénoncer une « source » de Baudelaire, même quand il s'agit d'un emprunt nettement identifié, comme c'est le cas pour le sujet des *Vocations* ou pour un passage des *Bons Chiens*. Ce qu'il importe de noter, c'est que les intertextualités repérables dans *Le Spleen de Paris* sont encore plus nombreuses que celles des *Fleurs du Mal*. Mais elles sont d'une nature différente. Si, dans les vers, le lecteur perçoit les échos de plusieurs siècles de poésie, dans la prose, il est confronté avec des images tirées de la vie quotidienne.

Poèmes prosaïques bien plus que proses poétiques, les textes du *Spleen de Paris* tirent leur symbolisme d'une mythologie de la grande ville que nous avons essayé de mettre au jour dans la mesure du possible.

CHRONOLOGIE
DES PUBLICATIONS PRÉORIGINALES

(les astérisques signalent qu'il s'agit de republications)

1855

FONTAINEBLEAU. Hommage à C. F. DENECOURT. — *Paysages — Légendes — Souvenirs — Fantaisies*, par Charles Asselineau, Philibert Audebrand, Théodore de Banville, Baudelaire, [etc.], Hachette : « Les Deux Crépuscules » :

À Fernand Desnoyers [lettre]
Le Soir [vers]
Le Matin [vers]
Le Crépuscule du soir
La Solitude

1857

LE PRÉSENT. *Revue hebdomadaire de la littérature et des beaux-arts*, 24 août : « Poèmes nocturnes » :

Le Crépuscule du soir*
La Solitude*
Les Projets
L'Horloge
La Chevelure
L'Invitation au voyage

Enfin la mention : *La suite prochainement.*

1861

REVUE FANTAISISTE, 1er novembre: «Poèmes en prose»:

I. Le Crépuscule du soir*
II. La Solitude**
III. Les Projets*
IV. L'Horloge*
V. La Chevelure*
VI. L'Invitation au voyage*
VII. Les Foules
VIII. Les Veuves
IX. Le Vieux Saltimbanque

Enfin la mention: *La suite à la prochaine livraison*. Or, la *Revue fantaisiste* meurt avec le numéro suivant.

1862

LA PRESSE, 26 et 27 août, 24 septembre: «Petits Poèmes en prose»:

À Arsène Houssaye

I. L'Étranger
II. Le Désespoir de la vieille
III. Le *Confiteor* de l'artiste
IV. Un plaisant
V. La Chambre double
VI. Chacun la sienne
VII. Le Fou et la Vénus
VIII. Le Chien et le flacon
IX. Le Mauvais Vitrier

Enfin la mention: *La suite à demain*.

X. À une heure du matin
XI. La Femme sauvage et la petite-maîtresse
XII. Les Foules*
XIII. Les Veuves*
XIV. Le Vieux Saltimbanque*

Suit la mention: *La suite prochainement*.

XV. Le Gâteau
XVI. L'Horloge**
XVII. Un hémisphère dans une chevelure. Poème exotique**
XVIII. L'Invitation au voyage**
XIX. Le Joujou du pauvre
XX. Les Dons des fées

Enfin la mention: *La suite prochainement.* Pour le quatrième feuilleton, qui a été composé, mais non publié, voir la notice, p. 271.

1863

REVUE NATIONALE ET ÉTRANGÈRE, 10 juin: «Petits Poèmes en prose»:
Les Tentations ou Éros, Plutus et la gloire
La Belle Dorothée
LE BOULEVARD, 14 juin: «Poèmes en prose»:
I. [Sans titre: Les Bienfaits de la Lune]
II. Laquelle est la vraie?
REVUE NATIONALE ET ÉTRANGÈRE, 10 octobre et 10 décembre: «Petits Poèmes en prose»:
I. Une mort héroïque
II. Le Désir de peindre
Le Thyrse (À Franz Liszt)
Les Fenêtres
Déjà!

1864

LE FIGARO, 7 et 14 février: «Le Spleen de Paris. Poèmes en prose»; «chapeau» signé par G. Bourdin:
La Corde (À Édouard Manet)
Le Crépuscule du soir***
Le Joueur généreux
Enivrez-vous
Suit la mention: *Sera continué.*
Les Vocations
Un cheval de race
Enfin la mention: *Sera continué.*
LA SEMAINE DE CUSSET ET DE VICHY, 28 mai:
Les Vocations*
LA VIE PARISIENNE, 2 juillet et 13 août:
Les Yeux des pauvres [sans signature].
Les Projets** [signé C. B.]
L'ARTISTE, 1er novembre: «Petits Poèmes en prose»:
Une mort héroïque*
La Fausse Monnaie
La Corde*

NOUVELLE REVUE DE PARIS, 25 décembre: «Le Spleen de Paris. Poèmes en prose»:

I. Les Yeux des pauvres*
II. Les Projets***
III. Le Port
IV. Le Miroir
V. La Solitude***
VI. La Fausse Monnaie*

1865

L'INDÉPENDANCE BELGE, 21 juin:
Les Bons Chiens (À M. Joseph Stevens)

1866

REVUE DU XIXe SIÈCLE, 1er juin: «Petits Poèmes lycanthropes»:

I. La Fausse Monnaie**
II. Le Diable* [Le Joueur généreux]

L'ÉVÉNEMENT, 12 juin: «Le Spleen de Paris»:
La Corde (À Édouard Manet)**

LA PETITE REVUE, 27 octobre:
Les Bons Chiens (À M. Joseph Stevens)*

LE GRAND JOURNAL, 4 novembre:
Les Bons Chiens (À M. Joseph Stevens)**
[publié d'après *La Petite Revue,* précédé d'un avertissement par Poulet-Malassis]

1867

REVUE NATIONALE ET ÉTRANGÈRE, 31 août, 7, 14, 21, 28 septembre et 11 octobre:

Les Bons Chiens***
L'Idéal et le réel* [Laquelle est la vraie?]
Les Bienfaits de la Lune (À Mademoiselle B.)*
Portraits de maîtresses
Any where out of the world. N'importe où hors du monde
Le Tir et le cimetière

1869

Poèmes publiés pour la première fois dans le t. IV des *Œuvres complètes* (Michel Lévy, 1869) :

Le Galant Tireur
La Soupe et les nuages
Perte d'auréole
Mademoiselle Bistouri
Assommons les pauvres !
Épilogue

ORIENTATION BIBLIOGRAPHIQUE

Les ouvrages et articles consacrés à la vie et à l'œuvre de Baudelaire sont plus nombreux que les travaux dévolus à n'importe quel autre écrivain français. On ne retiendra ici qu'un choix restreint de titres.

Paris, lieu d'édition, n'est pas mentionné dans les références.

BIBLIOGRAPHIE, ÉTATS PRÉSENTS, CATALOGUES D'EXPOSITION, PÉRIODIQUES SPÉCIALISÉS

La bibliographie baudelairienne comporte plus de soixante mille titres, enregistrés par l'ordinateur du « W. T. Bandy Center for Baudelaire and Modern French Studies » de l'Université Vanderbilt (Nashville, Tennessee), site web : www.library.vanderbilt.edu/central/frencoll.html.

CARGO (Robert T.), *Baudelaire Criticism 1950-1967. A Critical Bibliography*, University of Alabama Press, 1968.

KOPP (Robert), « Où en sont les études sur Baudelaire ? », *Cahiers de l'Association internationale des études françaises*, n° 41, mai 1989.

Charles Baudelaire, exposition organisée pour le Centenaire des *Fleurs du Mal*. Bibliothèque nationale, 1957.

Baudelaire, Petit Palais, exposition organisée pour le Centenaire de la mort de Baudelaire, 1968-1969.

Baudelaire/Paris, Catalogue de l'exposition à la Bibliothèque historique de la Ville de Paris, 1993. Préface d'Yves Bonnefoy ; réimprimé en 2004.

Bulletin baudelairien, Vanderbilt University, p. p. W. T. Bandy, J. S. Patty, Cl. Pichois, R. P. Poggenburg. Paraît deux fois par an depuis 1965.
Études baudelairiennes, p. p. M. Eigeldinger, R. Kopp, Cl. Pichois; Neuchâtel, La Baconnière, 1969-1991, 13 volumes.
L'Année Baudelaire, p. p. John E. Jackson et Cl. Pichois, Klincksieck, 1995-1999; Champion, depuis 2002.

ÉDITIONS COMPLÈTES ET CORRESPONDANCES

Œuvres complètes, p. p. J. Crépet, Conard-Lambert, 1922-1953, 19 volumes, dont 5 volumes de traductions de Poe, 3 volumes d'œuvres posthumes et 6 volumes de correspondance.
Œuvres complètes, texte établi, présenté et annoté par Claude Pichois, Gallimard, «Bibliothèque de la Pléiade», 1975-1976, 2 volumes.

Correspondance, texte établi, présenté et annoté par Claude Pichois, avec la collaboration de Jean Ziegler, Gallimard, «Bibliothèque de la Pléiade», 1973, 2 volumes.
Nouvelles lettres, publiées par Claude Pichois, Fayard, 2000.

Correspondance, choix et présentation de Claude Pichois et Jérôme Thélot, Gallimard, coll. «Folio», 2000.

Lettres à Charles Baudelaire, publiées par Claude Pichois avec la collaboration de Vincenette Pichois, Neuchâtel, La Baconnière, coll. «Études baudelairiennes», t. IV-V, 1973.

ÉDITIONS CRITIQUES

Les Fleurs du Mal, p. p. Jacques Crépet et Georges Blin, Corti, 1942, 2e édition 1950.
Les Fleurs du Mal, p. p. Jacques Crépet, G. Blin et Cl. Pichois, Corti, 1968. Seul le tome I contenant le texte et les variantes a paru.

Petits Poèmes en prose, édition critique par Robert Kopp, Corti, 1969.

Salon de 1845, édition critique avec introduction, notes et commentaires d'André Ferran, Toulouse, Aux Éditions de l'Archer, 1933.

Salon de 1846, texte établi et présenté par David Kelley, Oxford, Clarendon Press, 1975.

Un mangeur d'opium, avec le texte parallèle des *Confessions of an English Opium-Eater* et des *Suspiria de profundis* de Thomas de Quincey, édition critique et commentée par Michèle Stäuble-Lipmon Wulf, Neuchâtel, La Baconnière, coll. « Études baudelairiennes », t. VI-VII, 1976.

Théophile Gautier, deux études critiques, édition critique, annotée et commentée par Philippe Terrier, Neuchâtel, La Baconnière, coll. « Études baudelairiennes », t. XI, 1985.

Journaux intimes, édition critique établie par Jacques Crépet et Georges Blin, Corti, 1949.
Fusées. Mon cœur mis à nu. La Belgique déshabillée, édition d'André Guyaux, Gallimard, coll. « Folio », 1986.

LIVRES D'INTRODUCTION

PIA (Pascal), *Baudelaire par lui-même*, Seuil, 1952 ; réimpressions.
RUFF (Marcel A.), *Baudelaire, l'homme et l'œuvre*, Hatier, coll. « Connaissance des lettres », 1955.
MILNER (Max), *Baudelaire. Enfer ou ciel, qu'importe ?*, Plon, 1967.
JACKSON (John E.), *Baudelaire*, Librairie générale française, coll. « Le Livre de Poche », 2001.
KOPP (Robert), *Baudelaire. Le soleil noir de la modernité*, Gallimard, coll. « Découvertes », 2004.

ÉTUDES BIOGRAPHIQUES ET ICONOGRAPHIQUES

CRÉPET (Jacques), *Baudelaire*, Messein, 1906 ; Genève, Slatkine reprint, 1993.
BANDY (William Thomas) et PICHOIS (Claude), *Baudelaire devant ses contemporains*, Éditions du Rocher, 1957 ; Klincksieck, coll. « Bibliothèque baudelairienne », 1995.

POGGENBURG (Raymond), *Baudelaire : une micro-histoire*, Corti, 1987 ; disponible sur internet.

PICHOIS (Claude) et ZIEGLER (Jean), *Baudelaire*, Julliard, 1987, nouvelles éditions Fayard, 1996 et 2005.

PICHOIS (Claude) et AVICE (Jean-Paul), *Dictionnaire Baudelaire*, Tusson (Charente), Du Lérot, 2002.

PICHOIS (Claude) et RUCHON (François), *Iconographie de Baudelaire*, Genève, Cailler, 1960.

Album Baudelaire, iconographie réunie et commentée par Claude Pichois, Gallimard, 1974.

ESSAIS D'ÉCRIVAINS

BOURGET (Paul), « Baudelaire », *La Nouvelle Revue*, 15 novembre 1881 ; repris dans *Essais de psychologie contemporaine*, Lemerre, 1883 ; rééd. André Guyaux, Gallimard, coll. « Tel », 1993.

BARRÈS (Maurice), « La Folie de Charles Baudelaire », *Les Taches d'encre*, 5 novembre et 5 décembre 1884 ; repris en volume sous le même titre, Les Écrivains réunis, 1926.

RIVIÈRE (Jacques), « Baudelaire », *La Nouvelle Revue française*, 1er décembre 1910 ; repris dans *Études*, Gallimard, 1911, et dans *Études (1909-1924)*, Gallimard, coll. « Les Cahiers de la NRF », 1999.

GIDE (André), conférence sur Baudelaire prononcée en 1914, partiellement reprise comme préface à l'édition Pelletan des *Fleurs du Mal* (1917), avant d'entrer dans *Essais critiques*, Gallimard, « Bibliothèque de la Pléiade », 1999.

PROUST (Marcel), « À propos de Baudelaire » (lettre à Jacques Rivière), *La Nouvelle Revue française*, juin 1921 ; repris dans *Contre Sainte-Beuve*, précédé de *Pastiches et mélanges* et suivi de *Essais et articles*, édition établie par Pierre Clarac avec la collaboration d'Yves Sandre, Gallimard, « Bibliothèque de la Pléiade », 1971 ; voir dans le même volume le chapitre « Sainte-Beuve et Baudelaire ».

VALÉRY (Paul), « Situation de Baudelaire », conférence prononcée le 19 février 1924 et publiée la même année à l'Imprimerie de Monaco ; repris dans *Maîtres et Amis* (1927), *Variété II* (1929) ; voir *Œuvres*, édition établie par Jean Hytier, t. I, Gallimard, « Bibliothèque de la Pléiade », 1957.

JOUVE (Pierre Jean), *Tombeau de Baudelaire*, Neuchâtel, La Baconnière, 1942 ; nlle éd., Seuil, 1958 ; « *Le Spleen de*

Paris », *Mercure de France*, 1er novembre 1954 ; repris en guise d'introduction dans les *Œuvres complètes* du Club du meilleur livre, 1955.

BATAILLE (Georges), « Baudelaire », *Critique*, janvier-février 1947 ; repris dans *La Littérature et le mal*, Gallimard, 1957.

BLANCHOT (Maurice), « L'échec de Baudelaire », dans *La Part du feu*, Gallimard, 1949.

BONNEFOY (Yves), préface aux *Fleurs du Mal* dans les *Œuvres complètes* du Club du meilleur livre, 1955 ; repris dans *L'Improbable et autres essais*, Mercure de France, 1959 ; « Baudelaire contre Rubens », *L'Éphémère*, nº 9, 1970, repris dans *Le Nuage rouge*, Mercure de France, 1977 ; *Baudelaire : la tentation de l'oubli*, Bibliothèque nationale de France, 2000 ; *Le Poète et « le flot mouvant des multitudes », Paris pour Nerval et pour Baudelaire*, Bibliothèque nationale de France, 2003.

EXÉGÈSES

FERRAN (André), *L'Esthétique de Baudelaire*, Hachette, 1933, nlle éd. Nizet, 1967.

BENJAMIN (Walter), *Baudelaire, un poète lyrique à l'apogée du capitalisme* (1939), préface et traduction de Jean Lacoste, Petite Bibliothèque Payot, 1982.

BLIN (Georges), *Baudelaire*, Gallimard, 1939.

BLIN (Georges), *Le Sadisme de Baudelaire*, Corti, 1948.

POMMIER (Jean), *Dans les chemins de Baudelaire*, Corti, 1945.

MACCHIA (Giovanni), *Baudelaire e la poetica della malinconia*, 1946 ; 5e éd. Milan, Rizzoli, 1992.

SARTRE (Jean-Paul), *Baudelaire*, Gallimard, 1947 (publié en 1946 comme introduction aux *Journaux intimes*) ; coll. « Folio essais », 1988.

PRÉVOST (Jean), *Baudelaire. Essai sur l'inspiration et la création poétiques*, Mercure de France, 1953 ; Zulma, 1998.

RUFF (Marcel A.), *L'Esprit du mal et l'esthétique baudelairienne*, Armand Colin, 1955 ; Genève, Slatkine, 1972.

AUSTIN (Lloyd James), *L'Univers poétique de Baudelaire : symbolisme et symbolique*, Mercure de France, 1956.

CRÉPET (Jacques), *Propos sur Baudelaire*, Mercure de France, 1957.

PICHOIS (Claude), *Baudelaire. Études et témoignages*, Neuchâtel, La Baconnière, 1967.

GALAND (René), *Baudelaire. Poétiques et poésie*, Nizet, 1969.

LEAKEY (F. W.), *Baudelaire and Nature*, Manchester University Press, 1969.

STAROBINSKI (Jean), *La Mélancolie au miroir. Trois lectures de Baudelaire*, Julliard, 1989.

THÉLOT (Jérôme), *Baudelaire, violence et poésie*, Gallimard, 1993.

LABARTHE (Patrick), *Baudelaire et la tradition de l'allégorie*, Genève, Droz, 1999.

BRUNEL (Pierre), *Baudelaire et le «puits des magies»*, Corti, 2003.

COMPAGNON (Antoine), *Baudelaire devant l'innombrable*, Presses universitaires de Paris IV-Sorbonne, 2003.

LIVRES ET ARTICLES SUR *LE SPLEEN DE PARIS*

BERNARD (Suzanne), *Le Poème en prose de Baudelaire à nos jours*, Nizet, 1959.

NIES (Fritz), *Poesie in prosaischer Welt. Untersuchungen zum Prosagedicht bei Aloysius Bertrand und Baudelaire*, Heidelberg, Carl Winter, 1964.

MAURON (Charles), *Le Dernier Baudelaire*, Corti, 1966.

JOHNSON (Barbara), *Défigurations du langage poétique: la seconde révolution baudelairienne*, Flammarion, 1979.

HIDDLESTON (James Andrew), *Baudelaire and* Le Spleen de Paris, Oxford, Clarendon Press, 1987.

KAPLAN (Edward K.), *Baudelaire's Prose Poems. The Esthetic, the Ethical and the Religious in* The Parisian Prowler, Athens et Londres, University of Georgia Press, 1990.

EVANS (Margery A.), *Baudelaire and Intertextuality*, Cambridge University Press, coll. «Cambridge Studies in French», 38, 1993.

LABARTHE (Patrick), *Patrick Labarthe commente* Petits Poèmes en prose *de Charles Baudelaire*, Gallimard, «Foliothèque», 2000.

MURPHY (Steve), *Logiques du dernier Baudelaire: lectures du «Spleen de Paris»*, Champion, 2003.

GUISAN (Gilbert), «Prose et poésie d'après Baudelaire», *Études des lettres*, nº 70, février 1948.

FAIRLIE (Alison), «Observations sur les *Petits Poèmes en prose*», *Revue des sciences humaines*, juillet-septembre 1967.

STAROBINSKI (Jean), «Sur quelques répondants allégoriques du poète», *RHLF*, avril-juin 1967.

STAROBINSKI (Jean), « Sur Rousseau et Baudelaire. Le dédommagement et l'irréparable », *Le Lieu et la formule. Hommage à Marc Eigeldinger*, Neuchâtel, La Baconnière, 1978.

KOPP (Robert), « À propos des *Petits Poèmes en prose* ou Baudelaire entre Racine et le journalisme du Second Empire », *Berenice*, nº 7, mars 1983.

EIGELDINGER (Marc), « Baudelaire juge de Jean-Jacques », « *Le Thyrse* et la poétique du poème en prose » et « *Le Spleen de Paris* », dans *Mythologie et intertextualité*, Genève, Slatkine, 1987.

KRUSE (Margot), « Motive zwischen Tradition und Innovation in den *Petits Poèmes en prose* von Baudelaire », *Gattungsinnovation und Motivstruktur*, p. p. Theodor Wolpers, Göttingen, Vandenhoeck und Ruprecht, 1989.

LAWLER (James), « The Prose Poem as Art of Anticlimax : Baudelaire's Kaleidoscope », *Australian Journal of French Studies*, 1999, 3, vol. XXXVI.

NOTES ET VARIANTES

Page 103. À ARSÈNE HOUSSAYE

La Presse, 26 août 1862.
Coupure de *La Presse* ; sans correction.

Un premier germe de cette dédicace se trouve dans la lettre adressée à Arsène Houssaye et portant la date « Noël. 1861 » :

Vous qui, avec l'air inoccupé, savez si bien remplir une journée, trouvez quelques instants pour parcourir ce spécimen de poèmes en prose que je vous envoie. Je fais une longue tentative de cette espèce, et j'ai l'intention de vous la dédier. À la fin du mois je vous remettrai tout ce qu'il y aura de fait (un titre comme : *Le Promeneur solitaire*, ou *Le Rôdeur parisien* vaudrait mieux peut-être). Vous serez indulgent ; car vous avez fait aussi quelques tentatives de ce genre, et vous savez combien c'est difficile, particulièrement pour éviter d'avoir l'air de montrer le plan d'une chose à mettre en vers. [...]

Le bon côté de ce travail est qu'on peut le couper où l'on veut. J'ai dans l'idée qu'Hetzel y trouvera la matière d'un volume romantique à images.

Mon point de départ a été *Gaspard de la Nuit* d'Aloysius Bertrand, que vous connaissez sans aucun doute ; mais j'ai bien vite senti que je ne pouvais pas persévérer dans ce pastiche et que l'œuvre était inimitable. Je me suis résigné à être moi-même. Pourvu que je sois amusant, vous serez content, n'est-ce pas ?

Il y a déjà quelque temps que je voulais vous offrir ce petit volume, et j'apprends que vous opérez un miracle, ou du moins que vous voulez l'opérer, en rajeunissant *L'Artiste*. Ce serait bien beau ; ça *nous* rajeunirait nous-mêmes.

Ces idées seront reprises et développées dans un canevas qui figure dans le *Carnet* de Baudelaire :

À Houssaye

Les dons des fées.
Le gâteau.

Le titre.
La dédicace.
à Cat [*biffé*]
Sans queue ni tête. Tout queue et tête.
Commode pour moi. Commode pour vous. Commode pour le Lecteur. Nous pouvons tous couper où nous voulons, moi ma rêverie, vous le manuscrit, le lecteur sa lecture. Et je ne suspends pas la volonté rétive au fil interminable d'une intrigue superflue.
J'ai cherché des titres. Les 66. Quoique cependant cet ouvrage tenant de la vis et du kaléidoscope pourrait [*biffé*] put [*sic*] bien être poussé jusqu'au cabalistique 666 et même 6666...
Qu'on me sache [*biffé*]
Cela vaut [*biffé*] Cela vaut mieux qu'une intrigue de 6 000 pages; Qu'on me sache donc gré de ma modération.
Quel est celui de nous qui n'a pas rêvé une prose particulière et poétique pour traduire les mouvements lyriques de l'esprit, les ondulations de la rêverie, et les soubresauts de la conscience?
Mon point de départ a été Aloysius Bertrand. Ce qu'il avait fait pour la vie ancienne et pittoresque, je voulais le faire pour la vie moderne et abstraite. Et puis dès le principe, [je me suis aperçu] que je faisais AUTRE chose que ce que je voulais imiter. Ce dont un autre s'enorgueillirait, mais qui m'humilie, moi qui crois que le poète doit toujours faire juste ce qu'il veut faire.

Note sur le mot célèbre.
Enfin, petits tronçons
tout le serpent.

À Catrin
La signature
La suite prochainement.

$$\begin{array}{r} 18 \\ \underline{55} \\ 90 \\ \underline{90} \\ 990 \end{array}$$

Proche déjà du texte publié par *La Presse*, ce canevas diffère néanmoins de celui-ci sur un point important: il n'y est pas encore question du rôle que joue «la fréquentation des villes énormes» dans l'inspiration des poèmes en prose. Baudelaire aurait-il maintenu cette dédicace en tête du *Spleen de Paris*? Elle ne figure pas dans la liste des titres qui a servi à Asselineau et à Banville pour la publication de l'édition posthume. Les compliments adressés à Houssaye n'ont pas empêché ce dernier d'interrompre la publication des *Petits Poèmes en prose* après le troisième feuilleton. Il allait pourtant leur ouvrir les colonnes de *L'Artiste* deux ans plus tard. De son côté, Baudelaire cite Houssaye dans la «liste des canailles» (*Mon cœur mis à nu*) avant de le faire figurer parmi les récipiendaires des *Histoires grotesques et sérieuses* (avec lettre d'envoi).

l. 1-17 : *tête, queue, tronçons, serpent.* — À la différence des *Fleurs du Mal* les *Poèmes en prose* ne sont pas disposés selon une certaine « architecture » (mot lancé par Barbey d'Aurevilly). À la manière des feuilletonistes, Baudelaire consent à couper son œuvre en « tronçons de serpent » (selon le « mot célèbre » d'Henri de Latouche (s'en prenant à Eugène Sue), auquel fait allusion le canevas de la dédicace).

l. 18-20 : *Gaspard de la Nuit.* — Recueil posthume, publié en 1842, un an après la mort de Bertrand, par David d'Angers et Victor Pavie, préfacé par Sainte-Beuve. « Un des plus grands désastres de la librairie », selon Pavie. Vingt ans après, Bertrand n'était même pas un *nom* bien que Houssaye l'eût cité dans son *Voyage à ma fenêtre* (Lecou, 1851). Fortuné Calmels lui consacrait un article de la série « Les Oubliés du XIXe siècle » (*Revue fantaisiste,* 15 octobre 1861). Baudelaire a certainement lu ce texte suivi d'extraits : il devait se rappeler qu'il avait été, selon le témoignage de Prarond, parmi les tout premiers lecteurs de *Gaspard de la Nuit.* Toutefois, l'influence de cette œuvre sur *Le Spleen de Paris* est minime.

l. 39-40 : *La Chanson du vitrier.* — Ce morceau fort plat à tendances humanitaires figure dans les *Poésies complètes* d'A. Houssaye (1850) : l'auteur a rencontré un vitrier qui a le ventre vide pour n'avoir pas réussi à vendre un seul de ses carreaux ce jour-là ; il l'emmène au cabaret voisin, et le pauvre hère en sort réconforté, parce qu'il a trinqué non pas avec la Charité, mais avec la Fraternité. Houssaye ne semble pas avoir relevé l'ironie de cette dédicace.

Page 105. I. L'ÉTRANGER

La Presse, 26 août 1862 (P).

Coupure de *La Presse.* Corrections manuscrites de Baudelaire qui rendent le texte identique à celui de l'*Édition posthume.*

l. 2 : P : dis ? *tes parents,* ta sœur

l. 3 : P : ni *parents,* ni sœur

l. 11 : P : L'*argent* ?

Ce poème peut être rapproché des nombreux textes où Baudelaire se dit étranger au monde, de *Mon cœur mis à nu,* par exemple, dont il écrit à sa mère, le 3 juin 1863 : « tout en racontant mon éducation, la manière dont se sont façonnés mes idées et mes sentiments, je veux faire sentir sans cesse que je me sens comme étranger au monde et à ses cultes. » On connaît cette note de *Mon cœur mis à nu*; elle est à peu près contemporaine de *L'Étranger*: « Sentiment de *solitude*, dès mon enfance. Malgré la famille, — et au milieu des camarades surtout, — sentiment de destinée éternellement solitaire. »

La solitude, Baudelaire la recherche autant qu'il en souffre: « L'homme de génie veut être *un*, donc solitaire » (*Mon cœur mis à nu*). Attitude ambivalente, superstition de la différence qui ne se comprend pas, d'ailleurs, sans une référence au mal du siècle romantique. C'est l'isolement du Promeneur solitaire de Rousseau, de René de Chateaubriand, de Manfred de Byron, parmi d'autres.

l. 11 : *L'or?* — Même mépris pour la richesse dans *Les Veuves*, dans *Les Yeux des pauvres* et, nuancé d'une secrète envie, dans *Les Tentations*.

l. 16 : *les merveilleux nuages!* — C'est en 1859 que Baudelaire fit à Honfleur la connaissance de Boudin (« le roi des ciels », comme l'appelait Corot), dont il célébrait, dans le *Salon* de la même année, les pastels, qu'il avait vus dans l'atelier du peintre :

> À la fin tous ces nuages aux formes fantastiques et lumineuses, ces ténèbres chaotiques, ces immensités vertes et roses, suspendues et ajoutées les unes aux autres, ces fournaises béantes, ces firmaments de satin noir ou violet, fripé, roulé ou déchiré, ces horizons en deuil ou ruisselant de métal fondu, toutes ces profondeurs, toutes ces splendeurs, me montèrent au cerveau comme une boisson capiteuse ou comme l'éloquence de l'opium. Chose curieuse, il ne m'arriva pas une seule fois, devant ces magies liquides ou aériennes, de me plaindre de l'absence de l'homme.

Page 106. II. LE DÉSESPOIR DE LA VIEILLE

La Presse, 26 août 1862.
Coupure de *La Presse*. Sans correction.

À comparer, dans *Le Spleen de Paris*, aux *Veuves* et aux *Fenêtres*; dans *Les Fleurs du Mal*, aux *Petites Vieilles*.

On connaît l'élan de sympathie et de charité qui a porté Baudelaire vers la vieille femme, « l'être sans sexe, qui a ce grand mérite — comme il l'écrit dans *Pauvre Belgique* — d'attendrir l'esprit sans émouvoir les sens » et qui ne porte plus sur son visage « toute la laideur et toute la sottise dont la jeune a été marquée dans le ventre maternel ».

Page 107. III. LE *CONFITEOR* DE L'ARTISTE

La Presse, 26 août 1862.
Coupure de *La Presse*. Sans correction.

La figure de l'artiste et les problèmes d'esthétique occupent une place importante dans les poèmes en prose. Plusieurs pièces sont consacrées à la condition de l'artiste (*Le Chien et le flacon, Le Vieux Saltimbanque, Une mort héroïque*) ou à l'attitude de celui-ci face à la Beauté (*Le «Confiteor», Le Fou et la Vénus*). La présente confession résume l'art poétique de Baudelaire, qui sera complété par *Le Thyrse*; aussi chacune des images et des expressions employées trouve-t-elle son prolongement dans d'autres œuvres.

l. 1 : *journées d'automne.* — Cf., dans *Les Fleurs du Mal, Ciel brouillé, Chant d'automne, Sonnet d'automne.*
l. 5 : *l'Infini.* — Cf. le premier chapitre des *Paradis artificiels*, «Le Goût de l'infini».
l. 11-12 : *toutes ces choses pensent par moi, ou je pense par elles.* — Cf. l'identification au monde extérieur décrite dans *La Chambre double* et dans mainte page des *Paradis artificiels.* C'est le même sentiment d'extase que Rousseau décrit dans la deuxième des *Rêveries du promeneur solitaire.*
Baudelaire a connu cet état durant les «beaux jours de l'esprit» que représente, par exemple, la peinture de Delacroix, ou la poésie de Banville. Moments si rares que l'artiste a fini par les demander aux médecines du diable. Or, le seul «miracle dont Dieu nous ait octroyé la jouissance», est-il dit dans *Les Paradis artificiels*, c'est le «travail successif et la contemplation», entendons : la poésie, ainsi définie dans *L'Art philosophique* : «qu'est-ce que l'art pur suivant la conception moderne ? C'est créer une magie suggestive contenant à la fois l'objet et le sujet, le monde extérieur à l'artiste et l'artiste lui-même.»

Page 109. IV. UN PLAISANT

La Presse, 26 août 1862.
Coupure de *La Presse*. Sans correction.

Incident observé ou imaginé dans les rues de la capitale en fête, à rapprocher de *La Femme sauvage*, du *Vieux Saltimbanque.*

l. 22 : *l'esprit de la France.* — Cf. les nombreux textes où Baudelaire, surtout à partir de 1860, dénonce la vanité des Français, leur sottise, leur indigence en matière poétique. « Je ne me rassasierai jamais d'insulter la France », écrit le poète à sa mère, le 11 octobre 1860, à propos de la préface des *Fleurs du Mal*, dont un des projets commence par la phrase : « La France traverse une phase de vulgarité. Paris, centre et rayonnement de bêtise universelle. »

Page 110. V. LA CHAMBRE DOUBLE

La Presse, 26 août 1862.
Coupure de *La Presse*. Sans correction.

La première partie de ce poème évoque une de ces « habitations imaginaires » (Poe) que décrit également *Rêve parisien*. Les deux pièces, dont la structure est identique, ont été conçues sous l'influence de la drogue : la rêverie provoquée par l'intoxication et suivie d'une chute dans la réalité, marquée par la réapparition du temps. Il convient donc de rapprocher *La Chambre double* des *Paradis artificiels* ainsi que des poèmes exprimant l'extase de la vie suffisante, comme *Le* Confiteor *de l'artiste, Le Fou et la Vénus, Le Gâteau.*

l. 2 : *une chambre véritablement spirituelle.* — La rêverie de Baudelaire est « surnaturaliste » et non pas « naturaliste », comme celle de Rousseau. Il n'empêche qu'elle est proche de celles du *Promeneur solitaire*. Baudelaire a lui-même esquissé ce rapprochement dans *Le Poème du Hachisch* (chap. IV) : il y reproche à Jean-Jacques de s'être « enivré sans hachisch ».

l. 57 : *la Sylphide.* — Allusion aux *Mémoires d'outre-tombe*. Baudelaire vénérait Chateaubriand, le créateur de « la grande école de la mélancolie », au même titre que La Bruyère, Buffon et Gautier, comme un des maîtres les plus sûrs en matière de langue et de style. Chateaubriand, Alphonse Rabbe et Poe représentent, comme il l'écrit dans *Fusées*, « la note éternelle, le style éternel et cosmopolite ».

l. 85 : *Il n'y a qu'une Seconde.* — On rapprochera la conclusion de ce poème du *Tir et le cimetière* ainsi que de *La Mort des pauvres* des *Fleurs du Mal*. Il n'est pas sans rappeler non plus *L'Enfer d'un maudit* dans *L'Album d'un pessimiste* d'Alphonse Rabbe.

Page 113. VI. CHACUN SA CHIMÈRE

La Presse, 26 août 1862.

Coupure de *La Presse.* Corrections manuscrites de Baudelaire qui rendent le texte identique à celui de l'*Édition posthume.*

Titre : P : Chacun *la sienne.*

Il n'est pas impossible que ce poème ait été inspiré à Baudelaire par un *Caprice* de Goya (« Tu que no puedes »), représentant deux hommes portant des ânes monstrueux. Baudelaire partageait avec Gautier une grande admiration pour le peintre et graveur espagnol ; il lui a consacré un important chapitre dans *Quelques caricaturistes étrangers* (1857).

Page 115. VII. LE FOU ET LA VÉNUS

La Presse, 26 août 1862.

Coupure de *La Presse.* Sans correction.

Encore un jour de fête, comme dans *Un plaisant* ou dans *Le Vieux Saltimbanque* ; ce décor est récurrent dans *Le Spleen de Paris.*

Le paysage extatique de la première partie du poème rappelle les sites évoqués dans *Le « Confiteor », Le Gâteau, L'Invitation au voyage.* La seconde partie rejoint, par la figure du bouffon, *Le Vieux Saltimbanque* et *Une mort héroïque* ; elle peut également être rapprochée de *La Beauté* des *Fleurs du Mal.*

Page 117. VIII. LE CHIEN ET LE FLACON

La Presse, 26 août 1862.

Coupure de *La Presse.* Sans correction.

Poème allégorique, reprenant le thème, maintes fois traité en vers et en prose, du divorce entre l'artiste et le public. « Les nations n'ont de grands hommes que malgré elles, — comme les familles », écrit Baudelaire au début des *Fusées.* Tout ce qui tend vers n'importe quel genre de perfection est condamné à l'impopularité. Il n'est pas seul à avoir fait cette expérience : Poe, Leconte de Lisle, Gautier — et Baudelaire y insiste dans les études qu'il leur a consacrées — ont déjà dû constater que « le génie est un reproche et une insulte pour la foule ».

Pour devenir populaire, ne faut-il pas se montrer populacier ? À la fin d'un des projets de préface aux *Fleurs du Mal*, Baudelaire a noté : « J'avais mis quelques ordures pour plaire à MM. les journalistes. Ils se sont montrés ingrats. » Et dans *Mon cœur mis à nu* : Le Français « est un animal de race latine ; l'ordure ne lui déplaît pas dans son domicile, et en littérature il est scatophage. Il raffole des excréments. Les littérateurs d'estaminet appellent cela le *sel gaulois*. » Les deux remarques datent à peu près de la même époque que *Le Chien et le flacon*.

Page 118. IX. LE MAUVAIS VITRIER

La Presse, 26 août 1862.
Coupure de *La Presse*. Sans correction.

Pièce qui a fortement contribué à la légende de Baudelaire : il n'était pas rare que l'on identifiât le poète avec le narrateur de cette fable. « On m'a attribué tous les crimes que je racontais », notait Baudelaire dans l'un des projets de préface aux *Fleurs du Mal*. Et d'ajouter : « Divertissement de la haine et du mépris ». Car il lui arrivait de se calomnier lui-même pour se plaindre ensuite de sa mauvaise réputation. Baudelaire n'a cessé d'alimenter sa légende, comme on peut s'en rendre compte par les témoignages recueillis par W. T. Bandy et Cl. Pichois dans *Baudelaire devant ses contemporains*, Éditions du Rocher, 1957.

Pour Sartre qui, dans son *Baudelaire*, cite plusieurs passages de ce poème, *Le Mauvais Vitrier* illustre « deux rites essentiels du dandysme » : « la mystification » et « les actes gratuits ». Mais ce n'est pas Baudelaire qui est à l'origine de ses propres gestes, il les accomplit sous l'impulsion d'influences extérieures et maudites. « Peu importe au fond qu'il attribue ses actes au Diable ou à l'Hystérie ; l'essentiel c'est qu'il n'en soit pas la cause mais la victime. Après cela, notons qu'il a, comme de coutume, laissé une porte ouverte : il ne croit pas au Diable. »

L'auteur du *Flaubert* aurait pu mentionner à l'appui de ses dires la lettre que Baudelaire, le 26 juin 1860, avait écrite à l'ermite de Croisset en réponse aux réticences formulées par ce dernier à l'égard de « l'*Esprit du Mal* » et du « levain du catholicisme » qu'il sentait affleurer dans *Les Paradis artificiels* : « J'ai été frappé de votre observation, et étant descendu très sincèrement dans le souvenir de mes rêveries, je me suis aperçu que de tout temps j'ai été obsédé par l'impossibilité de me rendre compte de certaines actions ou pensées soudaines de l'homme sans l'hypothèse de l'intervention d'une force méchante extérieure à lui. — Voilà un gros aveu dont tout le XIXe siècle conjuré ne me fera pas rougir.»

Baudelaire se savait également en accord avec *Le Démon de la perversité* de Poe qu'il avait traduit en 1854 et inclus dans les *Nouvelles histoires extraordinaires.*

Page 122. X. À UNE HEURE DU MATIN

La Presse, 27 août 1862.
Coupure de *La Presse.* Sans correction.

Baudelaire avait le goût des examens de conscience; il lui venait de son éducation catholique et fut confirmé par la lecture de plusieurs de ses auteurs favoris: Joseph de Maistre, Alphonse Rabbe, Sainte-Beuve, Joubert.

Ce poème peut être rapproché de *La Fin de la journée,* publié dans la deuxième édition des *Fleurs du Mal* (1861) et de *L'Examen de minuit,* inséré dans *Le Boulevard,* le 1er février 1863. Cette dernière pièce reprend, sur un ton plus ironique, le sujet du poème en prose.

l. 4: *tyrannie de la face humaine.* — Expression que Baudelaire doit à De Quincey; elle se retrouve plusieurs fois dans les *Confessions d'un mangeur d'opium.*

l. 22-23: *des gants.* — «Beaucoup d'amis, beaucoup de gants, — de peur et de gale», lit-on dans *Fusées.*

l. 44: *accordez-moi la grâce.* — À rapprocher des prières qui concluent *Le Joueur généreux* et *Mademoiselle Bistouri.* Rilke citera ce paragraphe dans les *Cahiers de Malte Laurids Brigge* (1910).

Page 124. XI. LA FEMME SAUVAGE ET LA PETITE-MAÎTRESSE

La Presse, 27 août 1862.
Coupure de *La Presse.* Sans correction.

Comme pour *Les Tentations, La Belle Dorothée* et, peut-être, *Le Joueur généreux,* Baudelaire s'était d'abord proposé de traiter ce sujet en vers. Ces pièces, dont il est souvent question dans la correspondance entre décembre 1859 et juillet 1860, auraient dû entrer dans la deuxième édition des *Fleurs du Mal*, projet qui fut abandonné, faute de temps. Il ne faudrait pas en déduire, comme le font des critiques malveillants, que les poèmes en prose ne seraient que les canevas de poèmes auxquels Baudelaire n'aurait pas réussi à donner une forme, lui qui voulait avant tout « éviter d'avoir l'air de montrer le plan d'une chose à mettre en vers » (lettre à Houssaye, Noël 1861).

La Femme sauvage évoque un de ces spectacles de foire auxquels Baudelaire aime à conférer une signification symbolique (voir les pièces XII, XIII, XIV, XXVI, XXVIII). Quant au personnage de la femme sauvage, il était fort répandu à l'époque. Aussi figure-t-il presque obligatoirement dans des recueils tel *Paris, ou le Livre des cent et un* (1831, le t. II contenant un article « Charlatans, jongleurs, phénomènes vivants, etc. » où « une femme sauvage mange de la viande crue ») et sur la scène du Vaudeville (voir *Les Saltimbanques* de Dumersan et de Varin, créés en 1838 et repris durant près d'un quart de siècle ; dans un texte parfois attribué à Nerval du *Musée des familles*, il est également question de la « femme sauvage qui mangeait des volailles crues »).

l. 72 : *le soliveau*. — Allusion à la fable de La Fontaine, *Les Grenouilles qui demandent un roi*.

Page 127. XII. LES FOULES

Revue fantaisiste, 1er novembre 1861 (RF).
La Presse, 27 août 1862.
Coupure de *La Presse*. Sans correction.

l. 8 : *poète actif* : RF : poète *au cerveau* actif.

La jouissance que l'artiste tire de sa communion avec la foule est un thème fréquent chez Baudelaire (voir les *Tableaux parisiens*, *Le Peintre de la vie moderne*, *Les Veuves*, *Le Vieux Saltimbanque*). Ce goût du « bain de multitude », indispensable pour la confection des *Petits Poèmes en prose* (voir la préface, p. 89), le poète le retrouve chez plusieurs de ses auteurs et artistes favoris : Poe, Guys, De Quincey, Balzac, Hoffmann.

Proche de ce poème, *L'Homme des foules* de Poe, que Baudelaire admirait particulièrement. Avant même de le traduire en 1854, il avait résumé ce conte dans sa première étude sur Poe (1852). Il s'y réfère maintes fois, ainsi dans *Le Peintre de la vie moderne* (chap. III) :

Vous souvenez-vous d'un tableau (en vérité, c'est un tableau!) écrit par la plus puissante plume de cette époque, et qui a pour titre *L'Homme des foules*? Derrière la vitre d'un café, un convalescent, contemplant la foule avec jouissance, se mêle, par la pensée, à toutes les pensées qui s'agitent autour de lui. Revenu récemment des ombres de la mort, il aspire avec délices tous les germes et tous les effluves de la vie; comme il a été sur le point de tout oublier, il se souvient et veut avec ardeur se souvenir de tout. Finalement, il se précipite à travers cette foule à la recherche d'un inconnu dont la physionomie entrevue l'a, en un clin d'œil, fasciné. La curiosité est devenue une passion fatale, irrésistible!

Supposez un artiste qui serait toujours, spirituellement, à l'état du convalescent, et vous aurez la clef du caractère de M. G. [...]

La foule est son domaine, comme l'air est celui de l'oiseau, comme l'eau celui du poisson. Sa passion et sa profession, c'est d'*épouser la foule*. Pour le parfait flâneur, pour l'observateur passionné, c'est une immense jouissance que d'élire domicile dans le nombre, dans l'ondoyant, dans le mouvement, dans le fugitif et l'infini. Être hors de chez soi, et pourtant se sentir partout chez soi; voir le monde, être au centre du monde et rester caché au monde, tels sont quelques-uns des moindres plaisirs de ces esprits indépendants, passionnés, impartiaux, que la langue ne peut que maladroitement définir. L'observateur est un *prince* qui jouit partout de son incognito. L'amateur de la vie fait du monde sa famille, comme l'amateur du beau sexe compose sa famille de toutes les beautés trouvées, trouvables et introuvables; comme l'amateur de tableaux vit dans une société enchantée de rêves peints sur toile. Ainsi l'amoureux de la vie universelle entre dans la foule comme dans un immense réservoir d'électricité. On peut aussi le comparer, lui, à un miroir aussi immense que cette foule; à un kaléidoscope doué de conscience, qui, à chacun de ses mouvements, représente la vie multiple et la grâce mouvante de tous les éléments de la vie. C'est un *moi* insatiable du *non-moi*, qui, à chaque instant, le rend et l'exprime en images plus vivantes que la vie elle-même, toujours instable et fugitive. «Tout homme», disait un jour M. G. dans une de ces conversations qu'il illumine d'un regard intense et d'un geste évocateur, «tout homme qui n'est pas accablé par un de ces chagrins d'une nature trop positive pour ne pas absorber toutes les facultés, et *qui s'ennuie au sein de la multitude*, est un sot! un sot! et je le méprise!»

Parmi les autres textes susceptibles d'être rapprochés du poème de Baudelaire, un conte de Balzac, *Facino Cane* (1836):

Une seule passion m'entraînait en dehors de mes habitudes studieuses; mais, n'était-ce pas encore l'étude? J'allais observer les mœurs du faubourg, ses habitants et leurs caractères. Aussi mal vêtu que les ouvriers, indifférent au décorum, je ne les mettais point en garde contre moi; je pouvais me mêler à leurs groupes, les voir concluant leurs marchés, et se disputant à l'heure où ils quittent le travail. Chez moi l'observation était déjà devenue intuitive, elle pénétrait l'âme sans négliger le corps; ou plutôt elle saisissait si bien les détails extérieurs, qu'elle allait sur-le-champ au-delà; elle me donnait la faculté de vivre la vie de l'individu sur laquelle elle s'exerçait, en me permettant de me substituer à lui comme le derviche des *Mille et Une Nuits* prenait le corps et l'âme des personnes sur lesquelles il prononçait certaines paroles.

[...] En entendant ces gens, je pouvais épouser leur vie, je me sentais leurs guenilles sur le dos, je marchais les pieds dans leurs souliers percés; leurs désirs, leurs besoins, tout passait dans mon âme, ou mon âme passait dans la leur. C'était le rêve d'un homme éveillé. [...] Quitter ses habitudes, devenir un autre que soi par l'ivresse des facultés morales, et jouer ce jeu à volonté, telle était ma distraction.

l. 6 : *la haine du domicile.* — Voir *Mon cœur mis à nu*: «Étude de la grande Maladie de l'horreur du Domicile. Raisons de la Maladie. Accroissement progressif de la Maladie.»

l. 28: *cette sainte prostitution de l'âme.* — Le terme «prostitution» est ambivalent chez Baudelaire. Comparer ces notes de *Fusées*:

L'amour, c'est le goût de la prostitution. Il n'est même pas de plaisir noble qui ne puisse être ramené à la Prostitution.

Dans un spectacle, dans un bal, chacun jouit de tous.

Qu'est-ce que l'art? Prostitution.

Le plaisir d'être dans les foules est une expression mystérieuse de la jouissance de la multiplication du nombre.

Tout est nombre. Le nombre est dans *tout*. Le nombre est dans l'individu. L'ivresse est un nombre.

Page 129. XIII. LES VEUVES

Revue fantaisiste, 1er novembre 1861 (RF).
La Presse, 27 août 1862.
Coupure de *La Presse*. Sans correction.

l. 33-34: RF: et la plus *désolante à voir*, celle
l. 73: RF: excepté cette tourbe

Ce poème reprend le thème des *Petites Vieilles* dans les *Tableaux parisiens*. À rapprocher aussi du *Désespoir de la vieille* et des *Fenêtres*. On trouve un premier projet de cette pièce dans les *Plans et notes* (voir p. 238): «La grande Veuve mélancolique devant le jardin de Musard.»

l. 1: *Vauvenargues dit.* — Il s'agit, dans l'édition D.-L. Gilbert des *Œuvres* (1857), de la quarantième des *Réflexions sur divers sujets*. Baudelaire en a peut-être pris connaissance dans la *Revue française* du 20 décembre 1857, qui inséra ce morceau à la suite du compte rendu de l'édition Gilbert par C. de Sault. Sainte-Beuve avait consacré à cette édition, véritable événement littéraire paru au moment même du procès des *Fleurs du Mal*, trois de ses *Lundis*.

SUR LES MISÈRES CACHÉES

La terre est couverte d'esprits inquiets que la rigueur de leur condition et le désir de changer leur fortune tourmentent inexorablement jusqu'à la mort. Le tumulte du monde empêche qu'on ne réfléchisse sur ces tentations secrètes qui font franchir aux hommes les barrières de la vertu. Pour moi, je n'entre jamais au Luxembourg, ou dans les autres jardins publics, que je n'y sois environné de toutes les misères sourdes qui accablent les hommes, et que divers objets ne m'avertissent et ne me parlent de calamités que j'ignore. Tandis que, dans la grande allée, se presse et se heurte une foule d'hommes et de femmes sans passions, je rencontre, dans les allées détournées, des misérables qui fuient la vue des heureux, des vieillards qui cachent la honte de leur pauvreté, des jeunes gens que l'erreur de la gloire entretient à l'écart de ses chimères, des femmes que la loi de la nécessité condamne à l'opprobre, des ambitieux qui concertent peut-être des témérités inutiles pour sortir de l'obscurité. Il me semble alors que je vois autour de moi toutes les passions qui se promènent, et mon âme s'afflige et se trouble à la vue de ces infortunés, mais, en même temps, se plaît dans leur compagnie séditieuse. Je voudrais quelquefois aborder ces solitaires, pour leur donner mes consolations ; mais ils craignent d'être arrachés à leurs pensées, et ils se détournent de moi : le plaisir et la société n'ont plus de charmes pour ceux que l'illusion de la gloire asservit ; la joie et le rire ne font que passer sur leurs lèvres. Je plains ces misères cachées, que la crainte d'être connues rend plus pesantes ; je veux, si je puis, fuir le vice, et fermer mon cœur aux promesses des passions injustes ; mais il y avait de la dureté à n'être pas touché de la faiblesse de tant d'hommes qui, sans les malheurs de leur vie, auraient pu chérir la vertu, et achever leurs jours dans l'innocence.

Dans le Paris d'avant Haussmann, l'avenue Montaigne s'appelait « Allée des Veuves ». Souvent déserte, elle offre un cadre idéal à des scènes de cambriolage dans *Les Mystères de Paris* d'Eugène Sue.

l. 37-38 : *suivre... une vieille affligée.* — Cf. *Les Petites Vieilles* (v. 49) : « Ah ! que j'en ai suivi de ces petites vieilles ! » Dans les plans de romans et de nouvelles, on trouve cette note : « Une petite vieille qu'on suit », et dans *Pauvre Belgique* Baudelaire exprime le « vœu d'aller voir si la petite vieille est au bord du canal ».

Page 133. XIV. LE VIEUX SALTIMBANQUE

Revue fantaisiste, 1er novembre 1861 (RF).
La Presse, 27 août 1862.
Coupure de *La Presse*. Sans correction.

l. 5-6 : RF : pour *réparer* les
l. 8-9 : RF : il *se fait l'égal des* enfants
l. 40 : RF : *jupes*

Au temps du romantisme, la figure du saltimbanque connut une vogue considérable ; il a été popularisé par le vaudeville (le plus célèbre étant *Les Saltimbanques* de Dumersan et Varin, 1838, repris pendant des décennies) aussi bien que par les gravures de Daumier. Jean Starobinski lui a consacré un très beau livre, *Portrait de l'artiste en saltimbanque* (Genève, Skira, 1970, Gallimard, 2003) et Jean Clair une non moins belle exposition, *La Grande Parade. Portrait de l'artiste en clown* (Gallimard et Musée des beaux-arts du Canada, 2004). Mais alors que le bouffon traditionnel n'était qu'une parole en liberté, le bouffon romantique est devenu un héros, le double imaginaire et le symbole de l'artiste. Vers le milieu du XIXe siècle, ce thème était devenu un lieu commun, qu'exploita surtout Banville. Parmi les textes proches du poème de Baudelaire, ce passage des *Pauvres Saltimbanques* (1853) :

Les pauvres saltimbanques avaient épuisé tout ce qu'ils savaient, la foule s'était dispersée ; on ne leur avait rien donné ; ils pleuraient. [...]

Voilà l'histoire que je viens d'imaginer, symbole de la vie des artistes.

Et ce n'est pas sans raison que j'intitule comme ce conte poignant le petit livre dans lequel j'ai voulu mettre quelque chose de nos grandeurs, de nos misères et de nos rêveries.

Saltimbanques, et pauvres saltimbanques en effet, ces poètes inspirés, ces comédiens ivres de passion, ces voix éloquentes, ces joueurs de violon et ces joueurs de lyre, ces marionnettes de génie qui ont pour état de pleurer d'abord, comme le veut Horace, et après de faire pleurer la foule et de la faire rire ! Car s'il vous plaît, qu'est-ce que le saltimbanque, sinon un artiste indépendant et libre qui fait des prodiges pour gagner son pain quotidien, qui chante au soleil et danse sous les étoiles sans l'espoir d'arriver à aucune académie ?

Le même thème se retrouve dans plusieurs pièces des *Odes funambulesques* (1856), ainsi que dans *L'Homme aux figures de cire*, conte de Champfleury (recueilli dans *Les Excentriques*, 1852) ou dans ses *Souvenirs des Funambules* (1859).

Page 136. XV. LE GÂTEAU

La Presse, 24 septembre 1862.

À rapprocher, pour le cadre, d'un poème de jeunesse, *Incompatibilité*, qui a été inspiré à Baudelaire par un voyage entrepris avec ses parents en septembre 1838 dans les Pyrénées.

Même extase de la vie suffisante dans *Le « Confiteor » de l'Artiste, La Chambre double, Le Fou et la Vénus.*

l. 27-28 : *l'homme est né bon.* — Baudelaire n'a cessé de s'opposer à Rousseau ; pour lui l'homme est « *naturellement* dépravé » (*Fusées*).

Page 139. XVI. L'HORLOGE

Le Présent, 24 août 1857 (PR).
Revue fantaisiste, 1er novembre 1861 (RF).
La Presse, 24 septembre 1862.

l. 1. PR : chats ; — *moi aussi.*
l. 2. PR : un missionnaire *qui se promenait* dans
l. 11. PR : [note accrochée à *vrai* :] *En supposant une mémoire parfaite ou au moins très exercée, il n'est pas difficile de comprendre comment on peut deviner l'heure dans l'œil d'un animal dont la pupille est très sensible à la lumière.*
l. 12-14 : PR : pour moi, *quand je prends dans mes bras mon bon chat, mon cher chat,* qui est à la fois l'honneur de *sa race,* l'orgueil de mon cœur ; RF : Pour moi, *quand je prends dans mes bras ce chat extraordinaire,* qui est à la fois l'honneur de *sa race* et l'orgueil de mon cœur
l. 16 : PR : ombre *parfaite*
l. 24 : PR : cet *aimable* cadran
l. 28-29 : PR : l'heure, *imbécile* ?
l. 30 : PR, RF : [Le poème se termine par cette réplique.]

La source de ce poème se trouve dans le fameux ouvrage du père Évariste Régis Huc, *L'Empire chinois* (1854, t. II, p. 329-330) :

Un jour que nous allions visiter quelques familles chrétiennes de cultivateurs, nous rencontrâmes, tout près d'une ferme, un jeune Chinois qui faisait paître un buffle, le long d'un sentier. Nous lui demandâmes en passant et par désœuvrement, s'il n'était pas encore midi. L'enfant leva la tête, et, comme le soleil était caché derrière d'épais nuages, il ne put y lire sa réponse. — Le ciel n'est pas clair, nous dit-il, mais attendez un instant... À ces mots il s'élance vers la ferme et revient quelques minutes après, portant un chat sous le bras. — Il n'est pas encore midi, dit-il, tenez, voyez... En disant cela, il nous montrait l'œil du chat dont il écartait les paupières avec ses deux mains. Nous regardâmes d'abord l'enfant, il était d'un sérieux admirable ; puis le chat qui, quoique étonné et peu satisfait de l'expérience qu'on faisait sur son œil, était néanmoins d'une complaisance exemplaire. — C'est bien, dîmes-nous à l'enfant ; il n'est pas encore midi, merci. Le jeune Chinois lâcha le chat, qui se sauva au grand galop, et nous continuâmes notre route.

Pour vrai dire, nous n'avions pas compris grand-chose à cette nouvelle méthode de connaître les heures ; mais nous ne voulûmes pas questionner ce petit païen, de peur que, à notre ignorance, il ne s'avisât de soupçonner que nous étions Européens. Aussitôt que nous fûmes arrivés dans une maison de chrétiens, nous n'eûmes rien de plus pressé que de leur demander s'ils savaient voir l'heure qu'il était dans les yeux des chats. Ils ne s'attendaient guère à une semblable question. Aussi furent-ils un peu déconcertés ; nous insistâmes, et, comme il n'y avait aucun danger à craindre en leur avouant notre profonde ignorance sur les propriétés de l'œil du chat, nous leur racontâmes ce qui nous était arrivé, en route, tout près de la ferme d'un païen. Il n'en fallut pas davantage ; nos complaisants néophytes se mirent aussitôt à donner la chasse à tous les chats du voisinage. Ils nous en apportèrent trois ou quatre, et nous expliquèrent de quelle manière on pouvait se servir avantageusement d'un chat en guise de montre. Ils nous firent voir que la prunelle de son œil allait se rétrécissant à mesure qu'on avançait vers midi ; qu'à midi juste elle était comme un cheveu, comme une ligne d'une finesse extrême, tracée perpendiculairement sur l'œil ; après midi la dilatation recommençait. Quand nous eûmes examiné bien attentivement tous les chats qui étaient à notre disposition, nous conclûmes qu'il était midi passé ; tous les yeux étaient parfaitement d'accord.

l. 12 : *Féline*. — Il existe un exemplaire de la deuxième édition des *Fleurs du Mal* portant cette dédicace mystérieuse : « Hommage à ma très chère Féline, Ch. Baudelaire. » On trouve également la mention d'une Féline non identifiée dans le *Carnet* de Baudelaire. Houssaye, dans *La Presse*, aurait voulu substituer Nyssia à Féline, d'où une protestation de Baudelaire (voir la préface p. 70).

Page 141. XVII. UN HÉMISPHÈRE DANS UNE CHEVELURE

Le Présent, 24 août 1857 (PR).
Revue fantaisiste, 1er novembre 1861 (RF).
La Presse, 24 septembre 1862 (P).

Titre : PR, RF : *La Chevelure* ; P : [sous-titre :] *Poème exotique*
l. 13-14 : PR : plus *vaste* et plus profond
l. 19-21 : PR : formes *enlevant leurs silhouettes élégantes* sur un ciel immense *où frémit une chaleur éternelle* ; RF : architectures *arachnéennes* sur
l. 23 : PR : longues *journées* passées sur *le* divan
l. 33 : PR, RF : mordre, *mordre* longtemps
l. 34-35 : PR : tes cheveux *solides* et *crépus*
l. 35 : PR, RF : mange *mes* souvenirs

À rapprocher de deux pièces des *Fleurs du Mal* : *Parfum exotique* et *La Chevelure*. Ces trois poèmes forment une certaine unité ; il est toutefois probable que les poèmes en vers aient précédé le poème en prose. En retravaillant ce dernier, Baudelaire accentue la différence avec la forme versifiée.

Page 143. XVIII. L'INVITATION AU VOYAGE

Le Présent, 24 août 1857 (PR).
Revue fantaisiste, 1er novembre 1861 (RF).
La Presse, 24 septembre 1862.

l. 2 : PR, RF : avec une *maîtresse chérie*.
l. 10 : PR : où le luxe a *l'air de prendre* plaisir
l. 12-13 : PR : où [...] *n'existent pas* ;
l. 16-18 : PR : *Ah ! si j'étais ta Mignon, ta Mignon aimée et protégée, toujours tendre, toujours soumise, mais toujours rêveuse et désireuse, je te dirais à toi, mon poète et mon ami :* Tu connais cette maladie qui s'empare de *notre esprit* dans les *plus dures* misères, *cet amour* du pays qu'on ignore, cette *nostalgie* de la curiosité ? RF : *Ah ! si tu étais le poète, et si j'étais ta Mignon, aimée et protégée, toujours tendre, toujours soumise, mais toujours rêveuse et désireuse, je te dirais à toi, mon poète et mon ami :* Tu connais [...] misères, *cet amour* du pays qu'on ignore, cette *nostalgie* de la curiosité ?
l. 25 : PR, RF : par la *multiplication* des sensations.
l. 26-28 : PR : *Comme on* a écrit l'*Invitation à la valse, je voudrais qu'un musicien de génie se chargeât d'écrire* l'*Invitation au voyage, pour l'*offrir
l. 35-36 : PR : peintures *heureuses, pleines de calme*, comme ; RF : peintures *heureuses*, calmes, comme
l. 37-38 : PR : couchants, qui *réjouissent mélancoliquement* la salle à manger
l. 43 : PR : âmes *civilisées*
l. 44 : PR : y *font*
l. 47-48 : PR : un parfum singulier, un *léger parfum d'Orient* qui ; RF : un parfum singulier, un *léger parfum oriental* qui
l. 49 : PR, RF : appartement. — *Soleils couchants qui embellissez si mélancoliquement la chambre de la femme aimée, de la sœur d'élection, quand vous coucherez-vous dans mon horizon ?*
l. 62 : PR : soixante *mille* et
l. 65 : PR : Fleur *impossible*,

l. 68-70 : PR : analogie, et *pour me servir du langage de ces livres qui traînent toujours sur ma table et qui te font ouvrir de si grands yeux, n'aurais-tu pas pour miroir* ta propre *correspondance ?* RF : analogie, et *n'aurais-tu pas pour miroir* ta propre *correspondance ?*

l. 71-72 : PR, RF : plus l'âme est délicate

l. 75-76 : PR : combien *y a-t-il* d'heures

À rapprocher de *L'Invitation au voyage* des *Fleurs du Mal*, dont le poème en prose est la réplique postérieure. Mais alors que, dans le poème en vers, Baudelaire suggère un paysage idéal, il recompose, dans la prose, à partir de clichés empruntés à la littérature des voyageurs et des feuilletonistes, un tableau dont les détails matériels soulignent l'ironie.

Le thème de l'*Invitation* est des plus anciens ; sa vogue date de la *Chanson de Mignon* qui fut détachée très tôt de *Wilhelm Meister* (1795-1796) et traduite plusieurs fois. Baudelaire connaissait sans doute l'adaptation de Gautier :

> Où veux-tu donc aller ? Ô mon maître, sais-tu
> La chanson que Mignon chante à Wilhelm dans Goethe ?
> « Ne connais-tu pas la terre du poète,
> La terre du soleil où le citron mûrit,
> Où l'orange aux tons d'or dans les feuilles sourit ?
> C'est là, maître, c'est là qu'il faut mourir et vivre,
> C'est là qu'il faut aller, c'est là qu'il faut me suivre. »

Toutefois, ce n'est pas de l'Italie qu'il s'agit chez Baudelaire, mais d'un pays nordique, changement d'orientation également préfiguré chez Gautier, qui écrit dans *Albertus* :

> À vous faire oublier, à vous, peintre et poète,
> Ce pays enchanté dont la Mignon de Goethe,
> Frileuse, se souvient, et parle à son Wilhelm ;
> Ce pays du soleil où les citrons mûrissent,
> Où des nouveaux jasmins toujours s'épanouissent :
> Naples pour Amsterdam, le Lorrain pour Berghem.

l. 4 : *L'Orient de l'Occident*. — Association fréquente dès le XVIIIe siècle, la Hollande étant considérée comme l'entrepôt du monde.

l. 26 : *Invitation à la valse*. — Allusion au célèbre rondo pour piano de Weber (1819), repris dans le *Freischütz* (1821) et transcrit pour orchestre par Berlioz (1841).

l. 64 : *tulipe noire, dahlia bleu*. — La tulipomanie est un des clichés de l'image de la Hollande dès le XVIIe siècle ; Ménage, Furetière, La Bruyère en parlent, Alexandre Dumas lui a consacré tout un roman, *La Tulipe noire* (1850). — Le dahlia bleu est un autre cliché, aujourd'hui perdu, mais bien attesté sous le Second Empire, pour désigner la poursuite d'une utopie. L'expression a été popularisée par une rengaine de Pierre Dupont, qui figure dans les *Chants et chansons* préfacés par Baudelaire (Houssiaux, 1851) :

LE DAHLIA BLEU
Où donc s'envolent vos semaines,
Pourquoi, soucieux jardiniers,
Ce surcroît de soins et de peines ?
Vos jardins sont des ateliers
Où vous tissez des fleurs humaines ;
Ô fleurs divines d'autrefois !
Lis et roses, fuyez aux bois ;
Bluets, pervenches, violettes,
Myosotis, vivez seulettes
[refrain :]
Sous l'œil de Dieu,
Ils rêvent le dahlia bleu.

Avec Théophile Gautier, ce cliché entre dans l'*Histoire du romantisme* : « M. Asselineau, comme tout être délicat favorisé par le ciel d'une jolie manie, a sa tulipe noire, son dahlia bleu, son *desideratum* ; il voudrait posséder en original *Le Prince des Sots* de Gérard ! Ambition chimérique, idéal irréalisable ! » (Charpentier, 1874).

l. 70 : *les mystiques*. — Allusion à Swedenborg qui a défini sa théorie des correspondances notamment dans *Du Ciel et de ses merveilles et de l'Enfer* ainsi que dans *La Vraie Religion chrétienne*.

Page 146. XIX. LE JOUJOU DU PAUVRE

La Presse, 24 septembre 1862.

Baudelaire a tiré ce poème de son essai, *Morale du Joujou*, publié en 1853 dans *Le Monde littéraire* et repris plusieurs fois (dans *Le Portefeuille*, 1855, et dans *Le Rabelais*, 1857) avant d'entrer dans *L'Art romantique* :

Et même, analysez cet immense *mundus* enfantin, considérez le joujou barbare, le joujou primitif, où pour le fabricant le problème consistait à construire une image aussi approximative que possible avec des éléments aussi simples, aussi peu coûteux que possible : par exemple, le polichinelle plat, mû par un seul fil ; les forgerons qui battent l'enclume ; le cheval et son cavalier en trois morceaux, quatre chevilles pour les jambes, la queue du cheval formant un sifflet, et quelquefois le cavalier portant une petite plume, ce qui est un grand luxe, — c'est le joujou à cinq sous, à deux sous, à un sou. — Croyez-vous que ces images simples créent une moindre réalité dans l'esprit de l'enfant que ces merveilles du jour de l'an, qui sont plutôt un hommage de la servilité parasitique à la richesse des parents qu'un cadeau à la poésie enfantine ?

Tel est le joujou du pauvre. Quand vous sortirez le matin avec l'intention décidée de flâner solitairement sur les grandes routes, remplissez vos poches de ces petites inventions, et le long des cabarets, au pied des arbres, faites-en hommage aux enfants inconnus et pauvres que vous rencontrerez. Vous verrez leurs yeux s'agrandir démesurément. D'abord ils n'oseront pas prendre, ils douteront de leur bonheur ; puis leurs mains happeront avidement le cadeau, et ils s'enfuiront comme font les chats qui vont manger loin de vous le morceau que vous leur avez donné, ayant appris à se défier de l'homme. C'est là certainement un grand divertissement.

À propos du joujou du pauvre, j'ai vu quelque chose de plus simple encore, mais de plus triste que le joujou à un sou, — c'est le joujou vivant. Sur une route, derrière la grille d'un beau jardin, au bout duquel apparaissait un joli château, se tenait un enfant beau et frais, habillé de ces vêtements de campagne pleins de coquetterie. Le luxe, l'insouciance et le spectacle habituel de la richesse rendent ces enfants-là si jolis qu'on ne les croirait pas faits de la même pâte que les enfants de la médiocrité ou de la pauvreté. À côté de lui gisait sur l'herbe un joujou splendide, aussi frais que son maître, verni, doré, avec une belle robe, et couvert de plumets et de verroterie. Mais l'enfant ne s'occupait pas de son joujou, et voici ce qu'il regardait : de l'autre côté de la grille, sur la route, entre les chardons et les orties, il y avait un autre enfant, sale, assez chétif, un de ces marmots sur lesquels la morve se fraye lentement un chemin dans la crasse et la poussière. À travers ces barreaux de fer symboliques, l'enfant pauvre montrait à l'enfant riche son joujou, que celui-ci examinait avidement comme un objet rare et inconnu. Or ce joujou que le petit souillon agaçait, agitait et secouait dans une petite boîte grillée, était un rat vivant ! les parents, par économie, avaient tiré le joujou de la vie elle-même.

La comparaison de ces textes permet d'étudier la technique baudelairienne du poème en prose : c'est en rendant à deux des petites scènes illustrant l'analyse du monde enfantin leur autonomie de tableau, que l'auteur transmue l'essai en poème.

Page 148. XX. LES DONS DES FÉES

La Presse, 24 septembre 1862.

Baudelaire n'a cessé de cultiver, comme il le dit dans *Fusées*, « le plaisir aristocratique de déplaire ». Il y note aussi : « Quand j'aurai inspiré le dégoût et l'horreur universels, j'aurai conquis la solitude. » Aussi ce poème ressemble-t-il à la réalisation imaginaire d'un désir inavoué, car le poète se rangeait lui-même parmi les Poe, les Nerval, les Pétrus Borel. De ce dernier, il écrivait dans les *Réflexions sur quelques-uns de mes contemporains* :

> Lycanthrope bien nommé ! Homme-loup ou loup-garou, quelle fée ou quel démon le jeta dans les forêts lugubres de la mélancolie ? Quel méchant esprit se pencha sur son berceau et lui dit : *Je te défends de plaire* ? Il y a dans le monde spirituel quelque chose de mystérieux qui s'appelle le *Guignon*, et nul de nous n'a le droit de discuter avec la Fatalité. C'est la déesse qui s'explique le moins, et qui possède, plus que tous les papes et les lamas, le privilège de l'infaillibilité.

Le thème de l'insondable absurdité de la destinée reparaît dans *Les Vocations* et dans *Les Bienfaits de la Lune.*

Page 151. XXI. LES TENTATIONS

OU ÉROS, PLUTUS ET LA GLOIRE

Épreuve de *La Presse* [début octobre 1862] (Pe), corrigée par Baudelaire.

Revue nationale et étrangère, 10 juin 1863 (RN).

l. 30 : Pe : ceci est mon *âme potable* [*surchargé :* sang]

l. 119-120 : Pe : Va-t'en ! — *et dis, si tu veux, à tes amants que c'est eux qui me détournent de toi* [*surchargé :* Je ne suis pas fait pour épouser la maîtresse de certains que je ne veux pas nommer. »]

l. 122-123 : Pe : 1er état : Certes, d'une si courageuse abnégation j'avais le droit d'être fier. Mais malheureusement *mon sommeil se rompit*, et toute ma force m'abandonna. « En vérité, me dis-je, il fallait que je fusse bien lourdement assoupi pour montrer de tels scrupules. Ah ! s'ils pouvaient revenir pendant que je suis éveillé. » [fin] ; 2e état, représenté par un papillon recouvrant le 1er état : identique à la version définitive, sauf que les mots « je ne ferais pas tant le délicat » ont été ajoutés à la main.

Sujet que Baudelaire voulait d'abord traiter en vers, comme ceux de *La Femme sauvage*, de *La Belle Dorothée*, et, peut-être, du *Joueur généreux*. À Calonne, 15 décembre 1859 :

> J'ai encore trois petits poèmes sur le chantier ; *Dorothée* (beauté de la nature tropicale ; idéal de la beauté noire). *Une femme sauvage à la foire* (sermon adressé à une petite-maîtresse qui a des douleurs imaginaires), enfin le *Rêve* (la *fortune*, l'*amour* et la *gloire*, s'offrent, pendant son sommeil, à un homme qui les repousse, et qui dit en se réveillant : si j'avais été éveillé, je n'aurais pas été si sage !).

Le poème reprend un lieu commun répandu, entre autres, par cette chanson de Paul de Kock (*Contes et chansons*, Barba, 1854) :

LA GLOIRE ET LA FORTUNE
OU
RÊVE D'UN PAUVRE DIABLE

Une nuit, le diable m'offrit
La gloire et la fortune,
Me disant : « Le sort te sourit,
« Choisis, mais n'en prends qu'une. »
La gloire était fort de mon goût,
Mais j'aimais la fortune
Beaucoup,
Oui, j'aimais la fortune.
[. . . . .]
En m'écriant : « Je te choisis,
Séduisante fortune »,
Je m'éveillais, mais je ne vis
Qu'un fort beau clair de lune ;
Et j'attendrai longtemps, je crois,
La gloire et la fortune
Chez moi,
La gloire et la fortune.

l. 45-46 : *le plaisir... de sortir de toi-même...* — Thème de la prostitution, maintes fois abordé dans les *Journaux intimes* : « Qu'est-ce que l'amour ? Le besoin de sortir de soi. [...] Aussi tout amour est-il prostitution. » Voir aussi *Les Foules*.

l. 115-116 : *pour l'avoir vue trinquant avec quelques drôles*. — À rapprocher de ce passage de *Mon cœur mis à nu* :

Il y a de certaines femmes qui ressemblent au ruban de la Légion d'honneur. On n'en veut plus parce qu'elles se sont salies à de certains hommes.

C'est par la même raison que je ne chausserais pas les culottes d'un galeux.

Page 155. XXII. LE CRÉPUSCULE DU SOIR

Épreuve de l'*Hommage à C. F. Denecourt* [...], 1855 (De). Corrections de Baudelaire en partie honorées par l'imprimeur. Bibliothèque littéraire Jacques Doucet.

Hommage à C. F. Denecourt. — Fontainebleau. — Paysages, Légendes, Souvenirs, Fantaisies [...], Hachette, 1855 (D).

Le Présent, 24 août 1857 (PR).

Revue fantaisiste, 1er novembre 1861 (RF).

Épreuve de *La Presse* [début octobre 1862] (Pe). Sans correction.

Le Figaro, 7 février 1864 (F).

On distingue deux familles de textes, ainsi que pour *La Solitude* et *Les Projets*; Baudelaire a profondément modifié son poème en vue de la publication dans *La Presse*, qui n'eut pas lieu. Voici la version de 1855 avec les variantes de 1857 et de 1861:

LE CRÉPUSCULE DU SOIR

La tombée de la nuit a toujours été pour moi le signal d'une fête intérieure et comme la délivrance d'une angoisse. Dans les bois comme dans les rues d'une grande ville, l'assombrissement du jour et le scintillement des étoiles ou des lanternes éclairent mon esprit.

Mais j'ai eu deux amis que le crépuscule rendait malades. L'un 5 méconnaissait alors tous les rapports d'amitié et de politesse, et brutalisait sauvagement le premier venu. Je l'ai vu jeter un excellent poulet à la tête d'un maître d'hôtel. La venue du soir gâtait les meilleures choses.

L'autre, à mesure que le jour baissait, devenait plus aigre, plus 10 sombre, plus taquin. Indulgent pendant la journée, il était impitoyable le soir; — et ce n'était pas seulement sur autrui, mais sur lui-même que s'exerçait abondamment sa manie crépusculaire.

Le premier est mort fou, incapable de reconnaître sa maîtresse et son fils; le second porte en lui l'inquiétude d'une insatisfaction perpétuelle. 15 L'ombre qui fait la lumière dans mon esprit fait la nuit dans le leur. — Et, bien qu'il ne soit pas rare de voir la même cause engendrer deux effets contraires, cela m'intrigue et m'étonne toujours.

l. 2-3: PR: Dans les *forêts*; RF: Dans les *solitudes* comme dans les rues d'une *capitale,*

l. 4: De: des étoiles [ou *corrigé en*:] *et* des lanternes; PR, RF: des étoiles *et* des lanternes

l. 5: RF: *Cependant* j'ai [...] crépuscule *faisait tout* malades.

l. 6-7: RF: et *maltraitait comme un sauvage*

l. 8-9: PR: gâtait *pour lui* les meilleures choses. — RF: *Le* soir, *précurseur des voluptés, lui* gâtait les choses *les plus succulentes.*

l. 13: PR, RF: s'exerçait *rageusement*

l. 15: RF: *d'un malaise* perpétuel

Et voici maintenant les variantes de 1862 et de 1864 par rapport au texte de l'*Édition posthume*:

l. 6: Pe, F: *nuées*

l. 14-15: Pe: du noir hospice des *Antiquailles,* et le soir

l. 17: Pe: chaque fenêtre *illuminée* dit

l. 19-20: Pe: souffle de *Fourvières,* bercer ma pensée étonnée à *ce redoutable écho* de l'Enfer.

l. 21-22: Pe: excite les fous. *Bizarre! Bizarre!* J'ai eu

l. 53 : Pe : doux, et tendre *et brillant!*
l. 56 : Pe : les feux des *lampes* qui

C'est dans *Fontainebleau*, recueil collectif publié par Fernand Desnoyers en l'honneur de C. F. Denecourt que furent publiés les deux premiers poèmes en prose de Baudelaire, *Le Crépuscule du soir* et *La Solitude*. Ils y étaient précédés de la lettre à Desnoyers et des deux *Crépuscules* en vers. Voici la lettre :

À FERNAND DESNOYERS

Mon cher Desnoyers, vous me demandez des vers pour votre petit volume, des vers sur la *Nature*, n'est-ce pas ? sur les bois, les grands chênes, la verdure, les insectes, le soleil, sans doute ? Mais vous savez bien que je suis incapable de m'attendrir sur les végétaux, et que mon âme est rebelle à cette singulière Religion nouvelle, qui aura toujours, ce me semble, pour tout être *spirituel* je ne sais quoi de *shocking*. Je ne croirai jamais que l'*âme des Dieux habite dans les plantes*, et, quand même elle y habiterait, je m'en soucierais médiocrement, et je considérerais la mienne comme d'un bien plus haut prix que celle des légumes sanctifiés. J'ai même toujours pensé qu'il y avait dans la *Nature*, florissante et rajeunie, quelque chose d'affligeant, de dur, de cruel, — un je ne sais quoi qui frise l'impudence. Dans l'impossibilité de vous satisfaire complètement suivant les termes stricts du programme, je vous envoie deux morceaux poétiques, qui représentent à peu près la somme des rêveries dont je suis assailli aux heures crépusculaires. Dans le fond des bois, enfermé sous ces voûtes semblables à celles des sacristies et des cathédrales, je pense à nos étonnantes villes, et la prodigieuse musique qui roule sur les sommets me semble la traduction des lamentations humaines.

C. B.

l. 14-15 et 19-20, var. Pe : *Hospice des Antiquailles, Fourvières.* — Seule résurgence d'un souvenir lyonnais que l'on trouve dans les poèmes en prose. On sait que le jeune Baudelaire a vécu à Lyon de 1833 à 1836. Il importe de noter que le poète a fini par gommer une allusion jugée trop réductrice.

Page 158. XXIII. LA SOLITUDE

Épreuve de l'*Hommage à C. F. Denecourt* [...], 1855 (De). Corrections de Baudelaire, en partie honorées par l'imprimeur. Bibliothèque littéraire Jacques Doucet.

Hommage à C. F. Denecourt. — Fontainebleau. — Paysages, Légendes, Souvenirs, Fantaisies [...], Hachette, 1855 (D). (Voir ci-dessus préface p. 51-52 et note 2, p. 52.)

Le Présent, 24 août 1857 (PR).

Revue fantaisiste, 1er novembre 1861 (RF).

Épreuve de *La Presse* [début octobre 1862] (Pe). Sans correction.

Épreuve de la *Nouvelle Revue de Paris* (RPe). Corrections de Baudelaire.

Nouvelle Revue de Paris, 25 décembre 1864 (RP).

On distingue deux familles de textes. Baudelaire a profondément remanié son texte en vue de la publication dans *La Presse*, qui n'eut pas lieu.

Voici le texte de 1855, avec les variantes de 1857 et 1861 :

LA SOLITUDE

Il me disait aussi, — le second, — que la solitude était mauvaise pour l'homme, et il me citait, je crois, des paroles des Pères de l'Église. Il est vrai que l'esprit de meurtre et de lubricité s'enflamme merveilleusement dans les solitudes ; le démon fréquente les lieux arides.

Mais cette séduisante solitude n'est dangereuse que pour ces âmes oisives et divagantes qui ne sont pas gouvernées par une importante pensée active. Elle ne fut pas mauvaise pour Robinson Crusoé ; elle le rendit religieux, brave, industrieux ; elle le purifia, elle lui enseigna jusqu'où peut aller la force de l'individu.

N'est-ce pas La Bruyère qui a dit : « Ce grand malheur de ne pouvoir être seul ?... » Il en serait donc de la solitude comme du crépuscule ; elle est bonne et elle est mauvaise, criminelle et salutaire, incendiaire et calmante, selon qu'on en use, et selon qu'on a usé de la vie.

Quant à la jouissance, — les plus belles agapes fraternelles, les plus magnifiques réunions d'hommes électrisés par un plaisir commun n'en donneront jamais de comparables à celle qu'éprouve le Solitaire, qui, d'un coup d'œil, a embrassé et compris toute la sublimité d'un paysage. Ce coup d'œil lui a conquis une propriété individuelle inaliénable.

l. 1 : RF : le second *ami*

l. 2 : PR, RF : je crois, *à l'appui de sa thèse*, des paroles

l. 4 : RF : *On sait que* le démon

l. 6 : RF : divagantes, *qu'une idée despotique ne tient pas en lisière.*

l. 12 : De : criminelle [ou *corrigé en* :] et salutaire, incendiaire [ou *corrigé en* :] et calmante

l. 14 : De : Quant à la [*question de* ajouté à la main] jouissance ; PR : Quant à la *question de* jouissance ; RF : Quant à la *pure* jouissance, *je crois que* les

Et voici les variantes de 1862 et de 1864 par rapport à l'*Édition posthume* :

l. 1 : Pe : Un *grand politique de gazette* me dit ; RPe : un [grand politique de gazette *corrigé en* :] gazetier philanthrope me dit

l. 18-23 : Pe, RPe : Il y a, dans nos races *bavardes*, des individus qui accepteraient *volontiers* le supplice suprême, *pourvu qu'ils pussent* faire *de* haut *un interminable «speech», et* que les tambours de Santerre ne leur coupassent *pas* intempestivement la parole.

l. 36-37 : Pe : La Bruyère, *donnant ainsi une belle semonce* à tous ceux ; RP : [au nom de La Bruyère est accrochée cette note :] *Auteur français, très méprisé en Belgique.*

l. 46 : Pe, RPe : *pour* parler la belle langue *du dix-neuvième* siècle.

Si Baudelaire a souvent glorifié la jouissance que l'artiste tire de sa communion avec la foule, il n'en a pas moins souvent traité le thème, complémentaire, de la solitude. Cf. ces deux notes de *Mon cœur mis à nu* :

> Sentiment de *solitude*, dès mon enfance. Malgré la famille, — et au milieu des camarades, surtout, — sentiment de destinée éternellement solitaire.
>
> Cependant, goût très vif de la vie et du plaisir.

> Tout enfant, j'ai senti dans mon cœur deux sentiments contradictoires, l'horreur de la vie et l'extase de la vie.
>
> C'est bien le fait d'un paresseux nerveux.

l. 36 : *La Bruyère.* — Allusion à ce passage bien connu des *Caractères* («De l'homme», 99) :

> Tout notre mal vient de ne pouvoir être seuls : de là le jeu, le luxe, la dissipation, le vin, les femmes, l'ignorance, la médisance, l'envie, l'oubli de soi-même et de Dieu.

l. 42 : *Pascal.* — Allusion à la célèbre page sur le «Divertissement» dans les *Pensées* (éd. Le Guern, fr. 126) :

> Quand je m'y suis mis quelquefois à considérer les diverses agitations des hommes et les périls et les peines où ils s'exposent dans la cour, dans la guerre, d'où naissent tant de querelles, de passions, d'entreprises hardies et souvent mauvaises, j'ai dit souvent que tout le malheur des hommes vient d'une seule chose, qui est de ne savoir pas demeurer en repos dans une chambre. Un homme qui a assez de bien pour vivre, s'il savait demeurer chez soi avec plaisir, n'en sortirait pas pour aller sur la mer ou au siège d'une place, ou n'achèterait une charge à l'armée si cher que parce qu'on trouverait insupportable de ne bouger de la ville, et on ne recherche les conversations et les divertissements des jeux que parce qu'on ne peut demeurer chez soi avec plaisir.

Baudelaire l'avait déjà illustré par ces vers des *Hiboux* :

> Leur attitude au sage enseigne
> Qu'il faut en ce monde qu'il craigne
> Le tumulte et le mouvement,

L'homme ivre d'une ombre qui passe
Porte toujours le châtiment
D'avoir voulu changer de place.

l. 45 : *prostitution.* — Cf. ce passage de *Mon cœur mis à nu* :

Goût invincible de la prostitution dans le cœur de l'homme, d'où naît son horreur de la solitude. — Il veut être *deux*. L'homme de génie veut être *un*, donc solitaire.

La gloire, c'est de rester *un*, et se prostituer d'une manière particulière.

C'est cette horreur de la solitude, le besoin d'oublier son *moi* dans la chair extérieure, que l'homme appelle noblement *besoin d'aimer*.

Page 160. XXIV. LES PROJETS

Le Présent, 24 août 1857 (PR).
Revue fantaisiste, 1er novembre 1861 (RF).
Épreuve de *La Presse* [début octobre 1862] (Pe). Corrigée par Baudelaire.
La Vie parisienne, 13 août 1864 (VP).
Nouvelle Revue de Paris, 25 décembre 1864 (RP).

On distingue deux familles de textes. Baudelaire a profondément modifié son texte en vue de la publication dans *La Presse*, qui n'eut pas lieu.

Voici le texte de 1857, avec les variantes de 1861 :

LES PROJETS

Comme tu serais belle, dans un costume de cour compliqué et fastueux, descendant, à travers l'atmosphère d'un beau soir, les degrés de marbre d'un palais, en face des grandes pelouses et des bassins !

Mais à quoi bon de si beaux décors ? Insensé ! j'oubliais que je hais les rois et leurs palais. — Non, ce n'est pas dans un palais que je voudrais te posséder et jouir de ton amitié. Nous n'y serions pas *chez nous*. D'ailleurs, ces murs gaufrés, galonnés, insolents, éblouissants comme des militaires, ressemblent à l'âme du *Grand Roi*, qui n'avait pas de coins pour l'intimité. — Ici, pas un *rêvoir*; sur ces murs criblés d'or, je ne vois pas la place d'un seul clou pour y accrocher ton image.

Ah ! je sais bien où je voudrais t'aimer interminablement ! — Au bord de la mer, une belle case en bois, enveloppée d'ombrages ! Dans l'atmosphère, une odeur flottante d'huile de coco, et partout un parfum indescriptible de musc ; à l'horizon, des bouts de mâts, auxquels une houle insensible fait décrire lentement des courbes dans l'air ; autour de nous, au-delà de la chambre silencieuse, obscure, pleine de fleurs et de nattes, avec de rares meubles d'un rococo portugais en bois des îles, où tu reposerais si douce, si nonchalante, si bien éventée, fumant le tabac mêlé à l'opium et au sucre, — au-delà de la varangue, le tapage des oiseaux et le jacassement délicat des négresses.

Mais non! — Pourquoi cette vaste mise en scène? — Elle coûterait beaucoup d'or, et l'or ne danse que dans les poches des imbéciles qui ne comprennent pas le Beau. — Le plaisir est à quelques lieues d'ici, il est à deux pas, il est dans la première auberge venue, dans l'auberge du
20 hasard, si féconde en bonheurs. Un grand feu, des faïences voyantes sur les murs, un souper passable, beaucoup de vin, et un lit très large avec des draps un peu rudes, mais frais.

..... Le rêve! Le rêve! toujours le rêve maudit! — il tue l'action et mange le temps! — Les rêves soulagent un moment la bête dévorante
25 qui s'agite en nous. C'est un poison qui la soulage, mais qui la nourrit.

Où donc trouver une coupe assez profonde et un poison assez épais pour noyer la *Bête*!

l. 6: RF: jouir de *tout* ton *être*.

l. 13-14: RF: partout, *dans la maison et dans le jardin*, un *puissant* parfum *de rose et* de musc. À l'horizon

l. 15: RF: des courbes *magiques* dans l'air

l. 16-17: RF: nattes, *décorée de* [...] portugais, *d'un* bois *lourd et ténébreux*, — où tu

l. 21: RF: *un* vin *rude*, et

l. 22: RF: draps un peu *âpres*, mais frais

l. 25: RF: qui l'*apaise*, mais

Et voici les variantes de 1862 et de 1864 par rapport à l'*Édition posthume*:

l. 6: Pe: elle a [naturellement *mot ajouté à la main*] l'air

l. 12: Pe: sa [chère *mot ajouté à la main*] vie

l. 24-25: Pe: musc..., [*à l'horizon* corrigé en] plus loin, derrière notre petit domaine, des bouts; VP: musc..., *à l'horizon*, des bouts

l. 27-29: Pe: stores, [*pleine* corrigé en] décorée de nattes [...] capiteuses, [*décorée* corrigé en] avec de rares [*meubles* corrigé en] sièges d'un rococo portugais; VP: stores, *pleines* de nattes [...] *capiteuses*, avec

l. 35: Pe: des [*délicieux* corrigé en] mélancoliques filaos; VP: des *délicieux* filaos

l. 51: Pe: par les [*bruissements* corrigé en] bourdonnements de; VP: par les *bruissements* de

À rapprocher des *Hiboux* et du *Voyage* dans *Les Fleurs du Mal*.

Page 162. XXV. LA BELLE DOROTHÉE

Épreuve de *La Presse* [début octobre 1862] (Pe), corrigée par Baudelaire. Texte retenu par l'*Édition posthume*.

Revue nationale et étrangère, 10 juin 1863 (RN).

l. 14-15 : RN : moule exactement *les formes de son corps*. [Correction imposée à Baudelaire par le directeur de la *Revue nationale* ; voir préface, p. 73.

l. 52 : Pe : de la *belle* Dorothée

l. 61-65 : Pe : sa petite sœur qui est *si belle et déjà presque mûre*. [alinéa] Elle réussira, sans doute, *cette* bonne Dorothée ; *car* le maître de l'enfant est si avare, *si avare !* trop avare pour ; RN : sa petite sœur qui est *déjà si belle*. [fin du poème ; correction imposée à Baudelaire par Charpentier.]

La genèse de ce poème se confond en partie avec celle du sonnet inversé, *Bien loin d'ici*, publié en 1864. À l'origine, Baudelaire voulait traiter ce sujet en vers (voir également *La Femme sauvage*, *Les Tentations* et *Le Joueur généreux*). À Poulet-Malassis, 15 décembre 1859 :

> Quand j'aurai fait *Dorothée* (souvenir de l'Île Bourbon), *La Femme sauvage* (sermon à une petite-maîtresse), et *Le Rêve*, enfin la *lettre-préface* à Veuillot, que nous aurons à discuter ensemble, *Les Fleurs du Mal* seront prêtes.

Aucun des textes annoncés n'entrera dans la deuxième édition des *Fleurs*.

Lorsque Baudelaire proposa son poème à la *Revue nationale*, Charpentier le fit paraître dans une version édulcorée, ce qui lui valut cette lettre de l'auteur (20 juin 1863) :

> Je vous avais dit : supprimez *tout un morceau*, si *une virgule* vous déplaît dans le morceau, mais ne supprimez pas la virgule ; elle a sa raison d'être.
>
> J'ai passé ma vie entière à apprendre à construire des phrases, et je dis, sans crainte de faire rire, que ce que je livre à une imprimerie est *parfaitement fini*.
>
> Croyez-vous réellement que *les formes de son corps*, ce soit là une expression équivalente à *son dos creux et sa gorge pointue* ? — Surtout quand il est question de la race noire des côtes orientales.
>
> Et croyez-vous qu'il soit *immoral* de dire qu'une fille est *mûre* à *onze ans*, quand on sait qu'Aïscha (qui n'était pas une négresse, née sous le Tropique) était plus jeune encore alors que Mahomet l'épousa ?
>
> Monsieur, je désire sincèrement vous remercier du bon accueil que vous m'avez fait ; mais *je sais ce que j'écris*, et je ne raconte *que ce que j'ai vu*.

Page 165. XXVI. LES YEUX DES PAUVRES

Épreuve de *La Presse* [début octobre 1862]. Corrigée par Baudelaire dans le sens de la *Nouvelle Revue de Paris* et de l'*Édition posthume*.

La Vie parisienne, 2 juillet 1864 (VP).
Nouvelle Revue de Paris, 25 décembre 1864.

l. 47-48 : VP : *C'est Paul de Kock, je crois, qui a le plus popularisé cette idée*, que [...]. *Peut-être avait-il* raison [Baudelaire s'était plus d'une fois moqué du chansonnier, ainsi dans le *Salon de 1859*.]

Allusion à ce poème dans les *Plans et projets* (voir p. 238) sous le titre : « Les pauvres devant un Café neuf ». — À rapprocher des *Veuves* et du *Vieux Saltimbanque*.

l. 44-46 : *Quant aux yeux du plus petit...* — Cf. ce passage du *Peintre de la vie moderne* :

L'enfant voit tout en *nouveauté* ; il est toujours *ivre*. [...] C'est à cette curiosité profonde et joyeuse qu'il faut attribuer l'œil fixe et animalement extatique des enfants devant le *nouveau*, quel qu'il soit, visage ou paysage, lumière, dorure, couleurs, étoffes chatoyantes, enchantement de la beauté embellie par la toilette.

l. 60-62 : ... *tant la pensée est incommunicable...* — Cf. cette note de *Mon cœur mis à nu* :

Dans l'amour comme dans presque toutes les affaires humaines, l'entente cordiale est le résultat d'un malentendu. Ce malentendu, c'est le plaisir. L'homme crie : « Oh ! mon ange ! » La femme roucoule : « Maman ! maman ! » Et ces deux imbéciles sont persuadés qu'ils pensent de concert. — Le gouffre infranchissable, qui fait l'incommunicabilité, reste infranchi.

Page 167. XXVII. UNE MORT HÉROÏQUE

Revue nationale et étrangère, 10 octobre 1863. Texte retenu par l'*Édition posthume*.
L'Artiste, 1er novembre 1864 (A).

l. 9 : A : partout des *traîtres* pour
l. 158-159 : A : comédie. *Ils moururent dans la nuit.*

Une des pièces les plus longues du recueil, illustrant la tendance du poème en prose à s'élargir vers le conte.

Portrait moral de Baudelaire qui assume simultanément les rôles du prince, du bouffon et du narrateur. On notera que le bouffon meurt au moment où il veut démontrer la toute-puissance de l'art (dont le coup de sifflet dénonce le caractère illusoire).

l. 25 : *l'Ennui.* — Voir, dans *Les Fleurs du Mal,* le troisième *Spleen.*

l. 30 : *l'étonnement.* — Une des catégories esthétiques que Baudelaire a définies dans le *Salon de 1859* :

Le désir d'étonner et d'être étonné est très légitime. *It is a happiness to wonder,* « c'est un bonheur d'être étonné » ; mais aussi, *it is a happiness to dream,* « c'est un bonheur de rêver ». Toute la question, si vous exigez que je vous confère le titre d'artiste ou d'amateur des beaux-arts, est donc de savoir par quel procédés vous voulez créer ou sentir l'étonnement. Parce que le Beau est *toujours* étonnant, il serait absurde de supposer que ce qui est étonnant est *toujours* beau. Or notre public, qui est singulièrement impuissant à sentir le bonheur de la rêverie ou de l'admiration (signe des petites âmes), veut être étonné par des moyens étrangers à l'art, et ses artistes obéissants se conforment à son goût ; ils veulent le frapper, le surprendre, le stupéfier par des stratagèmes indignes, parce qu'ils le savent incapables de s'extasier devant la tactique naturelle de l'art véritable.

l. 71-72 : *rôles muets.* — Dès sa jeunesse, Baudelaire s'est intéressé à la pantomime (voir l'*Essence du rire*), curiosité qu'il a partagée avec ses amis Champfleury et Gautier.

Page 172. XXVIII. LA FAUSSE MONNAIE

L'Artiste, 1er novembre 1864 (A).

Nouvelle Revue de Paris, 25 décembre 1864 (RP). Texte retenu par l'*Édition posthume.*

Revue du XIXe siècle, 1er juin 1866 (R).

l. 14-15 : A, R : tant de *soumission et* tant de reproches

l. 15 : A, R : *J'ai vu* quelque

l. 28-30 : A, R : n'était *légitimable* que par le désir de *connaître ou de préjuger* les conséquences

l. 44-45 : A, R : paroles, *presque aussi fidèlement que l'imbécile Pandore répondant au légendaire brigadier* : Oui, vous avez raison

l. 51-54 : A, R : voulu gagner *à la fois* quarante sols, et le cœur de Dieu, emporter le paradis *et faire des économies, bien mieux encore, ne rien dépenser, c'est-à-dire donner ce qui ne vaut rien, ou, en d'autres termes,* attraper gratis un brevet *de charité.*

On peut trouver un premier germe de ce poème dans la conclusion de *L'École païenne* (1852) :

Le goût immodéré de la forme pousse à des désordres monstrueux et inconnus. Absorbées par la passion féroce du beau, du drôle, du joli, du pittoresque, car il y a des degrés, les notions du juste et du vrai disparaissent. [...] La folie de l'art est égale à l'abus de l'esprit. La création d'une de ces deux suprématies engendre la sottise, la dureté du cœur et une immensité d'orgueil et d'égoïsme. Je me rappelle avoir entendu dire à un artiste farceur qui avait reçu une pièce de monnaie fausse : Je la garde pour un pauvre. Le misérable prenait un infernal plaisir à voler le pauvre et à jouir en même temps des bénéfices d'une réputation de charité.

l. 44, var. A, R : *Pandore.* — Allusion au personnage créé par Gustave Nadaud, compositeur et chansonnier aussi célèbre à l'époque que Béranger et Dupont.

l. 59-62 : *On n'est jamais excusable d'être méchant...* — Baudelaire a pris, avec Poe et de Maistre, le contre-pied de Rousseau : l'homme, pour lui, est naturellement méchant. Mais, comme il le dit, entre autres, dans les *Notes sur « Les Liaisons dangereuses »* : « Le mal se connaissant était moins affreux et plus près de la guérison que le mal s'ignorant. G. Sand inférieure à de Sade. »

Page 174. XXIX. LE JOUEUR GÉNÉREUX

Le Figaro, 7 février 1864 (F). Texte retenu par l'*Édition posthume.*

Revue du XIXe siècle, 1er juin 1866 (R).

Titre : R : *Le Diable*

l. 55-56 : R : d'une coupe pleine : « À votre immortelle santé ! »

l. 64 : R : je n'ai *vues* dans

l. 78 : R : plus subtil que *le reste du troupeau humain,* s'écrier

l. 91-97 : R : Dieu, — *qui n'a pas ses heures d'impiété ? — surtout en compagnie du diable.* Il me répondit avec une insouciance *menacée* [*sic*] d'une tristesse ; *mais il parla en hébreu.* [alinéa] Il est douteux

l. 99-100 : R : frissonnante *approchait,* ce

l. 114-116 : R : semblables ; l'argent

l. 121 : R : vous *aurez toutes les* voluptés

l. 133 : R : par un reste de *bonne* habitude.

Pièce que Baudelaire s'est d'abord proposé de traiter en vers et qui était peut-être destinée à la deuxième édition des *Fleurs du Mal* (comme *La Belle Dorothée, La Femme sauvage* et *Les Tentations*).

Variation ironique du mythe de Faust, très répandu en France depuis la traduction du *Faust* de Goethe par Nerval, comme le prouvent certains contes de Gautier (*Onuphrius*) ou de Heine (*Retour*).

l. 18 : mangeurs de lotus. — Allusion non pas à l'*Odyssée* mais aux *Mangeurs de lotus* de Tennyson, qui ont également inspiré certains vers du *Voyage*.

l. 77-78 : *un prédicateur, plus subtil que ses confrères*. — Peut-être le père Ravignan, successeur de Lacordaire à Notre-Dame. L'idée est d'ailleurs ancienne : *diabolum negare est diabolum credere*, disaient les scolastiques. Baudelaire l'affectionnait particulièrement. Il comptait la développer dans sa préface aux *Fleurs*, dont un projet offre le passage suivant :

Le Diable. Le péché originel. Homme bon. Si vous vouliez, vous seriez le favori du Tyran. Il est plus difficile d'aimer Dieu que de croire en lui. Au contraire, il est plus difficile pour les gens de ce siècle de croire au Diable que de l'aimer. Tout le monde le sert et personne n'y croit. Sublime subtilité du Diable.

l. 132-133 : *ma prière*. — Cf. la fin des *Tentations* et celle de *À une heure du matin*, ainsi que cette note de *Mon cœur mis à nu* :

Dieu et sa profondeur.

On peut ne pas manquer d'esprit et chercher dans Dieu le complice et l'ami qui manquent toujours. Dieu est l'éternel confident dans cette tragédie dont chacun est le héros. Il y a peut-être des usuriers et des assassins qui disent à Dieu : « Seigneur, faites que ma prochaine opération réussisse ! » Mais la prière de ces vilaines gens ne gâte pas l'honneur et le plaisir de la mienne.

Page 178. XXX. LA CORDE

Le Figaro, 7 février 1864 (F). Texte retenu par l'*Édition posthume*.

L'Artiste, 1er novembre 1864 (A).

L'Événement, 12 juin 1866 (E). Reproduit le texte du *Figaro*.

Dédicace : [manque dans A.]

l. 20-21 : A : qui *se rencontrent sur* ma route

l. 26-27 : A : dont la physionomie ardente et espiègle me séduisit

l. 42 : A : le *domicile* paternel

l. 42-48 : A : seulement, il manifesta bientôt [...] liqueurs, *et* un jour [...] un larcin de ce genre

l. 57-58 : A : qu'il avait sans doute repoussée était

l. 93 : A : impassible ; pas *un muscle de sa figure ne bougea*, pas une larme

l. 106-107 : A : suprême et *terrible* consolation
l. 135-136 : A : sous *le* badinage *le sérieux* de la demande
l. 138-139 : A : de la funeste corde
l. 146 : A [ajoute ce paragraphe final] : « — *Parbleu ! répondis-je à mon ami, — un mètre de corde de pendu, à cent francs le décimètre, l'un dans l'autre, chacun payant selon ses moyens, cela fait mille francs, un réel, un efficace soulagement pour cette pauvre mère !* »

Le héros de ce conte cruel est sans doute Alexandre, le modèle de *L'Enfant aux cerises* (vers 1858-1859), toile de Manet qui se trouve actuellement à la Fondation Gulbenkian (Lisbonne), et de l'eau-forte, *Le Garçon et le chien* (1861).

Page 183. XXXI. LES VOCATIONS

Le Figaro, 14 février 1864 (F).
La Semaine de Cusset et de Vichy, 28 mai 1864.

l. 85 : F : il m'a *toujours* semblé
l. 89 : F : et *il me semble* toujours

Baudelaire a souvent insisté sur l'importance des impressions recueillies par l'enfant. Ainsi dans *Un mangeur d'opium* (chap. VI) :

> Tel petit chagrin, telle petite jouissance de l'enfant, démesurément grossis par une exquise sensibilité, deviennent plus tard dans l'homme adulte, même à son insu, le principe d'une œuvre d'art. Enfin, pour m'exprimer d'une manière plus concise, ne serait-il pas facile de prouver, par une comparaison philosophique entre les ouvrages d'un artiste mûr et l'état de son âme quand il était enfant, que le génie n'est que l'enfance nettement formulée, douée maintenant, pour s'exprimer, d'organes virils et puissants ?

Développement repris dans *Le Peintre de la vie moderne* (chap. III), où il conduit à la formule célèbre :

> Mais le génie n'est que l'*enfance retrouvée* à volonté, l'enfance douée maintenant, pour s'exprimer, d'organes viriles et de l'esprit analytique qui lui permet d'ordonner la somme de matériaux involontairement amassée.

l. 81 suiv : *le quatrième dit...* — Baudelaire s'inspire ici d'un poème de Lenau cité par Liszt dans son étude *Des Bohémiens et de leur musique en Hongrie* (1859, p. 114-117) :

> Il serait impossible de rendre plus admirablement le genre de dédain rêveur, paresseux et insouciant de sa propre philosophie, particulier au

Zingaro, que Lenau ne l'a fait dans son poème des *Trois Bohémiens* ! Il s'est gardé de les faire parler, de leur faire faire fi des avantages sociaux qu'ils ne connaissent que de loin, et dont ils n'ont point assez usé pour savoir qu'ils ne sont que *vanité*. Ceux-ci leur paraissent, au contraire, d'un très grand prix ; mais ne voulant vendre leur liberté à aucun prix, ils passent à côté, trop préoccupés de leur *far niente* pour les analyser et en approfondir la secrète vanité. Lenau les a merveilleusement bien silhouettés ; on retrouve dans l'attitude où il les retrace toute l'éloquence d'une poésie vraie, surprise sur le fait, et dévoilant involontairement les dispositions de l'âme.

« Je rencontrai un jour trois Bohémiens couchés au bord d'une prairie, alors qu'avec une peine extrême mon chariot traçait son ornière à travers une plaine sablonneuse.

« L'un d'eux tenait dans ses mains un violon, sur lequel il se jouait à lui-même un air flamboyant, entouré de la pourpre auréole du couchant.

« L'autre tenait nonchalamment une pipe dans sa bouche, et ses yeux suivaient les contours de la fumée : insoucieux, comme si le globe entier n'avait plus rien à ajouter à son bonheur !

« Et le troisième dormait profondément, et sa cymbale pendait aux branches ; sur les cordes passaient les souffles du vent : sur son cœur flottait un rêve.

« Tous trois avaient des vêtements composés de diverses couleurs éclatantes, et traversés de nombreuses déchirures : mais tous trois défiaient, avec le dédain provoquant de la liberté, tous les destins de la terre.

« Ils m'ont ainsi triplement démontré comment, lorsque la vie n'est qu'une nuit, on peut, en fumant, en dormant, en jouant, la triplement mépriser !

« Longtemps, en poursuivant mon chemin, j'ai contemplé ces Bohémiens aux visages olivâtres, aux bruns cheveux ! »

Baudelaire connaissait bien l'ouvrage de Liszt, dont celui-ci lui avait offert un exemplaire dédicacé. On se rappellera aussi cette note de *Mon cœur mis à nu* :

Glorifier le vagabondage et ce qu'on peut appeler le Bohémianisme, culte de la sensation multipliée s'exprimant par la musique. En référer à Liszt.

Page 188. XXXII. LE THYRSE

Revue nationale et étrangère, 10 décembre 1863.

L'image du thyrse, Baudelaire l'a sans doute empruntée à un passage des *Suspiria* de De Quincey, paraphrasé au début et à la fin d'*Un mangeur d'opium*.

J'abrégerai sans doute beaucoup — écrit Baudelaire dans les « Précautions oratoires » — ; De Quincey est essentiellement digressif ; l'expression *humourist* peut lui être appliquée plus convenablement qu'à tout autre ; il compare, en un endroit, sa pensée à un thyrse, simple bâton qui tire toute sa physionomie et tout son charme du feuillage compliqué qui l'enveloppe.

Et dans la « Conclusion » :

Ici comme dans les parties déjà analysées, cette pensée est le *thyrse* dont il a si plaisamment parlé, avec la candeur d'un vagabond qui se connaît bien. Le sujet n'a pas d'autre valeur que celle d'un bâton sec et nu ; mais les rubans, les pampres et les fleurs peuvent être, par leurs entrelacements folâtres, une richesse précieuse pour les yeux. La pensée de De Quincey n'est pas seulement sinueuse ; le mot n'est pas assez fort : elle est naturellement spirale.

Baudelaire avait fait la connaissance de Liszt en 1861, au moment où il prit la défense du *Tannhäuser* de Wagner. Il lui avait dédicacé un exemplaire des *Paradis artificiels*, tandis que Liszt lui offrit son étude, *Des Bohémiens et de leur musique en Hongrie*, à laquelle le poète empruntait probablement le sujet des *Vocations*.

Page 190. XXXIII. ENIVREZ-VOUS

Le Figaro, 7 février 1864.

À rapprocher du cycle *Le Vin* dans *Les Fleurs du Mal*, ainsi que des *Paradis artificiels*. L'ivresse fait coïncider le moi et le non-moi et procure à Baudelaire ce sentiment profond de l'être qu'il éprouve en regardant les tableaux de Delacroix, en écoutant la musique de Wagner, en lisant Poe ou Banville.

Page 191. XXXIV. DÉJÀ !

Revue nationale et étrangère, 10 décembre 1863.

Le thème de la mer, assez fréquent dans *Les Fleurs du Mal* (voir *La Vie antérieure*, *L'Homme et la mer*, *Semper eadem*, *Mœsta et errabunda*), n'apparaît que rarement dans *Le Spleen de Paris* (voir *Le Port*). Se rappeler également le passage de *Mon cœur mis à nu* :

Pourquoi le spectacle de la mer est-il si infiniment et si éternellement agréable ?

Parce que la mer offre à la fois l'idée de l'immensité et du mouvement. Six ou sept lieues représentent pour l'homme le rayon de l'infini. Voilà un infini diminutif. [...]

Page 193. XXXV. LES FENÊTRES

Revue nationale et étrangère, 10 décembre 1863.

À rapprocher des *Foules* et des *Veuves*. Il n'est pas impossible que Baudelaire se soit souvenu d'un conte d'Hoffmann, *La Fenêtre du coin (du cousin),* traduit par Champfleury (1856) : on y voit un vieux podagre contempler de sa fenêtre les passants et refaire leur histoire en partant de leurs gestes et de leurs vêtements.

Thème repris par Barbey d'Aurevilly dans *Le Rideau cramoisi.*

Page 194. XXXVI. LE DÉSIR DE PEINDRE

Revue nationale et étrangère, 10 octobre 1863.

À rapprocher des *Bienfaits de la Lune.*

l. 13 : *soleil noir.* — Voir pour les origines et l'histoire de cet oxymoron le livre de Cl. Pichois, *L'Image de Jean-Paul Richter dans les lettres françaises* (José Corti, 1963, p. 283-293).

l. 22 : *la lune arrachée du ciel.* — Réminiscence de *La Pharsale* de Lucain (livre IV, v. 499-506). Baudelaire avait, dès sa jeunesse, une grande admiration pour *La Pharsale* qu'il comptait même traduire. De Bruxelles, il écrit à Sainte-Beuve, le 15 janvier 1866 : « *La Pharsale,* toujours étincelante, mélancolique, déchirante, stoïcienne, a consolé mes névralgies. » Parmi les projets non exécutés de poèmes en prose, on trouve : « Les derniers chants de Lucain » (p. 234 et 236).

l. 33-34 : *le désir de mourir lentement sous son regard* — On trouve la même expression dans la description de la chambre de *La Fanfarlo.*

Page 196. XXXVII. LES BIENFAITS DE LA LUNE

Le Boulevard, 14 juin 1863 (B).
Revue nationale et étrangère, 14 septembre 1867 (RN).

Titre : B : [sans titre]
Dédicace : RN : *À Mademoiselle B.*

l. 4 : B : descendit *lestement* son
l. 12 : B : gardé l'envie de pleurer
l. 37 : B : pour cela, chère enfant *adorée*

Il convient sans doute d'identifier la dédicataire du poème avec l'inspiratrice de *La Soupe et les nuages*. D'autre part, l'héroïne des *Bienfaits* ressemble à celle du *Désir de peindre*.

On connaît une curieuse appréciation des *Bienfaits* par Delacroix qui aurait dit à Pierre Andrieu, un de ses élèves (René Piot, *Les Palettes de Delacroix*, Librairie de France, 1931, p. 67) :

Je hais plus que personne [aurait dit Delacroix à Andrieu] l'infernale habileté de la brosse, mais ce qui fait le vrai peintre, c'est qu'il tire de son outil la qualité ailée qui fait l'éloquence de la peinture comme le violoniste tire de son archet l'accent de son âme.

Sachez, mon petit clerc (c'était le nom familier qu'il donnait à Andrieu), que le jour où les peintres auront perdu la science et l'amour de leur outil, les théories stériles commenceront. Car ne sachant plus écrire leur pensée avec des formes et des couleurs, ils l'écriront avec des mots et les littérateurs les auront. Je ne parle pas du vrai poète, comme l'était mon petit Chopin, mais du pion qui veut expliquer un vers de Virgile.

C'est ce que je disais hier à M. Baudelaire qui était venu me lire ce qu'il appelle ses petits poèmes en prose. Et après qu'il m'eut lu les *Bienfaits de la lune*, je lui dis que c'était la plus belle correspondance du fond de l'*Embarquement pour Cythère* et qu'il m'en a fait plus sentir ainsi le mystère aérien que par toute autre explication littérale.

Page 198. XXXVIII. LAQUELLE EST LA VRAIE ?

Le Boulevard, 14 juin 1863 (B).
Revue nationale et étrangère, 7 septembre 1867 (RN).

Titre : RN : *L'Idéal et le Réel*.
l. 17 : B : violence *frénétique* et bizarre.
l. 17-19 : B : disait, *dans ce patois familier de la canaille que ma pudeur ne saurait reproduire* : « C'est moi... »

Ce poème traduit l'écartèlement du poète entre l'idéal et le réel, qui est le sort de cet *homo duplex* évoqué par Baudelaire dans sa préface à *La Double Vie* d'Asselineau : « Qui parmi nous n'est pas un *homo duplex* ? Je veux parler de ceux dont l'esprit a été dès l'enfance *touched with pensiveness* ; toujours double, action et intention, rêve et réalité ; toujours l'un nuisant à l'autre, l'un usurpant la part de l'autre. »

Si l'on rapproche ce poème de *Hymne*, pièce adressée à Mme Sabatier, le 8 mai 1854, mais qui n'entra point dans *Les*

Fleurs du Mal, on est tenté d'y voir, avec les meilleurs critiques (J. Crépet et G. Blin), une allusion à la curieuse aventure de Baudelaire avec la Présidente.

Page 200. XXXIX. UN CHEVAL DE RACE

Le Figaro, 14 février 1864 (F).

l. 8 : F : magistère, *sorcière!*

À rapprocher du *Monstre* dans *Les Épaves*.

l. 22-23 : *chevaux de grande race.* — C'est des années 1830-1840 que date la mode qui consiste à appliquer le langage du turf aux femmes. Ainsi ce passage tiré du *Père Goriot* : « *Cheval de pur sang, femme de race*, ces locutions commençaient à remplacer les anges du ciel, les figures ossianiques, toute l'ancienne mythologie amoureuse repoussée par le dandysme. »

Page 202. XL. LE MIROIR

Nouvelle Revue de Paris, 25 décembre 1864.

Poème-boutade, caractéristique des dernières années de la vie de Baudelaire (cf., pour le ton grinçant, certains passages des *Journaux intimes* et de *Pauvre Belgique*).

Une fois guéri de sa fièvre révolutionnaire et rallié à la philosophie de Joseph de Maistre, Baudelaire raillait volontiers les immortels principes de 89. Ainsi, dans sa préface aux *Histoires extraordinaires* de Poe : « Parmi l'énumération nombreuse des *droits de l'homme* que la sagesse du XIXe siècle recommence si souvent et si complaisamment, deux assez importants ont été oubliés, qui sont le droit de se contredire et le droit de *s'en aller*. »

Page 203. XLI. LE PORT

Nouvelle Revue de Paris, 25 décembre 1864.
Ms. autogr. Bibliothèque littéraire Jacques Doucet.

Réunion de deux thèmes : le navire, le voyage (voir aussi *L'Invitation au voyage, Les Projets, Déjà !, Any where out of the world*, ainsi que, dans *Les Fleurs du Mal, Le Beau Navire*).

Le poème est à rapprocher de deux notes de *Fusées* dont la première se retrouve dans *Le Poème du hachisch* :

Ces beaux et grands navires, imperceptiblement balancés (dandinés) sur les eaux tranquilles, ces robustes navires, à l'air désœuvré et nostalgique, ne nous disent-ils pas dans une langue muette : Quand partons-nous pour le bonheur ?

Je crois que le charme infini et mystérieux qui gît dans la contemplation d'un navire, et surtout d'un navire en mouvement, tient, dans le premier cas, à la régularité et à la symétrie qui sont un des besoins primordiaux de l'esprit humain, au même degré que la complication et l'harmonie, — et, dans le second cas, à la multiplication successive et à la génération de toutes les courbes et figures imaginaires opérées dans l'espace par les éléments réels de l'objet.

L'idée poétique qui se dégage de cette opération du mouvement dans les lignes est l'hypothèse d'un être vaste, immense, compliqué, mais eurythmique, d'un animal plein de génie, souffrant et soupirant tous les soupirs et toutes les ambitions humaines.

Les meilleures illustrations du *Port* seraient fournies par les marines de Jongkind, qui a découvert la Normandie dans les années 1850 et séjourna à Honfleur au début des années 1860 ; Baudelaire mentionne élogieusement cet artiste dans *Peintres et aquafortistes*.

Proust se souviendra de ce texte dans *À l'ombre des jeunes filles en fleurs*.

Page 204. XLII. PORTRAITS DE MAÎTRESSES

Ms. autogr. reproduit dans *Le Manuscrit autographe*, n° spécial consacré à Baudelaire, Blaizot, 1927.

Revue nationale et étrangère, 21 septembre 1867.

Poème composé sans doute en Belgique. Avant de le publier, la *Revue nationale* avait gardé le manuscrit dans ses tiroirs pendant deux ans.

En guise d'épigraphe, on pourrait penser à cette phrase de *La Fanfarlo* :

Je voudrais que chacune de ces pauvres petites, avant de subir le lien conjugal, pût entendre dans un lieu secret, et sans être vue, deux hommes causer entre eux des choses de la vie, et surtout des femmes.

Ou encore à ce passage d'*Une fille d'Ève* de Balzac :

Ah ! si les femmes connaissaient l'allure cynique que ces hommes si patients, si patelins près d'elles prennent loin d'elles ! Combien ils se moquent de ce qu'ils adorent ! Fraîche, gracieuse et pudique créature, comme la plaisanterie bouffonne la déshabillait et l'analysait ! Mais aussi quel triomphe! Plus elle perdait de voiles, plus elle montrait de beautés.

l. 24-26: *la beauté... assaisonnée par le parfum, la parure, et cætera.* — Cf. dans *Le Peintre de la vie moderne*, le chapitre consacré au maquillage.

l. 172-173: ... *puisqu'elle était parfaite.* — Passage à rapprocher de *L'Ivrogne*, projet de drame dont Baudelaire a résumé l'intrigue dans une lettre à l'acteur Tisserant (28 janvier 1854):

> Vous avez déjà deviné que notre ouvrier saisira avec joie le prétexte de sa jalousie surexcitée pour se cacher à lui-même qu'il en veut surtout à sa femme de sa résignation, de sa douceur, de sa patience, de sa vertu.

Le sujet de *L'Ivrogne*, le poète l'avait déjà traité dans *Le Vin de l'assassin*, pièce où se conjuguent les influences de Pétrus Borel et de Poe. Ainsi, dans *Le Chat noir*, on assiste également à un crime dont la justification ne peut être que métaphysique. Dans tous ces textes la raison de l'assassinat disparaît: elle réside dans la perfection même de la victime, elle est fondée sur l'incompatibilité absolue entre la beauté morale et la vie.

Page 210. XLIII. LE GALANT TIREUR

Première publication dans l'*Édition posthume*.
Texte écarté par la *Revue nationale*.

Un premier crayon de ce poème se lit dans un feuillet de *Fusées* (qui contient également le premier germe de *Perte d'auréole*):

> Un homme va au tir au pistolet, accompagné de sa femme. — Il ajuste une poupée, et dit à sa femme: Je me figure que c'est toi. — Il ferme les yeux et abat la poupée. — Puis il dit en baisant la main de sa compagne: Cher ange, que je te remercie de mon adresse!

Cette note pourrait bien dater des années 1859-1860, alors que le poème en prose ne semble avoir été composé qu'en Belgique. Le poème illustre le rôle ambigu de la femme, caractérisé maintes fois par Baudelaire, depuis le *Choix de maximes consolantes sur l'amour*, à travers nombre de poèmes, jusqu'à la lettre préface des *Paradis artificiels* et au chapitre x du *Peintre de la vie moderne*:

> Cet être en qui Joseph de Maistre voyait *un bel animal* [...]; pour qui, mais surtout *par qui* les artistes et les poètes composent leurs plus délicats bijoux; de qui dérivent les plaisirs les plus énervants et les douleurs les plus fécondantes [...]. C'est plutôt une divinité, un astre, qui préside à toutes les conceptions du cerveau mâle [...]. C'est une espèce d'idole,

stupide peut-être, mais éblouissante, enchanteresse, qui tient les destinées et les volontés suspendues à ses regards.

Page 211. XLIV. LA SOUPE ET LES NUAGES

Ms. autogr. reproduit dans *Le Manuscrit autographe*, n° spécial consacré à Baudelaire, Blaizot, 1927.
Première publication dans l'*Édition posthume*.

Texte écrit à Bruxelles et refusé par la *Revue nationale* en 1865. L'héroïne en serait une certaine Berthe, ainsi qu'il appert d'un document conservé à la Bibliothèque littéraire Jacques Doucet. Il s'agit d'un portrait de femme exécuté par Baudelaire et flanqué de deux inscriptions. À droite : « à une horrible petite folle, souvenir d'un grand fou qui cherchait une fille à adopter, et qui n'avait étudié ni le caractère de Berthe, ni la loi sur l'adoption. Bruxelles, 1864 » ; à gauche, un premier germe du poème en prose : « Comme, pendant le dîner, je regardais les nuages par la fenêtre ouverte, elle me dit : Allez-vous bientôt manger votre soupe, sacré marchand de nuages ! »

On ignore tout de cette Berthe qui se confond peut-être avec la dédicataire des *Bienfaits de la Lune* et pour laquelle Baudelaire semble avoir recopié un poème de jeunesse, *Les Yeux de Berthe* (écrit vers 1843, publié en 1864).

Page 212. XLV. LE TIR ET LE CIMETIÈRE

Revue nationale et étrangère, 11 octobre 1867.

Cette pièce, écrite à Bruxelles, est contemporaine d'une poésie des *Épaves :*

UN CABARET FOLÂTRE
SUR LA ROUTE DE BRUXELLES À UCCLE

Vous qui raffolez des squelettes
Et des emblèmes détestés,
Pour épicer les voluptés,
(Fût-ce de simples omelettes !)

Vieux Pharaon, ô Monselet !
Devant cette enseigne imprévue
J'ai rêve de vous : *À la vue*
Du Cimetière, Estaminet.

l. 6 : *anciens Égyptiens.* — Lieu commun qui remonte à Hérodote (*Histoires*, Livre II, chap. 78) :

Au cours de réunions chez les riches Égyptiens, après que le repas est terminé, un homme porte à la ronde une figurine de bois dans un cercueil, peinte et sculptée à l'imitation très exacte de la mort, mesurant en tout environ une coudée ou deux; il montre cette figurine à chacun des convives en lui disant: « Regarde celui-là, et puis bois et prends plaisir; car une fois mort, tu seras comme lui. » Voilà ce qu'ils font, pendant qu'ils sont réunis pour boire.

Passage célèbre, cité par Montaigne dans les *Essais* (I, 20). D'autres allusions à cette coutume égyptienne se trouvent chez Plutarque, Pétrone, Sénèque. Il ne faut donc pas vouloir assigner de source précise au poème de Baudelaire.

l. 37-38 : *le But, dans le seul vrai but...* — Cf. le début de *La Mort des pauvres :*

C'est la Mort qui console, hélas ! et qui fait vivre :
C'est le but de la vie, et c'est le seul espoir
Qui, comme un élixir, nous monte et nous enivre
Et nous donne le cœur de marcher jusqu'au soir.

Page 214. XLVI. PERTE D'AURÉOLE

Première publication dans l'*Édition posthume*.
Texte écarté par la *Revue nationale*.

Un premier crayon de ce poème se lit dans un feuillet de *Fusées* (qui contient également le premier germe du *Galant Tireur*) :

Comme je traversais le boulevard et comme je mettais un peu de précipitation à éviter les voitures, mon auréole s'est détachée et est tombée dans la boue du macadam. J'eus heureusement le temps de la ramasser; mais cette idée malheureuse se glissa un instant après dans mon esprit, que c'était un mauvais présage; et dès lors l'idée n'a plus voulu me lâcher; elle ne m'a laissé aucun repos de toute la journée.

Ce canevas pourrait bien dater des années 1859-1860, alors que le poème en prose ne semble avoir été composé qu'en Belgique.

Le poème exprime le divorce du « poète », figure idéale, d'avec le « moi », figure réelle. Il ressemble à une réplique désabusée de *Bénédiction* et de *L'Albatros*.

Page 216. XLVII. MADEMOISELLE BISTOURI

Ms. autogr. reproduit dans *Le Manuscrit autographe*, n° spécial consacré à Baudelaire, Blaizot, 1927.
Première publication dans l'*Édition posthume*.

Poème écrit à Bruxelles et annoncé plusieurs fois dans la *Revue nationale* (septembre 1867), mais écarté comme non publiable.

Peut-être Baudelaire s'est-il souvenu d'un personnage parisien décrit par Adrien Marx comme « La Mère Bistouri » (*L'Époque*, 30 janvier 1866, repris dans *L'Événement* le lendemain) :

> C'était une vieille fille sèche, au teint jaune, toujours vêtue de noir. Elle logeait dans l'hôpital, attendait le docteur [Lamballe] dans les salles, où elle était arrivée bien avant les internes, et ne quittait pas le chef de service d'une semelle.
>
> Le grand chirurgien en faisait grand cas et ne dédaignait pas de lui confier certaines fonctions dont elle s'acquittait à ravir. Elle avait notamment une légèreté de main impossible à rendre et fendait une plaie avec une vitesse (j'allais dire avec une grâce) que j'ai rarement rencontrée.

l. 22 : *Régnier.* — Une des rares allusions au satirique que l'on trouve chez Baudelaire qui, au dire d'Asselineau, s'est imprégné de Mathurin Régnier dans sa jeunesse : « Il n'avait guère plus de vingt ans qu'on parlait déjà de lui dans le monde de la jeunesse littéraire et artistique comme d'un poète *original*, nourri de bonnes études et procédant des maîtres vigoureux et francs d'avant Louis XIV, particulièrement de Régnier. » Voir la satire XI, *Le Mauvais Giste*, dont Baudelaire s'est peut-être aussi souvenu dans un de ses poèmes de jeunesse « Je n'ai pas pour maîtresse une lionne illustre... »

l. 48 : *Sacré Saint Ciboire de Sainte Maquerelle*, comme on peut le lire dans le manuscrit.

l. 53 : *Maurin.* — Probablement Nicolas Maurin (1799-1850), un des élèves d'Ary Scheffer, mentionné dans le *Salon de 1845* et dans *Le Peintre de la vie moderne* où il figure, avec Devéria et Numa, parmi les « historiens des grâces interlopes de la Restauration ». Il a gravé, avec Belliard, les *Célébrités contemporaines* [...] *ou portraits des personnes de notre époque* [...], 1842, parmi lesquelles figurent de nombreux médecins.

l. 65 : *émeutes.* — Les journées de juin 1848.

l. 124-125 : *Seigneur, mon Dieu !* — Voir la prière qui termine *À une heure du matin* ainsi que celles de *Mon cœur mis à nu*.

Page 220. XLVIII. ANY WHERE OUT OF THE WORLD

Revue nationale et étrangère, 28 septembre 1867.

À rapprocher des deux *Invitations au voyage*, des poèmes en prose *La Solitude* et *Les Projets*, ainsi que du *Voyage* des *Fleurs du Mal*.

Le titre provient du *Bridge of Sighs* (1843) de Thomas Hood, que Baudelaire a traduit à Bruxelles. Poe avait déjà cité cette formule dans *The Poetic Principle*.

Un manuscrit de ce poème orne le cabinet de Des Esseintes dans *À Rebours* (chap. I).

l. 9 : *Lisbonne*. — Comparer l'évocation de ce paysage imaginaire au *Rêve parisien* des *Fleurs*.

l. 33 : Torne*a* et non pas Tornéo se trouve au fond du golfe de Botnie, difficile donc d'aller plus loin encore...

Page 222. XLIX. ASSOMMONS LES PAUVRES !

Ms. autogr. reproduit dans *Le Manuscrit autographe*, n° spécial consacré à Baudelaire, Blaizot, 1927 (Ms).

Première publication dans l'*Édition posthume*.

l. 87 : Ms : [phrase finale] *Qu'en dis-tu, citoyen Proudhon ?*

Pièce composée à Bruxelles et écartée comme non publiable par la *Revue nationale*.

C'est probablement au lendemain de la mort de Proudhon (19 janvier 1865), commémorée dans de nombreux articles de presse, que Baudelaire a imaginé cette illustration paradoxale des thèses du révolutionnaire. Il l'avait approché en 1848. Dans *Les Drames et les romans honnêtes* (1851), il écrivait : « Proudhon est un écrivain que l'Europe nous enviera toujours. » Enthousiasme de courte durée. En revanche, Baudelaire conservait son estime à Proudhon l'économiste. Le 2 janvier 1866, à Sainte-Beuve, à propos de ses articles sur Proudhon :

> Ce n'est pas, croyez-le bien, que je trouve la réaction, en sa faveur, illégitime. Je l'ai beaucoup lu, et un peu connu. La plume à la main, c'était un *bon bougre* ; mais il n'a pas été et n'eût jamais été, même sur le papier, un *Dandy*. C'est ce que je ne lui pardonnerai jamais. Et c'est ce que j'exprimerai, dussé-je exciter la mauvaise humeur de toutes les grosses bêtes, bien pensantes, de *L'Univers*.

l. 26 : *l'œil d'un magnétiseur.* — Allusion à une pratique courante à l'époque : recours au magnétisme pour accélérer la croissance des primeurs.

l. 34-35 : *Lélut, Baillarger.* — Célèbres aliénistes de l'époque ; le premier est l'auteur d'un livre, *Du Démon de Socrate* (1836), où il soutient la thèse, non seulement de la folie de Socrate, mais encore de celle du Tasse, de Pascal, de Rousseau, de Swedenborg, etc. Baudelaire se réfère encore à leurs thèses dans la lettre déjà citée à Sainte-Beuve. Comme Proudhon, Lélut faisait partie de l'Assemblée constituante en 1848 ; il est par ailleurs l'auteur d'un *Traité de l'égalité* (1849).

Page 225. L. LES BONS CHIENS

L'Indépendance belge, 21 juin 1865 (IB).
La Petite Revue, 27 octobre 1866 (PR).
Le Grand Journal, 4 novembre 1866 (GJ), reproduit le texte d'après *La Petite Revue*.
Ms. autogr. reproduit dans *Le Manuscrit autographe*, nº spécial consacré à Baudelaire, Blaizot, 1927 (Ms).
Revue nationale et étrangère, 31 août 1867 (RN).

Dédicace : [manque dans le ms.]
l. 17-18 : PR, GJ : la muse familière, *la jeune*, la citadine ; GJ : la *vivifiante*, pour
l. 28-29 : Ms, RN : lorette, *à moins qu'il ne soit insolent et hargneux* comme un domestique !
l. 57-58 : PR, GJ : la pluie *accablante*,
l. 63-64 : IB : une *remise* de la banlieue
l. 66 : PR, GJ, RN : qui accourent de
l. 68-69 : IB : certaines *demoiselles* sexagénaires ; GJ : certaines sexagénaires ; RN : certaines *vierges* sexagénaires
l. 79 : IB : omet bien entendu le début de la phrase
l. 80 : IB : comme moi, *en Belgique*, tous ces chiens
l. 90 : PR, GJ : un poêle *allumé et ronflant*, un ou deux instruments ;
l. 92-95 : IB : ces personnages intelligents, qui surveillent
l. 97 : Ms, RN : cuiller *de bois* se dresse
l. 110-113 : RN : que le dictionnaire pourrait aussi bien qualifier d'officieux, si *l'homme*, trop occupé de *son* bonheur, avait le temps
l. 119 : RN : un pour les *Chinois* et un pour les Turcs
l. 138 : PR, GJ : que le poète *revêt* le gilet

Poème composé en Belgique à propos d'un fait divers rapporté ainsi dans *L'Indépendance belge* :

Nous donnons à nos lecteurs un curieux morceau inédit, composé par M. Charles Baudelaire, à l'occasion d'un gilet qui lui avait été donné par M. Joseph Stevens, sous la condition qu'il écrirait quelque chose sur les chiens des pauvres.

Dans quelques lignes de ce poème, relatives aux chiens du saltimbanque, le lecteur reconnaîtra la description sommaire d'un des meilleurs tableaux du peintre.

Explication reprise et développée par Poulet-Malassis dans *La Petite Revue* et *Le Grand Journal* :

Les Bons Chiens. — Ce poème en prose est le seul morceau de littérature de M. Baudelaire qui ait été publié dans un journal belge, durant le séjour qu'il a fait à Bruxelles. Il n'a, d'ailleurs, été pour rien dans l'impression de ce remerciement à un ami qui l'avait gratifié d'un gilet.

Ceci demande explication.

M. Baudelaire a le désir impatient. Certains objets d'art, de curiosité, de toilette, sollicitent irrésistiblement son goût. Tel fut le gilet en question. À la plupart des hommes, ce gilet eût semblé un morceau de velours, sur lequel on se fût assis quelque peu ; en le voyant, le poète songeait à l'automne, à l'été de la Saint-Martin, aux femmes mûres. C'était un gilet *suggestif*.

Ce prestigieux gilet se bombait, fort noblement, ma foi, sur la poitrine de M. Joseph Stevens, le grand peintre d'animaux, de qui la conversation, toute conciliante et aimable, et la parfaite égalité d'humeur, plaisaient beaucoup à M. Baudelaire. La première fois qu'il le vit, ce gilet : « Oh ! fit-il avec enthousiasme, Stevens, que vous avez là un beau gilet ! » Et rencontrant M. Stevens quelques jours après, mais avec un autre gilet : « Pourquoi, lui dit-il, d'un ton de reproche, n'avez-vous pas mis votre beau gilet ? »

On remplirait une page de variantes d'expressions de ce désir, que M. Stevens, très impartial à l'endroit de son gilet, s'habitua à considérer comme celles d'une plaisanterie prolongée.

Un soir, enfin, que M. Baudelaire se trouvait à la taverne Horton, il s'exclama à si haute voix, et en prenant à témoin les amis présents, sur la beauté du gilet de M. Stevens, qui entrait, que celui-ci répartit : « Eh bien ! mon cher Baudelaire, puisque vous le trouvez si beau, le voulez-vous ? — Comment, si je le veux ? Mais voilà deux mois que j'en meurs d'envie ! »

À l'instant, avec toute la vivacité imaginable, M. Stevens se dépouilla de son paletot, au grand étonnement des habitués de l'endroit, Anglais pour la plupart, qui, considérant la pétulance de son premier geste, avaient espéré une scène de pugilat.

Rentré chez lui avec le gilet de M. Stevens sous le bras, le poète l'endossa, et sous son influence, célébra la gloire de l'homme magnifique qui venait de le gratifier d'un objet où il voyait tant de choses.

Le tableau de Stevens auquel il est fait allusion dans *L'Indépendance belge* est sans doute *L'Intérieur du saltimbanque* qui fut exposé au Salon de 1857 avant d'entrer dans la collection Crabbe à Bruxelles où Baudelaire l'a vu ou revu et décrit en ces termes :

> *Joseph Stevens*. Misérable logis de saltimbanques.
> Tableau suggestif. Chiens habillés. Le saltimbanque est sorti et a coiffé un de ses chiens d'un bonnet de houzard pour le contraindre à rester immobile devant le miroton qui chauffe sur le poêle. Trop d'esprit.

Dans *Pauvre Belgique*, Baudelaire comptait réserver un développement aux chiens :

> Les chiens seuls sont vivants ; ils sont les nègres de la Belgique.
> Chapitre sur les chiens, en qui semble réfugiée la vitalité absente ailleurs.
> Les chiens attelés. (Mot de Dubois.)
> Le mot de Dubois sur les chiens. (N'amène pas ton chien, il serait humilié de voir ses pareils traîner des voitures. — Au moins, Monsieur, on ne les muselle pas ici.) Beau chapitre à faire sur ces vigoureux chiens, sur leur zèle et leur orgueil. On dirait qu'ils veulent [être comparés aux : *ajouté à la main*] humilier les chevaux.

Joseph Stevens (1819-1892), frère d'Alfred (1823-1906) et d'Arthur (1825-1890), est un peintre animalier qui s'est formé chez Louis Robbe ; les chiens étaient un de ses thèmes de prédilection. — Louis Dubois (1830-1880) est un peintre belge, influencé par Courbet. Son mot, rapporté dans *Pauvre Belgique* : « N'amène pas ton chien, il serait humilié de voir ses pareils traîner des voitures. — Au moins, Monsieur, on ne les muselle pas ici ! »

l. 3 : Buffon. — Baudelaire le considérait, au même titre que La Bruyère, Chateaubriand et Gautier, comme un des grands maîtres en matière de langue et de style.

l. 6 : Sterne. — Allusion à *Tristram Shandy* (livre VII, chap. XXXII), épisode déjà cité dans le Salon de 1859.

l. 28 : *lorette*. — Mot créé par Nestor Roqueplan (voir Maurice Alhoy, *Physiologie de la lorette*, Aubert, 1841).

l. 49-50 : *Roqueplan*. — Allusion à un feuilleton paru dans *La Presse* du 16 mai 1857 (et repris dans *Parisine*, Hetzel, 1869) dont Baudelaire s'est largement inspiré :

> Car le chien d'esprit est de cette race de chiens indépendants qui n'endurent ni règles, ni loi, ni domicile. Et comme il faut vivre, ils se soumettent à la loi du domicile à la dernière extrémité, et en descendant à des artifices peu dignes.
> Ce chien-là est celui qui va si vite et qui fait dire à tous ceux dont il frôle les pantalons : où vont les chiens ! Il va... il va où la passion l'em-

porte. Tantôt c'est une chienne de qualité qui l'a remarqué et attiré par des coquetteries un jour qu'il passait dans un quartier riche et qu'il regardait le balcon d'un bel hôtel. Il a pris l'adresse et est allé dîner, et le soir il trotte le plus de travers possible vers l'hôtel de la señora, au risque d'être assommé par le portier, dont la femme finit par s'attendrir et favoriser une union mal assortie sous le rapport des convenances sociales. [...]

En un mot, c'est un chien qui court, qui a l'air affairé, qui s'arrête brusquement au coin d'une rue pour reprendre ensuite son allure avec résolution ; il va pour aller, pour n'être plus où il était.

l. 118 : Swedenborg. — Voir *La Vraie Religion chrétienne*, traduit du latin par Le Boys des Gouays, Paris, 1853, t. III, § 800-805.

Page 230. ÉPILOGUE

Première publication dans l'*Édition posthume*.
Ms. autogr. Bibliothèque littéraire Jacques Doucet.

C'est sans doute à tort que les premiers éditeurs des *Œuvres complètes* de Baudelaire ont placé cet *Épilogue* à la fin des *Poèmes en prose*, où il détonne doublement, par sa forme et par sa faiblesse. Ce poème auquel il ne manque pas seulement le dernier vers (la *terza rima* se terminant toujours par un vers isolé rimant avec le vers médian du dernier tercet) mais dont le mouvement fait espérer une suite, constitue très vraisemblablement le début de l'épilogue, en « tercets ronflants » adressés à la ville de Paris, que Baudelaire avait l'intention de joindre à la deuxième édition des *Fleurs du Mal* (voir la lettre à Poulet-Malassis du début juillet 1860). En effet, l'ébauche de trente-quatre vers, seul autre reliquat connu de ce projet (voir l'édition des *Fleurs du Mal* publiée dans la même collection), se rattache parfaitement au manuscrit de la Bibliothèque Doucet. Les « plaisirs que ne comprennent pas les vulgaires profanes » semblent bien être ceux qu'évoque le début de ce deuxième manuscrit : les « bombes », les « poignards », les « victoires », les « fêtes », les « faubourgs mélancoliques », les « hôtels garnis », les « jardins pleins de soupirs et d'intrigues », les « temples vomissant la prière en musique », etc.

v. 3 : Hôpital, lupanar, purgatoire, enfer, bagne. — Tous ces termes, à l'exception du premier et peut-être du dernier, représentent des images courantes pour désigner la capitale.

Le dicton, « paradis des femmes, purgatoire des hommes, enfer des chevaux », est attesté dès la fin du XVIe siècle. « Enfer » est un cliché employé par nombre d'auteurs, dont Mercier, Chamfort, Balzac, Vigny, Gautier, Nerval. Les termes de « lupanar » et de « bagne » se trouvent également dans d'autres textes du XIXe siècle.

Seule l'expression « hôpital » semble être rare et typiquement baudelairienne. Des comparaisons analogues se retrouvent dans d'autres poèmes en prose (*Le Crépuscule du soir*, *Any where out of the world*) et en vers (*Réversibilité*, *Le Crépuscule du soir*).

Voir, pour l'ensemble de ce texte, la thèse de Pierre Citron, *La Poésie de Paris dans la littérature française de Rousseau à Baudelaire*, Minuit, 1961, 2 vol.

Page 231. RELIQUAT

Cette section réunit tous les manuscrits actuellement connus qui ont trait au *Spleen de Paris*. Aucun d'eux n'est daté, mais ils appartiennent tous aux dernières années de la vie de Baudelaire et ont été écrits, vraisemblablement, en Belgique, entre 1864 et 1866. Si les *Listes de projets* nous donnent une idée de l'ampleur que Baudelaire voulait donner à ce recueil, les rares ébauches nous permettent de jeter un regard furtif dans le laboratoire du poète.

Page 233. LISTES DE PROJETS

Le Spleen de Paris, selon une expression qui revient plusieurs fois dans la *Correspondance*, devait faire « pendant » aux *Fleurs du Mal*. La première édition de celles-ci comptait cent poèmes. C'est également le nombre des poèmes en prose projetés par Baudelaire. Mais le poète n'avait guère la force d'aller au-delà de la cinquantaine. « Dans *Le Spleen de Paris*, il y aura cent morceaux — il en manque encore trente », écrivait-il à Hetzel le 8 octobre 1863, non sans quelque exagération. Car, dix-huit mois plus tard, le 4 mai 1865, il avoue à Sainte-Beuve : « Faire *cent* bagatelles laborieuses [...]. Je n'en suis qu'à *soixante*, et je ne peux plus aller. » Témoignage confirmé par Poulet-Malassis : « Il en voulait faire cent pour choisir, car sur les 70 faits, il y en avait de faibles et d'autres qui font double emploi » (à Asselineau, le 27 septembre 1866). Il semble donc que plusieurs morceaux furent écartés de l'*Édition posthume*. De quelques-uns, nous connaissons un canevas plus ou moins développé. Quelques titres sont légèrement soulignés au crayon rouge ; nous les faisons précéder d'un astérisque.

À comparer ces documents conservés à la Bibliothèque littéraire Jacques Doucet, on constate que la plupart des titres se retrouvent dans au moins deux des trois listes. Au total, 65 titres. Ceux qui appellent des commentaires suivront par ordre alphabétique.

Les aliénistes. — Baudelaire comptait sans doute s'égayer aux dépens de Lélut et Baillarger qu'il avait déjà brocardés dans *Assommons les pauvres !*

Appartements inconnus. — Titre qui figure également dans le feuillet A, sous la rubrique « Mes rêves » qui correspond en partie à celle d'« Onéirocritie ». Il voisine avec des titres qui semblent avoir trait à des souvenirs d'enfance ou de jeunesse du poète et on peut se demander si Baudelaire aurait ici traduit quelque vision onirique de son enfance. Peut-être faut-il rapprocher ce projet de cette note de *Fusées* : « Mes ancêtres, idiots ou maniaques, dans des appartements solennels, tous victimes de terribles passions. »

L'autel de Moloch. — Peut-être à rapprocher du projet de roman ou de nouvelle *L'holocauste.*

Le boa. — Figure également parmi les projets de romans et de nouvelles.

Le chapelet. — On se rappellera cette note de *Fusées* : « Le chapelet est un médium, un véhicule ; c'est la prière mise à la portée de tous. »

Le choléra à l'opéra. — Allusion à une planche de Rethel qui est mentionnée dans le feuillet G.

La cour des messageries. — Allusion au tableau de Boilly, *L'Arrivée de la diligence*, qui est au Louvre et que Baudelaire a décrit dans le feuillet F.

Les derniers chants de Lucain. — Baudelaire s'était déjà inspiré de *La Pharsale* dans *Le Désir de peindre.*

Les deux ivrognes. — À rapprocher du deuxième chapitre de l'essai *Du vin et du hachisch* (1851). Il existe aussi un tableau de Daumier, *Les Ivrognes* (1843), que Baudelaire a peut-être connu.

Distribution de vivres. — Parmi les projets de romans et de nouvelles, on trouve cette note qui se rapporte peut-être à la même idée : « Supposer un pauvre affamé voulant profiter d'une fête publique et d'une distribution de vivres pour manger. Il est bousculé et assommé par la multitude. »

La douce visiteuse. Planche de Rethel mentionnée dans le feuillet G.

Du haut des Buttes Chaumont. — À rapprocher de l'*Épilogue*.

Les escaliers. — Projet éventuellement analogue aux *Symptômes de ruines*.

La fin du monde. — Thématique qui apparaît plus d'une fois parmi les projets de romans (*Un roman sur les derniers hommes, Les dernières palpitations du monde*, etc.). Ce poème est annoncé comme « fait » dans une lettre à Houssaye (fin décembre 1861). Il s'agit probablement de l'admirable morceau qui se lit dans *Fusées* :

Le monde va finir. La seule raison pour laquelle il pourrait durer, c'est qu'il existe. Que cette raison est faible, comparée à toutes celles qui annoncent le contraire, particulièrement à celle-ci : qu'est-ce que le monde a désormais à faire sous le ciel ? — Car, en supposant qu'il continuât à exister matériellement, serait-ce une existence digne de ce nom et du dictionnaire historique ? Je ne dis pas que le monde sera réduit aux expédients et au désordre bouffon des républiques du Sud-Amérique, — que peut-être même nous retournerons à l'état sauvage, et que nous irons, à travers les ruines herbues de notre civilisation, chercher notre pâture, un fusil à la main. Non ; — car ce sort et ces aventures supposeraient encore une certaine énergie vitale, écho des premiers âges. Nouvel exemple et nouvelles victimes des inexorables lois morales, nous périrons par où nous avons cru vivre. La mécanique nous aura tellement américanisés, le progrès aura si bien atrophié en nous toute la partie spirituelle, que rien parmi les rêveries sanguinaires, sacrilèges, ou anti-naturelles des utopistes ne pourra être comparé à ses résultats positifs. Je demande à tout homme qui pense de me montrer ce qui subsiste de la vie. De la religion, je crois inutile d'en parler et d'en chercher les restes, puisque se donner encore la peine de nier Dieu est le seul scandale en pareilles matières. La propriété avait disparu virtuellement avec la suppression du droit d'aînesse ; mais le temps viendra où l'humanité, comme un ogre vengeur, arrachera leur dernier morceau à ceux qui croiront avoir hérité légitimement des révolutions. Encore, là ne serait pas le mal suprême.

L'imagination humaine peut concevoir, sans trop de peine, des républiques ou autres états communautaires, dignes de quelque gloire, s'ils sont dirigés par des hommes sacrés, par de certains aristocrates. Mais ce n'est pas particulièrement par des institutions politiques que se manifestera la ruine universelle, ou le progrès universel; car peu m'importe le nom. Ce sera par l'avilissement des cœurs. Ai-je besoin de dire que le peu qui restera de politique se débattra péniblement dans les étreintes de l'animalité générale, et que les gouvernants seront forcés, pour se maintenir et pour créer un fantôme d'ordre, de recourir à des moyens qui feraient frissonner notre humanité actuelle, pourtant si endurcie? — Alors, le fils fuira la famille, non pas à dix-huit ans, mais à douze, émancipé par sa précocité gloutonne; il la fuira, non pas pour chercher des aventures héroïques, non pas pour délivrer une beauté prisonnière dans une tour, non pas pour immortaliser un galetas par de sublimes pensées, mais pour fonder un commerce, pour s'enrichir, et pour faire concurrence à son infâme papa, — fondateur et actionnaire d'un journal qui répandra les lumières et qui ferait considérer *Le Siècle* d'alors comme un suppôt de la superstition. — Alors, les errantes, les déclassées, celles qui ont eu quelques amants, et qu'on appelle parfois des Anges, en raison et en remerciement de l'étourderie qui brille, lumière de hasard, dans leur existence logique comme le mal, — alors celles-là, dis-je, ne seront plus qu'impitoyable sagesse, sagesse qui condamnera tout, fors l'argent, tout, même *les erreurs des sens!* — Alors, ce qui ressemblera à la vertu, — que dis-je, — tout ce qui ne sera pas l'ardeur vers Plutus sera réputé un immense ridicule. La justice, si, à cette époque fortunée, il peut encore exister une justice, fera interdire les citoyens qui ne sauront pas faire fortune. — Ton épouse, ô Bourgeois! ta chaste moitié dont la légitimité fait pour toi la poésie, introduisant désormais dans la légalité une infamie irréprochable, gardienne vigilante et amoureuse de ton coffre-fort, ne sera plus que l'idéal parfait de la femme entretenue. Ta fille, avec une nubilité enfantine rêvera dans son berceau, qu'elle se vend un million. Et toi-même, ô Bourgeois, — moins poète encore que tu n'es aujourd'hui, — tu n'y trouveras rien à redire; tu ne regretteras rien. Car il y a des choses dans l'homme, qui se fortifient et prospèrent à mesure que d'autres se délicatisent et s'amoindrissent, et, grâce au progrès de ces temps, il ne te restera de tes entrailles que des viscères! — Ces temps sont peut-être bien proches; qui sait même s'ils ne sont pas venus, et si l'épaississement de notre nature n'est pas le seul obstacle qui nous empêche d'apprécier le milieu dans lequel nous respirons!

Quant à moi qui sens quelquefois en moi le ridicule d'un prophète, je sais que je n'y trouverai jamais la charité d'un médecin. Perdu dans ce vilain monde, coudoyé par les foules, je suis comme un homme lassé dont l'œil ne voit en arrière, dans les années profondes, que désabusement et amertume, et devant lui qu'un orage où rien de neuf n'est contenu, ni enseignement, ni douleur. Le soir où cet homme a volé à la destinée quelques heures de plaisir, bercé dans sa digestion, oublieux — autant que possible — du passé, content du présent et résigné à l'avenir, enivré de son sang-froid et de son dandysme, fier de n'être pas aussi bas que ceux qui passent, il se dit en contemplant la fumée de son cigare: Que m'importe où vont ces consciences?

Je crois que j'ai dérivé dans ce que les gens du métier appellent un hors-d'œuvre. Cependant, je laisserai ces pages, — parce que je veux dater ma [colère, *surchargé en* :] tristesse.

Melencholia. — Baudelaire comptait sans doute s'inspirer de la célèbre planche de Dürer qui avait également frappé l'imagination de Gautier et de Nerval. L'interprétation qu'il en aurait donnée aurait sans doute été différente de celle de Michelet, comme il appert de ce passage de *L'Art philosophique* (dans l'*Histoire de France au seizième siècle. La Réforme,* 1855) :

M. Michelet a tenté d'interpréter minutieusement la *Melancholia* d'Albert Dürer ; son interprétation est suspecte, relativement à la seringue, particulièrement.

D'ailleurs, même à l'esprit d'un artiste philosophe, les accessoires s'offrent, non pas avec un caractère littéral et précis, mais avec un caractère poétique, vague et confus, et souvent c'est le traducteur qui invente *les intentions*.

Ni remords ni regrets. — Ce titre figure également au verso du manuscrit autographe de *Sisina*, parmi d'autres projets de poèmes qui sont devenus des poèmes en prose (*La Femme sauvage, La Belle Dorothée, Le Joueur généreux*). Mais on le trouve aussi au nombre des projets de romans et de nouvelles où il est accompagné des notes suivantes : « Qu'importe de souffrir beaucoup quand on a beaucoup joui ? C'est une loi, un équilibre. Trouver l'algèbre morale de ce dicton. Refrains variés. » Un passage des *Baudelairiana* d'Asselineau pourrait faire croire que Baudelaire entendait réfuter certaines idées de Victor Hugo : « La meilleure critique des *Misérables* a été faite par Baudelaire. "Ah ! disait-il en colère, qu'est-ce que c'est que ces criminels sentimentals [*sic*], qui ont des remords pour des pièces de quarante sous, qui discutent avec leur conscience pendant des heures, et fondent des prix de vertu ? Est-ce que ces gens raisonnent comme les autres hommes ? J'en ferai, moi, un roman où je mettrai en scène un scélérat, assassin voleur [*sic*], incendiaire et corsaire, et qui finira par cette phrase : Et sous ces ombrages que j'ai plantés, entouré d'une famille qui me vénère, d'enfants qui me chérissent et d'une femme qui m'adore, — *je jouis en paix* du fruit de tous mes crimes !" » (E. J. Crépet, *Baudelaire*, p. 300.)

Le palais sur la mer. — Peut-être à rapprocher du poème de Poe, *The City in the Sea*.

Le père qui attend. — Se retrouve parmi les projets de nouvelles.

Le Prétendant Malgache. — Figure plusieurs fois dans les plans de romans et de nouvelles, ainsi que dans une lettre de la fin 1846 à la Société des gens de lettres.

La Prière du pharisien. — Voir Luc XVIII, 10-14. Baudelaire s'est maintes fois souvenu de cette prière, ainsi dans la note qui, dans la première édition des *Fleurs du Mal* (1857), figurait en tête de la section *Révolte* : « Fidèle à son douloureux programme, l'auteur [...] a dû, en parfait comédien, façonner son esprit à tous les sophismes comme à toutes les corruptions. [...] Plus d'un [lecteur] adressera sans doute au ciel les actions de grâces habituelles du Pharisien : "Merci, mon Dieu, qui n'avez pas permis que je fusse semblable à ce poète infâme !" » Voir aussi la lettre du 3 novembre 1865 à sa mère au sujet des *Chansons des rues et des bois* de Victor Hugo, qui venaient de paraître : « Comme d'habitude, énorme succès, comme *vente*. — Désappointement de tous les gens d'esprit après qu'ils l'ont lu. — Il a voulu, cette fois, être joyeux et léger, et amoureux et se refaire jeune. C'est horriblement lourd. Je ne vois dans ces choses-là, comme en beaucoup d'autres, qu'une nouvelle occasion de remercier Dieu, qui ne m'a pas donné tant de bêtise. Je fais sans cesse la prière du Pharisien. »

Les Reproches du portrait. — Probablement celui de François Baudelaire, exécuté par le chevalier Regnault et que le poète a traîné d'hôtel en hôtel jusqu'à son départ pour la Belgique.

Le Rêve avertisseur. — Figure également parmi les projets de nouvelles et, sous le titre, « Le rêve prophète », parmi les projets de romans.

Le séduisant croque-mort. — Le point de départ de ce poème aurait peut-être été une lithographie de Daumier, *Association en commandite pour l'exploitation de l'humanité. À la santé des pratiques*, que Baudelaire a ainsi décrite dans son essai sur *Quelques caricaturistes français* :

Figurez-vous un coin très retiré d'une barrière inconnue et peu passante, accablée d'un soleil de plomb. Un homme d'une tournure assez funèbre, un croque-mort ou un médecin, trinque et boit chopine sous un bosquet sans feuilles, un treillis de lattes poussiéreuses, en tête à tête avec un hideux squelette. À côté est posé le sablier et la faux. Je ne me rappelle pas le titre de cette planche. Ces deux vaniteux personnages font sans doute un pari homicide ou une savante dissertation sur la mortalité.

Symptômes de ruine. — Voir le feuillet D.

Une parole de Jean Hus. — Selon la tradition Hus serait mort en chantant la litanie : *Christie, Fili Dei vivi, miserere nobis !* Et voyant un paysan apporter un fagot pour alimenter son bûcher, il se serait écrié : *O sancta simplicitas !*

Une rancune satisfaite. — Se retrouve plusieurs fois parmi les projets de romans et de nouvelles. — Jean-Jacques Feuchère (1807-1852), sculpteur élogieusement cité dans le *Salon de 1845*, éreinté l'année suivante. L'allusion ici reste obscure.

Page 238. PLANS ET NOTES

Feuillet A. — Reproduit dans *Le Manuscrit autographe*, numéro spécial consacré à Baudelaire, Blaizot, 1927, et dans le *Baudelaire* de Philippe Soupault, Rieder, 1931.

l. 14-15 : il s'agit du poème bien connu de Thomas Gray, *Elegy written in a country churchyard* que Baudelaire a adapté dans un des poèmes des *Fleurs du Mal, Le Guignon.*

Page 239.

Feuillet D. — *Symptômes de ruine.* — Ms. autogr. Bibliothèque littéraire Jacques Doucet.

Figure dans les listes de projets dans la rubrique « Onéirocritie ». Un des derniers textes de Baudelaire : « Rêve authentique et prémonition de la catastrophe psychique et somatique qui attend Baudelaire » (Pierre Jean Jouve). Ce texte n'est pas sans rappeler la description des *Carceri* de Piranèse par De Quincey dans ses *Confessions of an English Opium Eater.* Dans ses *Paradis artificiels*, Baudelaire s'est contenté de résumer ces passages.

Page 241.

Feuillet G. — Allusion à deux planches de Rethel, ainsi décrites par Baudelaire dans *L'Art philosophique* :

> Deux planches se faisant antithèse. La première : *Première invasion du choléra à Paris, au bal de l'Opéra.* Les masques roides, étendus par terre, caractère hideux d'une pierrette dont les pointes sont en l'air et le

masque dénoué; les musiciens qui se sauvent avec leurs instruments; allégorie du fléau impassible sur son banc; caractère généralement macabre de la composition. La seconde, une espèce de *bonne mort* faisant contraste: un homme vertueux et paisible est surpris par la Mort, dans son sommeil; il est situé dans un lieu haut, un lieu sans doute où il a vécu de longues années; c'est une chambre dans un clocher d'où l'on aperçoit les champs et un vaste horizon, un lieu fait pour pacifier l'esprit; le vieux bonhomme est endormi dans un fauteuil grossier, la Mort joue un air enchanteur sur le violon. Un grand soleil, coupé en deux par la ligne de l'horizon, darde en haut ses rayons géométriques. — *C'est la fin d'un beau jour.*

Un petit oiseau s'est perché sur le bord de la fenêtre et regarde dans la chambre; vient-il écouter le violon de la Mort, ou est-ce une allégorie de l'âme prête à s'envoler?

Alfred Rethel (1816-1859), dessinateur, graveur et fresquiste, célèbre pour sa décoration de l'hôtel de ville d'Aix-la-Chapelle représentant des épisodes de la vie de Charlemagne, avait renoué avec la vieille gravure allemande par *La Danse des morts*, dont certaines planches figuraient à l'Exposition Universelle de 1855. Ses gravures étaient également popularisées par *L'Illustration*; Champfleury leur consacra un chapitre dans son *Histoire de l'imagerie populaire* (Dentu, 1869).

Page 241.

Feuillet H. — Figure dans *Pauvre Belgique.*

LE SPLEEN DE PARIS

RELIQUAT

DOSSIER

DU MÊME AUTEUR

Dans la même collection

LES FLEURS DU MAL. *Édition présentée et établie par Claude Pichois.*

Dans la collection Folio classique

LES PARADIS ARTIFICIELS (*précédé de* La Pipe d'opium, Le Hachich *et* Le Club des Hachichins *de Théophile Gautier*). *Édition présentée et établie par Claude Pichois.*

FUSÉES, MON CŒUR MIS À NU, LA BELGIQUE DÉSHABILLÉE, *suivi d'*AMŒNITATES BELGICÆ. *Édition présentée et établie par André Guyaux.*

CORRESPONDANCE. *Choix présenté et établi par Claude Pichois et Jérôme Thélot.*

Dans la collection Folio essais

CRITIQUE D'ART, *suivi de* CRITIQUE MUSICALE. *Édition présentée par Claire Brunet et établie par Claude Pichois.*

DERNIÈRES PARUTIONS

391. Michel Butor — *Anthologie nomade.*
392. *** — *Anthologie de la poésie lyrique latine de la Renaissance.*
393. *** — *Anthologie de la poésie française du XVIe siècle.*
394. Pablo Neruda — *La rose détachée.*
395. Eugénio de Andrade — *Matière solaire.*
396. Pierre Albert-Birot — *Poèmes à l'autre moi.*
397. Tomas Tranströmer — *Baltiques.*
398. Lionel Ray — *Comme un château défait.*
399. Horace — *Odes.*
400. Henri Michaux — *Poteaux d'angle.*
401. W. H. Auden — *Poésies choisies.*
402. Alain Jouffroy — *C'est aujourd'hui toujours.*
403. François Cheng — *À l'orient de tout.*
404. Armen Lubin — *Le passager clandestin.*
405. Sapphô — *Odes et fragments.*
406. Mario Luzi — *Prémices du désert.*
407. Alphonse Allais — *Par les bois du Djinn.*
408. Jean-Paul de Dadelsen — *Jonas* suivi des *Ponts de Budapest.*
409. Gérard de Nerval — *Les Chimères,* suivi de *La Bohême galante, Petits châteaux de Bohême.*
410. Carlos Drummond de Andrade — *La machine du monde* et autres poèmes.
411. Jorge Luis Borges — *L'or des tigres.*
412. Jean-Michel Maulpoix — *Une histoire de bleu.*
413. Gérard de Nerval — *Lénore* et autres poésies allemandes.
414. Vladimir Maïakovski — *À pleine voix.*
415. Charles Baudelaire — *Le Spleen de Paris.*
416. Antonin Artaud — *Suppôts et Suppliciations.*
417. André Frénaud — *Nul ne s'égare* précédé de *Hæres.*
418. Jacques Roubaud — *La forme d'une ville change plus vite, hélas, que le cœur des humains.*
419. Georges Bataille — *L'Archangélique.*
420. Bernard Noël — *Extraits du corps.*

421. Blaise Cendrars — *Du monde entier au cœur du monde* (Poésies complètes).
422. *** — *Les Poètes du Tango.*
423. Michel Deguy — *Donnant Donnant (*Poèmes 1960-1980).
424. Ludovic Janvier — *La mer à boire.*
425. Kenneth White — *Un monde ouvert.*
426. Anna Akhmatova — *Requiem, Poème sans héros* et autres poèmes.
427. Tahar Ben Jelloun — *Le Discours du chameau* suivi de *Jénine* et autres poèmes.
428. *** — *L'horizon est en feu.* Cinq poètes russes du XXᵉ siècle.
429. André Velter — *L'amour extrême* et autres poèmes pour Chantal Mauduit.
430. René Char — *Lettera amorosa.*
431. Guy Goffette — *Le pêcheur d'eau.*
432. Guillevic — *Possibles futurs.*
433. Collectif — *Anthologie de l'épigramme.*
434. Hans Magnus Enzensberger — *Mausolée* précédé de *Défense des loups* et autres poésies.
435. Emily Dickinson — *Car l'adieu, c'est la nuit.*
436. Samuel Taylor Coleridge — *La Ballade du Vieux Marin* et autres textes.
437. William Shakespeare — *Les Sonnets* précédés de *Vénus et Adonis* et du *Viol de Lucrèce.*
438. *** — *Haiku du XXe siècle.* Le poème court japonais d'aujourd'hui.
439. Christian Bobin — *La Présence pure* et autres textes.

Ce volume,
le quatre cent quinzième
de la collection Poésie,
composé par Interligne
a été achevé d'imprimer sur les presses
de l'imprimerie Bussière à Saint-Amand (Cher),
le 18 décembre 2007.
Dépôt légal : décembre 2007.
1er dépôt légal dans la collection : janvier 2006.
Numéro d'imprimeur : 074040/1.
ISBN 978-2-07-031959-6./Imprimé en France.

156310